COLLECTION TEL

Robert Antelme

L'espèce humaine

ÉDITION
REVUE ET CORRIGÉE

Gallimard

Ce livre existe
dans la « Collection Blanche » depuis 1957.
Il a été initialement publié par « La cité universelle » en 1947.

À ma sœur Marie-Louise,
déportée, morte en Allemagne.

AVANT-PROPOS

Il y a deux ans, durant les premiers jours qui ont suivi notre retour, nous avons été, tous je pense, en proie à un véritable délire. Nous voulions parler, être entendus enfin. On nous dit que notre apparence physique était assez éloquente à elle seule. Mais nous revenions juste, nous ramenions avec nous notre mémoire, notre expérience toute vivante et nous éprouvions un désir frénétique de la dire telle quelle. Et dès les premiers jours cependant, il nous paraissait impossible de combler la distance que nous découvrions entre le langage dont nous disposions et cette expérience que, pour la plupart, nous étions encore en train de poursuivre dans notre corps. Comment nous résigner à ne pas tenter d'expliquer comment nous en étions venus là ? Nous y étions encore. Et cependant c'était impossible. À peine commencions-nous à raconter, que nous suffoquions. À nous-mêmes, ce que nous avions à dire commençait alors à nous paraître inimaginable.

Cette disproportion entre l'expérience que nous avions vécue et le récit qu'il était possible d'en faire ne fit que se confirmer par la suite. Nous avions donc bien affaire à l'une de ces réalités qui font dire qu'elles dépassent l'imagination. Il était clair désormais que c'était seulement par le choix, c'est-à-dire encore par l'imagination que nous pouvions essayer d'en dire quelque chose.

J'ai essayé de retracer ici la vie d'un kommando (Gandersheim) d'un camp de concentration allemand (Buchenwald).

On sait aujourd'hui que, dans les camps de concentration d'Allemagne, tous les degrés possibles de l'oppression ont existé. Sans tenir compte des différents types d'organisation qui existaient entre certains camps, les différentes applications d'une même règle pouvaient augmenter ou réduire sans proportion les chances de survie.

Les dimensions seules de notre kommando entraînaient le contact étroit et permanent entre les détenus et l'appareil directeur SS. Le rôle des intermédiaires était d'avance réduit au minimum. Il se trouve qu'à Gandersheim, l'appareil intermédiaire était entièrement constitué par des détenus allemands de droit commun. Nous étions donc cinq cents hommes environ, qui ne pouvions éviter d'être en contact avec les SS, et encadrés non par des politiques, mais par des assassins, des voleurs, des escrocs, des sadiques ou des trafiquants de marché noir. Ceux-ci, sous les ordres des SS, ont été nos maîtres directs et absolus.

Il importe de marquer que la lutte pour le pouvoir entre les détenus politiques et les détenus de droit commun n'a jamais pris le sens d'une lutte entre deux factions qui auraient brigué le pouvoir. C'était la lutte entre des hommes dont le but était d'instaurer une légalité, dans la mesure où une légalité était encore possible dans une société conçue comme infernale, et des hommes dont le but était d'éviter à tout prix l'instauration de cette légalité, parce qu'ils pouvaient seulement fructifier dans une société sans lois. Sous eux ne pouvait régner que la loi SS toute nue. Pour vivre, et même bien vivre, ils ne pouvaient être amenés qu'à aggraver la loi SS. Ils ont joué en ce sens un rôle de provocateurs. Ils ont provoqué et maintenu parmi nous avec un acharnement et une logique remarquables l'état d'anarchie qui leur était nécessaire. Ils jouaient parfaitement le jeu. Non seulement ils s'affirmaient ainsi aux yeux des SS comme différents de nous par nature, ils apparaissaient aussi à leurs yeux comme des auxiliaires indispensables et méritaient effectivement de bien vivre. Affamer un homme pour avoir à le punir ensuite parce qu'il vole des épluchures et, de ce fait, mériter la récompense du SS et, par exemple, obtenir en récompense la soupe supplémentaire qui affamera davantage l'homme, tel était le schéma de leur tactique.

Notre situation ne peut donc être assimilée à celle des détenus qui se trouvaient dans des camps ou dans des kommandos ayant pour responsables des politiques. Même lorsque ces responsables politiques, comme il est arrivé, s'étaient laissé corrompre, il était rare qu'ils n'aient pas gardé un certain sens de l'ancienne solidarité et une haine de l'ennemi commun qui les empêchaient d'aller aux extrémités auxquelles se livraient sans retenue les droit commun.

À Gandersheim, nos responsables étaient nos ennemis.

L'appareil administratif étant donc l'instrument, encore aiguis de l'oppression SS, la lutte collective était vouée à l'échec. L'éche c'était le lent assassinat par les SS et les kapos réunis. Toutes les tentatives que certains d'entre nous entreprirent furent vaines.

En face de cette coalition toute-puissante, notre objectif devenait le plus humble. C'était seulement de survivre. Notre combat, les meilleurs d'entre nous n'ont pu le mener que de façon individuelle. La solidarité même était devenue affaire individuelle.

Je rapporte ici ce que j'ai vécu. L'horreur n'y est pas gigantesque. Il n'y avait à Gandersheim ni chambre à gaz, ni crématoire. L'horreur y est obscurité, manque absolu de repère, solitude, oppression incessante, anéantissement lent. Le ressort de notre lutte n'aura été que la revendication forcenée, et presque toujours elle-même solitaire, de rester, jusqu'au bout, des hommes.

Les héros que nous connaissons, de l'histoire ou des littératures, qu'ils aient crié l'amour, la solitude, l'angoisse de l'être ou du non-être, la vengeance, qu'ils se soient dressés contre l'injustice, l'humiliation, nous ne croyons pas qu'ils aient jamais été amenés à exprimer comme seule et dernière revendication, un sentiment ultime d'appartenance à l'espèce.

Dire que l'on se sentait alors contesté comme homme, comme membre de l'espèce, peut apparaître comme un sentiment rétrospectif, une explication après coup. C'est cela cependant qui fut le plus immédiatement et constamment sensible et vécu, et c'est cela d'ailleurs, exactement cela, qui fut voulu par les autres. La mise en question de la qualité d'homme provoque une revendication presque biologique d'appartenance à l'espèce humaine. Elle sert ensuite à méditer sur les limites de cette espèce, sur sa distance à la « nature » et sa relation avec elle, sur une certaine solitude de l'espèce donc, et pour finir, surtout à concevoir une vue claire de son unité indivisible.

1947.

PREMIÈRE PARTIE

GANDERSHEIM

Je suis allé pisser. Il faisait encore nuit. D'autres à côté de moi pissaient aussi ; on ne se parlait pas. Derrière la pissotière il y avait la fosse des chiottes avec un petit mur sur lequel d'autres types étaient assis, le pantalon baissé. Un petit toit recouvrait la fosse, pas la pissotière. Derrière nous, des bruits de galoches, des toux, c'en était d'autres qui arrivaient. Les chiottes n'étaient jamais désertes. À toute heure, une vapeur flottait au-dessus des pissotières.

Il ne faisait pas noir ; jamais il ne faisait complètement noir ici. Les rectangles sombres des *Blocks* s'alignaient, percés de faibles lumières jaunes. D'en haut, en survolant on devait voir ces taches jaunes et régulièrement espacées, dans la masse noire des bois qui se refermait dessus. Mais on n'entendait rien d'en haut ; on n'entendait sans doute que le ronflement du moteur, pas la musique que nous en entendions, nous. On n'entendait pas les toux, le bruit des galoches dans la boue. On ne voyait pas les têtes qui regardaient en l'air vers le bruit.

Quelques secondes plus tard, après avoir survolé le camp, on devait voir d'autres lueurs jaunes à peu près semblables : celles des maisons. Mille fois, là-bas, avec un compas, sur la carte, on avait dû passer par-dessus la forêt, par-dessus les têtes qui regardaient en l'air vers le bruit et celles qui dormaient posées sur la planche, par-dessus le sommeil des SS. Le jour, on devait voir une longue cheminée, comme d'une usine.

Je suis rentré dans le block parce qu'il n'y avait même pas de quoi rester dehors à regarder en l'air cette nuit-là. Il n'y avait rien dans le ciel, et sans doute il n'allait rien venir. Le block, c'était chez nous, notre maison. C'était là qu'on dormait, c'était là qu'un jour on avait fini par arriver. Je suis remonté sur ma paillasse. Paul, avec qui j'avais été arrêté, dormait à côté de moi. Gilbert, que j'avais retrouvé à Compiègne, aussi. Georges, au-dessous.

La nuit de Buchenwald était calme. Le camp était une immense machine endormie. De temps à autre, les projecteurs s'allumaient aux miradors : l'œil des SS s'ouvrait et se fermait. Dans les bois qui entouraient le camp, les patrouilles faisaient des rondes. Leurs chiens n'aboyaient pas. Les sentinelles étaient tranquilles.

Le veilleur de nuit de notre block, un républicain espagnol, faisait les cent pas, en sandales, dans l'allée centrale du block, entre les deux rangées de lits. Il attendait le réveil. Il faisait tiède. La lumière était faible. Il n'y avait pas de bruit. De temps en temps un type descendait de sa paillasse et allait pisser. Lorsqu'il s'apprêtait à descendre, le veilleur de nuit s'approchait et attendait qu'il ait mis le pied sur le plancher. Il espérait que l'autre lui parlerait, mais le type prenait ses chaussures à la main pour ne pas faire de bruit et se dirigeait vers la porte. Le veilleur lui demandait quand même à voix basse :

— Ça va ?

L'autre hochait la tête et répondait :

— Ça va.

Arrivé à la porte il enfilait ses chaussures, puis sortait pisser. Le veilleur du block reprenait sa marche.

Dans ce block, il n'y avait que des Français, quelques Anglais et des Américains. Depuis les quelques semaines que nous étions là, beaucoup de camarades français étaient déjà partis, envoyés en transport.

C'était aujourd'hui notre tour.

Depuis deux jours nous savions que nous allions partir. Nous savions même qu'on nous appellerait ce matin, 1er octobre 1944.

C'était mauvais, on le savait, le transport. C'était ce que tout le monde redoutait. Mais du moment où l'on avait été désigné, on s'y faisait. D'autant que pour nous, qui étions des nouveaux, notre peur du transport était abstraite. On se demandait ce qu'il pouvait y avoir de pire que cette ville où l'on étouffait, immense mais surpeuplée, à la marche de laquelle on ne comprenait rien. Quand le chef de block, détenu allemand, disait : *Alle Franzosen Scheisse !* les copains non encore avertis se demandaient dans quel énorme traquenard ils étaient tombés. Ils se voyaient traités, eux, Français, non seulement par les nazis comme les pires ennemis du nazisme, mais aussi, par des gens qui étaient leurs « semblables », par des ennemis comme eux des nazis, avec une hostilité spéciale, sans raison. Les premières semaines, ils étaient tentés de croire que leurs camarades allemands étaient perdus, avaient été retournés. Qu'eux seuls Français, exceptés, la population de Buchenwald était faite d'un peuple de sous-SS, de SS inférieurs, à tête rasée ou non, mais parfaits imitateurs des maîtres, parlant un langage que ceux-ci leur avaient peu à peu inculqué. C'était par contagion peut-être, se disait-on : l'habitude. Il restait cependant que ce langage faisait l'effet d'une trahison de tous les mots : *Scheisse, Schweinkopf,* loin de qualifier ici les SS, comme on aurait pu s'y attendre, n'y servaient plus qu'à les désigner, eux, Français. Il nous semblait ainsi, en arrivant, que nous étions les détenus les plus pauvres, la dernière classe de détenus.

La plupart d'entre nous ne savaient rien de l'histoire du camp ; histoire qui expliquait assez cependant les règles que les détenus avaient été amenés à s'imposer, et le type d'homme qui en était issu. Nous pensions que c'était ici le pire de la vie de concentration, parce que Buchenwald était immense et que nous y étions égarés. Ignorants des fondements et des lois de cette société, ce qui apparaissait d'abord, c'était un monde dressé furieusement contre les vivants, calme et indifférent devant la mort. Ce n'était en réalité souvent que le sang-froid dans l'horreur. Nous n'avions pas eu encore le temps de prendre sérieusement contact avec une clandestinité dont les nouveaux arrivants étaient loin de soupçonner l'existence.

Mais un camarade arrivé en même temps que nous au mois d'août avait été terrorisé à l'un des premiers appels au Petit Camp, par un kapo allemand, et il était devenu fou. Quand l'un de nous maintenant s'approchait de lui avec un morceau de pain et un couteau, il se cachait la figure dans le bras replié et suppliait : « Ne me tue pas ! » Il semblait aux derniers venus qu'ils ne pouvaient se comprendre qu'entre eux. C'est pourquoi ils croyaient que dans un transport peu nombreux ils pourraient se retrouver ensemble et retrouver des mœurs « à eux ». Aussi, maintenant qu'il en avait été question, beaucoup souhaitaient partir. « Ça ne peut pas être pire qu'ici », disaient-ils. « Plutôt cinq ans à Fresnes qu'un mois ici. Je ne veux plus entendre parler du crématoire. »

Ce matin donc, après le réveil, quand le *Stubendienst*[1] belge est sorti de sa chambre, il tenait à la main une liste de noms tapés à la machine. C'était un type mince, il avait une tête menue, de petits yeux, il portait un large béret sur le crâne. Le jour était à peine levé. Nous nous tenions dans l'allée du block. Il a commencé à appeler les noms. Paul, Georges, Gilbert et moi, nous étions appuyés contre les montants des châlits. On attendait. L'appel ne se faisait pas par ordre alphabétique. Ceux qui avaient été déjà appelés se regroupaient à l'extrémité du block, près de la porte. Pour eux, dès cet instant, ils étaient désignés, c'était le transport.

Les noms défilaient. Le groupe des appelés grossissait. Et pour ceux qui n'étaient pas encore appelés, le départ prenait une réalité nouvelle ; il devenait plus vrai que ces copains n'iraient jamais plus travailler à la carrière, qu'ils ne verraient plus jamais fumer la cheminée du crématoire. On ne savait pas où allait ce transport, mais tout d'un coup il apparaissait avant tout, et dans toute la force du mot, comme un changement. Et plus les appelés s'accumulaient, plus les autres se demandaient s'ils n'étaient pas frustrés de ne pas risquer l'aventure, le voyage.

Paul a été appelé. On l'a regardé partir vers les autres. D'autres encore. Georges, Gilbert et moi restions toujours appuyés contre les montants des châlits. On faisait signe à Paul qui s'enfonçait déjà dans le nombre, derrière les nouveaux désignés, déjà égaré, perdu à demi.

Puis, le stubendienst a fini par nous appeler tous, Georges, Gilbert et moi. La liste a été terminée bientôt. Nous étions donc regroupés. J'ai eu alors vraiment envie de partir.

1. Détenu responsable de l'administration du block, sous l'autorité du détenu chef de block (*Blockältester*), lui-même sous l'autorité du détenu *Lagerältester* (chef des kapos, responsable du fonctionnement du camp devant les SS).

On nous a rassemblés dehors. Nous étions une soixantaine. Le jour s'était levé. Déjà les hommes de corvée du block d'en face commençaient à laver le plancher. Des *Lagerschutz* (policiers du camp), et des kapos commençaient à errer dans les allées. Le stubendienst belge nous a conduits au magasin d'habillement. Deux heures plus tard nous sommes revenus dans le block. Quand nous sommes entrés, les autres, ceux qui restaient, nous ont suivis des yeux et pour nous regarder, ils avaient d'autres visages. Nous portions un vêtement rayé bleu et blanc, un triangle rouge sur la gauche de la poitrine, avec un F noir au milieu, et des galoches neuves. Nous étions nets, rasés, propres, nous nous déplacions avec aisance. Ceux qui dans la mascarade de Buchenwald s'étaient vu affubler d'un petit chapeau pointu, d'un béret de matelot ou d'une casquette russe ; ceux qui avaient charrié des pierres à la carrière avec un costume populaire hongrois et une casquette d'employé du tram de Varsovie sur la tête ; ceux qui avaient porté une petite vareuse qui s'arrêtait au-dessus des fesses, avec sur la tête une casquette de souteneur, avaient cessé ce matin d'être grotesques ; ils étaient transfigurés.

Les copains qui ne partaient pas nous regardaient avec gêne. Certains à ce moment-là étaient sans doute tentés de nous envier. Nous allions échapper à l'étouffement, à l'incohérence de cette ville. Mais la plupart semblaient angoissés et gênés comme on l'est devant ceux à qui vient d'arriver un malheur et qui l'ignorent encore. Une seule chose était certaine pour tous, c'était qu'en Allemagne, du moins, nous ne nous reverrions jamais.

Nous, nous marchions dans l'allée du block. L'air y avait changé. Les paillasses, le poêle, le « mobilier » dont nous avions rêvé au Petit Camp n'avaient plus d'existence pour nous. On n'éprouvait aucun déchirement encore, mais seulement une amertume mêlée en regardant les copains, si grotesques, si périmés dans les vêtements du camp. Demain, ils seraient encore à l'appel pendant plusieurs heures, et nous ne serions plus là. Pour eux ce serait encore chaque jour la carrière, la cheminée, et l'appel avant le départ pour le travail, chaque matin sous les phares de la Tour, dirigés sur les milliers de têtes grises qu'il était impossible de songer à distinguer par un nom, par une nationalité, ni même par une expression.

Tout Buchenwald était déjà pour nous démodé, et démodés les copains. Ils restaient. On les plaignait presque.

Nous savions que nous n'allions pas à Dora, ni dans les mines de sel; on nous avait même dit que ce n'était pas un mauvais transport. De là un état vaguement euphorique et ce luxe qu'on s'offrait, cette demi-tristesse devant les copains.

Nous avons passé la journée à errer dans le block. C'est le soir seulement, que le blockältester nous a rassemblés. Il nous a fait distribuer du pain et un morceau de saucisson. Nous étions rangés par cinq dans l'allée du block. Ceux qui ne partaient pas nous entouraient. Le blockaltester nous considérait avec calme, mais avec l'air de penser à nous quand même. Il était blond (les détenus qui étaient là depuis un certain nombre d'années pouvaient garder leurs cheveux), sa figure qui était assez fine était durcie par un rictus de la bouche. Il avait la moitié d'un pied coupé et boitait. Autrefois il avait été naturiste et boxeur. C'était un politique; il ne parlait ni ne comprenait le français. Aussi, quelquefois, quand il nous voyait rire, il croyait qu'on se moquait de lui. On était parvenu difficilement à lui faire comprendre qu'on ne se moquait pas, mais il restait méfiant, et quand il nous écoutait ses yeux guettaient sans cesse. Il avait un air de cruauté qui n'était pas vulgaire, un cynisme qui n'était ni agressif, ni méprisant. Il semblait toujours sourire, sourire à une réponse, qu'il avait l'air de connaître mais de vouloir retenir pour lui seul, le sourire de quelqu'un qui déjoue en permanence l'illusion. Il était là depuis onze ans. C'était un personnage, un des acteurs de Buchenwald. Son décor, c'était la Tour, la cheminée, la plaine d'Iéna avec au loin de petites maisons allemandes, comme la sienne qu'il avait quittée depuis onze ans. Et les SS, toujours les SS depuis le début – onze ans le même ennemi –, le même calot retiré devant le même calot vert à tête de mort. Depuis onze ans soumis, homme de même langue qu'eux, dans la haine la plus parfaite, si parfaite que la nôtre le faisait sourire. Et ce sourire voulait démasquer l'illusion que nous avions de croire qu'on les connaissait. Lui et ses camarades pouvaient les connaître, et avaient des raisons autrement anciennes que les nôtres de les haïr. Lorsqu'on lui parlait de la guerre, et qu'on tentait de lui dire qu'on espérait rentrer bientôt en France et que lui-même serait libéré, il faisait

« non » de la tête et riait avec un peu de hauteur, sans complicité, comme devant des enfants. Jusqu'en 1938 il avait attendu cette guerre et le Munich de la Tchécoslovaquie avait été aussi celui des camps. Il était là aux débuts de Buchenwald, quand il n'y avait que la forêt, quand beaucoup d'entre nous étaient encore à l'école. Nous, nous arrivions à peine dans cette ville qu'ils avaient construite eux-mêmes avec la cheminée édifiée par eux, dans cette ville qu'ils avaient conquise sur les bois et qui leur avait coûté des milliers de leurs camarades, et nous disions : « Bientôt on sera libérés. » Il riait et disait : « Non, vous ne serez pas libérés. Vous ne savez pas qui est Hitler. Même si la guerre finit bientôt, nous crèverons tous ici. Les SS feront bombarder le camp, ils y mettront le feu, mais nous ne sortirons pas d'ici vivants. Il y a des milliers et des milliers des nôtres qui sont morts, nous aussi nous mourrons ici. » Quand il parlait ainsi, sa voix qui était faible s'élevait, son débit se précipitait, son regard devenait fixe, mais il gardait son sourire, ce n'était plus à nous qu'il parlait ; envoûté par le drame, il se répétait à lui-même cette oraison. Ce que nous appelions la libération, il ne parvenait évidemment plus à s'en faire une représentation. On aurait voulu lui dire que c'était encore possible, que c'était même certain, que ce qu'ils attendaient depuis onze ans allait arriver, mais il ne pouvait pas nous croire. Il nous considérait comme des enfants.

Un jour, des copains étaient allés le trouver pour lui parler d'un camarade qui était très malade et qui venait d'être désigné pour un transport. S'il partait, il avait de fortes chances de mourir pendant le trajet. Lui avait ri et avait répété : « Vous ne savez donc pas pourquoi vous êtes ici ? » et appuyant sur chaque mot : « Il faut que vous sachiez bien que vous y êtes pour mourir. Allez dire aux SS que votre camarade est malade, vous verrez ! »

Les copains avaient pensé que l'idée de la mort d'un homme pouvait encore l'ébranler. Mais tout se passait comme si rien de ce qui pouvait arriver d'imaginable à un homme n'était plus susceptible de provoquer en lui ni pitié ni admiration, ni dégoût ni indignation ; comme si la forme humaine n'était plus susceptible de l'émouvoir. Sans doute était-ce là le sang-froid de l'homme du camp. Mais ce sang-froid, cette discipline qu'il s'était imposée, avec peine peut-être, il avait fini sans aucun doute par en être dupe lui-même. La résistance de chacun a des limites qu'il est difficile de fixer. Mais pour lui, il lui aurait probablement coûté beaucoup de jouer le jeu de l'indifférence de l'extérieur seulement. Il en était sans doute venu ainsi à ne plus éprouver ce qu'il n'était pas question d'exprimer, et qu'il n'eût en aucun cas servi à rien d'exprimer.

Le mot du kapo, l'un de nos premiers jours au camp, était revenu aux copains : « Ici, il n'y a pas de malades : il n'y a que des vivants et des morts. » C'était cela que voulait dire le chef de block, cela qu'ils disaient tous.

Le chef de block avait repris : « Il faut que votre camarade parte. Il n'y a que le transport qui compte, il ne faut pas que les SS s'occupent de nos affaires, parce qu'alors vous verriez autre chose. » Il s'était arrêté un instant en hochant la tête, puis il avait répété : « Il faut qu'il parte votre camarade. »

Et il avait continué : « Vous ne connaissez pas les SS. Pour tenir ici, il faut de la discipline et vous n'êtes pas disciplinés. Je peux tout comprendre, mais je ne comprends pas qu'on ne soit pas discipliné. Vous fumez dans le block. C'est interdit. C'est interdit, parce que si le feu prend, vous serez enfermés dedans et vous grillerez. Vous n'aurez pas le droit de sortir. Si vous sortez vous serez mitraillés par les SS. Vous prenez deux couvertures chacun. Il y en a qui les coupent pour se faire des chaussons, c'est un crime. Il n'y a pas de charbon pour faire marcher le poêle, cet hiver vos camarades n'auront pas de couverture et ils mourront de froid. »

Il parlait peu en général. On disait qu'il « n'aimait pas les Français ». Avant nous, il y avait eu dans le block des droit commun de Fort-Barrault. Ils se volaient leur pain. Le chef de block cognait. Ils avaient voulu le tuer. Les copains avaient eu beau lui dire que maintenant c'étaient des politiques français qui lui parlaient, il restait sceptique. Parfois, cependant, il essayait de s'expliquer ; il disait qu'il n'aimait pas frapper, mais que c'était souvent nécessaire. Les copains l'écoutaient, ils le laissaient parler. D'entendre ses propres paroles devant d'autres que les siens l'acclimatait insensiblement à nous. Mais, que pouvions-nous comprendre ? Nous n'étions pas encore des familiers de la mort, pas en tout cas de la mort d'ici. Son langage à lui, ses hantises en étaient imprégnés, son calme aussi. Nous, nous pensions encore qu'il y avait un recours possible, qu'on ne mourait pas « comme ça », qu'on pouvait faire valoir des droits quand la question se posait à la fin, et surtout qu'on ne pouvait pas regarder « sans rien faire » un camarade mourir.

Ses camarades à lui étaient morts. Il restait seul.

La mort était ici de plain-pied avec la vie, mais à toutes les secondes. La cheminée du crématoire fumait à côté de celle de la cuisine. Avant que nous soyons là, il y avait eu des os de morts dans la soupe des vivants, et l'or de la bouche des morts s'échangeait depuis longtemps contre le pain des vivants. La mort était formidablement entraînée dans le circuit de la vie quotidienne.

Nous étions des enfants, vraiment.

*

On avait dans la main le pain et le saucisson. On ne mordait pas dedans. La lumière tombait sur nous, il y avait des zones d'ombre dans le block. Le blockaltester nous regardait avec sérieux. Aucun cynisme sur sa figure, son sourire avait disparu. Nous étions nouveaux mais nous partions en transport. Autrefois, lui aussi était parti, puis il était revenu. Nous allions suivre un itinéraire semblable au sien. Il n'était donc pas dit qu'arrivés si tard en Allemagne nous ne connaîtrions rien des camps ; que nous serions des Français planqués et chanceux par rapport à ceux qui avaient vécu d'autres périodes de la concentration. Sans doute, il en avait vu des transports, il avait même su ce qu'ils étaient devenus. Ce n'était qu'un transport de plus. Mais quand même, là, devant nous, c'était lui qui restait et nous qui partions. Il ne nous méprisait plus.

On nous avait comptés plusieurs fois. Toutes les opérations étaient terminées. Ceux qui restaient se tenaient à l'écart de nous, ils semblaient s'être éloignés. La différence entre nous s'affirmait, et en même temps un désir immédiat de se parler. On se faisait des signes par-dessus quelque chose. Ceux qui s'étaient engueulés se criaient : « Bon courage ! » Ceux qui n'avaient jamais échangé que quelques mots se demandaient à la hâte : « Où habites-tu ? »

Il était trop tard. Trop tard pour se connaître. Il aurait fallu se parler avant ; ces inconnus qui se découvraient à la hâte étaient maladroits. Trop tard. Mais c'était donc que nous pouvions encore nous émouvoir ; nous n'étions pas morts. La vie, au contraire, venait de se réveiller du sommeil commençant des camps. Nous étions encore capables d'être tristes en quittant des camarades, encore frais, humains. Cela rassurait. Nous avions déjà besoin d'être rassurés. C'est pourquoi certains y mettaient peut-être quelque complaisance.

Le chef de block avait mis son béret, enfilé sa veste à brassard. Officiel, mais pas sévère. Il savait que demain nous aurions oublié les copains. Entre nos deux groupes il était la conscience de Buchenwald ; sa présence ramenait ces quelques instants à n'être que l'exécution d'une règle, répétition, habitude. Il avait connu cela aussi. On pouvait ici se dire au revoir ainsi, des amis séparés pouvaient même avoir les yeux rouges. Il se souvenait du temps où il aurait pris garde à cela. C'était fragile. Il savait que cette minute filerait, comme des milliards d'autres dans l'histoire du camp, dissoutes dans les heures de l'appel et le froid. Il savait qu'entre la vie d'un copain et la sienne propre, on choisirait la sienne et qu'on ne laisserait pas perdre le pain du copain mort. Il savait qu'on pourrait voir, sans bouger, assommer de coups un copain et qu'avec l'envie d'écraser sous ses pieds la figure, les dents, le nez du cogneur, on sentirait aussi, muette, profonde, la *veine* du corps : « Ce n'est pas moi qui prends. »

— *Fertig !* dit le chef de block.

Alors, ceux qui restaient et qui n'avaient pas le droit de se mêler à nous, ont franchi violemment la distance qui nous séparait d'eux. Ils ont crié et répété : « Il n'y en a plus pour longtemps ! » « Bon courage ! » On s'est crié encore des adresses : « Rappelle-toi ! » On a serré les mains de ceux qu'on n'avait pas connus. Ceux qui ne s'aimaient pas se regardaient enfin en face. Chacun donnait le meilleur de soi. Les figures les plus dures étaient devenues comme on avait dû les voir le plus souvent, là-bas, chez eux. La gentillesse possible de chacun est apparue. On partait, on partait. Mais ils nous suivaient, on allait les connaître, on partait. Si cela avait été un faux départ, tout à l'heure ils seraient redevenus comme avant, et on le savait, mais c'était bon : une main restait sur votre épaule et feignait de vouloir vous retenir. Nous allions nous quitter et nous éprouvions le sentiment que nous allions nous mutiler les uns des autres. Nous n'avions pas le temps. Mais il y eut quelques secondes où cela apparut comme un déchirement. C'était bien là, sans doute, le mouvement de l'amour impossible. Eux voulaient nous retenir dans la vie. Tout à l'heure ce serait fini, nous ne serions plus à perdre, nous serions même oubliés. Ils le savaient, et nous le savions. Mais nous nous demandions ensemble, eux et nous, si nous aurions toujours la force de vouloir retenir l'autre dans la vie. Et si, même dans le calme relatif, non traqués, nous en arrivions à ne plus vouloir, à ne plus avoir la force de le vouloir ? Alors nous serions sans doute devenus l'homme adulte du camp, le chef de block, une espèce d'homme nouveau.

*

Nuit avec les étoiles. Nous sommes sortis du block, et nous avons gravi la pente qui mène à la place d'appel, où nous sommes maintenant. Elle est sombre, elle forme un immense rectangle. Au sommet et sur toute son étendue, les cachots et les bureaux des SS, avec la Tour au centre. À l'étage de la Tour, sur une sorte de terrasse, la sentinelle se tient derrière le F.M. dirigé sur la place. Les phares disposés le long de la terrasse sont éteints. Au pied de la Tour est la voûte, sous laquelle on passait pour aller au travail ou partir en transport.

Nous nous sommes joints à d'autres rayés qui partent dans le même transport. Ils sont comme nous, alignés par cinq. Il y a une majorité de Français, quelques Belges, quelques Russes, des Polonais, quelques Allemands. Gilbert, Paul, Georges et moi sommes sur la même rangée.

De temps en temps, une voix sort d'un haut-parleur. Une voix grave, bien timbrée, presque mélancolique. Est-ce à l'un des nôtres que l'on parle ainsi? C'est un SS qui parle. Il appelle posément un chef de block, un kapo ou quelque autre fonctionnaire; mais c'est bien à un détenu qu'il s'adresse. On l'avait entendue souvent, cette voix, dans le haut-parleur de la baraque. Elle s'étendait sur tout le camp : « Kapos... Kapos ! », avec un « a » grave. C'était le mot qui revenait le plus souvent. Au début, cela avait paru mystérieux. Cette voix et ce mot manifestaient en réalité toute l'organisation. Calme, la voix ordonnait tout. Entre la voix et le régime imposé par les SS, il était d'abord impossible de faire le rapprochement. C'était pourtant une même chose. La machine était au point, admirablement montée, et cette voix tranquille, d'une fermeté neutre, c'était la voix de la conscience SS absolument régnante sur le camp.

Les phares de la Tour se sont allumés. Quelques-uns sont dirigés sur nous, d'autres balayent la place. Les SS ne sont pas encore arrivés. Le chef de block qui nous a accompagnés reste à l'écart et bavarde avec un lagerschutz. Sur la place, quelques détenus font les cent pas. Leur marche est paisible. Ils sont rodés, ils savent vivre les répits. C'est un de leurs droits de se promener ainsi le soir, après le travail, et ils l'exercent précieusement.

Au-delà du barbelé, au-delà de la carrière, sur la plaine d'Iéna, quelques lumières brillent faiblement. À l'opposé, derrière nous, la cheminée du crématoire.

Nous avons attendu longtemps. Il doit être maintenant onze heures. Le chef de block est parti. Il ne nous a rien dit ; il a simplement regardé la colonne, il n'a fait aucun signe. Demain, nous serons remplacés dans son block. Il n'avait aucune raison de nous serrer la main. Ce monde avait fabriqué ses hommes. Et lui-même, ennemi des SS, était un de ces hommes. Je n'ai jamais pensé qu'il pouvait avoir un nom, je ne me suis jamais demandé : « Comment s'appelle-t-il ? »

Quand nous avons encore toutes nos histoires fraîches dans la tête, quand nous disons, comme ayant quitté la maison la veille : « Bientôt, on sera chez soi ! » et que l'on pense n'avoir changé de vêtements que pour un temps, lui a dans la tête onze ans des histoires du camp. Le SS, il l'a vu naître, puis devenir SS, il le connaît du dedans. Et, lui-même, c'est sous les yeux de ce SS qu'il a vu naître qu'il a fabriqué ce camp.

Nous sommes des étrangers, des satellites attardés, groupes venant de peuples qui s'éveillent, accourent quand la bataille est engagée depuis longtemps. Nous sommes le nombre, le nombre, et, nous non plus, pour lui, nous ne pouvons pas porter de nom ; nous ne sommes pas dans le coup.

Cependant, nous aussi, les Français arrivés par les derniers convois du mois d'août, nous allons avoir le temps de passer à notre tour par quelques-uns des stades de l'édification de la société des camps. La deuxième nuit du transport elle-même, par exemple, ne s'achèvera pas sans que nous ayons assisté au phénomène de la naissance du kapo.

Les cinq Allemands qui sont dans la colonne rient entre eux. Ce sont nos futurs kapos. Ils savent qu'en arrivant au kommando ils seront nos chefs. C'est comme nos chefs qu'ils ont été désignés avec nous pour le transport. Ils sont déjà distants. Ce sont des droit commun. Un peu à l'écart, se tient un autre Allemand. Il est blond, une tête carrée, une assez forte corpulence, il porte un beau foulard. À Gilbert, qui parle allemand, il a dit qu'il était *Schreiber* (secrétaire). Il deviendra *Lagerältester* (doyen du kommando). C'est un politique.

Nous ne savons pas encore combien les rôles sont déjà distribués.

Il n'y a plus que nous sur la place maintenant. Les copains dorment dans les blocks. Ceux de notre baraque ne pensent plus à nous; ils nous croient loin, et nous sommes encore sur la place. Pour eux, ce départ a été accompli. Nous les imaginons à quelques centaines de mètres de là, qui vont pisser à demi endormis. Nous sommes en éveil, excités. Ce sont eux maintenant les innocents. Nous les regardons comme on regarde des aveugles. La vie nocturne de Buchenwald se mène sans nous; nous sommes à la limite près de la Tour. On n'a jamais aucune autre raison d'être là la nuit que pour partir.

Les phares éclairent les figures et les rayés. On ne nous a donc pas oubliés. On sait que nous sommes là. Les figures sont les mêmes que celles qui vont au travail le matin. Les épaules sont ramenées en avant. On a froid. Grisaille de la colonne ramassée, grouillement de paroles des Belges, des Polonais, des Français; chacun avec son copain, les attelages sont faits. L'homme dont on se souvient, maintenant déguisé, rasé, trimbalé, non viable autrement que déguisé et qui envie les chevaux et les vaches d'être acceptés comme chevaux et comme vaches, a encore ses yeux et sa bouche, et, sous le crâne lisse, toutes ses images d'homme en veston et ses paroles d'homme en veston.

Le passage sous la Tour s'est allumé. Les SS arrivent : deux sont en casquette; les autres, des sentinelles, ont le calot et le fusil. Ils comptent. Un lagerschutz appelle les noms en les estropiant. Mon nom est là-dedans, entre des noms polonais, russes. Rigolade de mon nom, et je réponds « Présent ! » Il m'a frappé l'oreille comme un barbarisme, mais je l'ai reconnu. Un instant, j'ai donc été désigné ici directement, on s'est adressé à moi seul, on m'a sollicité spécialement, moi, irremplaçable ! Et je suis apparu. Quelqu'un s'est trouvé pour dire « oui » à ce bruit qui était bien au moins autant mon nom que j'étais moi-même, ici. Et il fallait dire oui pour retourner à la nuit, à la pierre de la figure sans nom. Si je n'avais rien dit, on m'aurait cherché, les autres ne seraient pas partis avant qu'on ne m'ait trouvé. On aurait recompté, on aurait vu qu'il y en avait un qui n'avait pas dit « oui », qui ne voulait pas que lui, ce soit lui. Et, après m'avoir découvert, les SS m'auraient foutu sur la gueule pour me faire reconnaître qu'ici moi c'était bien moi et me faire rentrer cette logique dans le crâne : que moi c'était bien moi et que c'était bien moi ce rien qui portait ce nom qu'on avait lu.

Après l'appel, les SS recomptent avec le lagerschutz. Puis le lagerschutz s'en va. Il n'y a plus que les SS. Ils sont calmes, ils ne gueulent pas. Ils marchent le long de la colonne. Les Dieux. Pas un bouton de leur veste, pas un ongle de leur doigt qui ne soit un morceau de soleil : le SS brûle. On est la peste du SS. On n'approche pas de lui, on ne pose pas les yeux sur lui. Il brûle, il aveugle, il pulvérise.

À Buchenwald, à l'appel, on l'attendait des heures. Des milliers de types debout. Puis on l'annonçait : « Il arrive ! Il arrive ! » Il était encore loin. Alors, n'être plus rien, surtout n'être plus rien que les milliers. « Il arrive ! » Il n'est pas encore là, mais il vide l'air, le raréfie, le pompe à distance. Rien que des milliers, qu'il n'y ait rien ici, personne, rien que les carrés de milles. Il est là. On ne l'a pas encore vu. Il apparaît. Seul. N'importe quelle figure, n'importe qui, mais un SS, le SS Les yeux voient la figure de n'importe qui. L'homme. Le Dieu à gueule de rempilé. Il passe devant les milles. Il est passé. Désert. Il n'est plus là. Le monde se repeuple.

Au kommando, nous ne serons que quelques centaines. On verra toujours les mêmes SS. On les repérera. On saura les distinguer. Il n'y aura pas de Tour. Eux aussi seront condamnés à vivre avec nous, à voir toujours les mêmes têtes et même à chercher parmi ces têtes les *bonnes*, dont ils pourront se servir.

— *Zu fünf!* (par cinq) *Fertig!* crie l'un des SS à casquette. La colonne se raidit. On s'ébranle. On passe sous la Tour.

*

La lune s'est levée. La colonne avance, silencieuse, sur la route qui monte vers la gare du camp. Quelques centaines de mètres à faire. Les sentinelles à calot marchent de chaque côté, la crosse du fusil sous le bras, le canon vers le sol. Derrière, des copains tirent un chariot qui contient les bagages des SS.

Le train est là : quelques wagons à bestiaux, un wagon de voyageurs. La gare est déserte. On nous compte encore ; les SS sont calmes.

Dans notre wagon, nous ne sommes pas nombreux. On s'est couché contre les parois ; le plancher est humide et sale. Il fait froid, on s'est collé les uns contre les autres. La porte est restée ouverte, la lumière de la lune entre et fait un large rectangle. Les Allemands qui seront nos kapos sont juste assis dedans. On les voit bien. Ce sont encore des détenus comme nous. On ne les regarde encore que comme des gens que l'on voit pour la première fois. Ils n'ont rien de spécial. On ne se pose pas de questions. Ils parlent à mi-voix entre eux ; ils semblent se connaître depuis longtemps.

De chaque côté du rectangle de lumière, des ombres sont groupées, quelques taches troubles de visages, de mains, apparaissent et s'effacent. Le fond du wagon est complètement noir.

Ce train pourrait rester là longtemps. Nous ne sommes pas dans un wagon, mais dans une caisse ; on n'a pas l'impression qu'il y a des roues, que ça va remuer. Autour du train, dehors, il n'y a pas d'autre bruit que le crissement des souliers des SS qui se promènent. Nous sommes dans une immobilité de plomb.

Des chuintements. C'est la locomotive. Sortie du cœur du bois. Elle se rapproche. Un ébranlement ; quelque chose a fait remuer ce wagon, la vie est déclenchée, il y a du sang dans les roues. Le crissement des pieds des SS n'est plus le même, nous ne sommes plus dans une caisse, ils ne commandent plus la caisse, maintenant c'est la machine qui commande. S'ils vont pisser et qu'ils s'attardent trop et que le train parte, ils peuvent le manquer, et ils auront l'air con devant le train qui s'en va, con devant nous.

On va glisser sur les rails. Le type qui est sur la machine n'est pas un SS. Il ne sait peut-être pas qui il trimbale, mais il fait marcher le train. S'il devenait fou, si tous les chefs de gare allemands devenaient fous, sans sortir du wagon, comme on est, en rayé, on pourrait s'enfoncer dans la Suisse...

Mais on part bien de Buchenwald et pas pour n'importe où. Les embranchements ne seront pas ratés, on restera dans la bonne direction, les SS peuvent dormir, ça se passera bien. Les rails sur lesquels glissent les voyages de noces resteront aussi lisses sous notre passage ; le jour, dans la campagne, on regardera passer le train ; même si l'on devient des rats, un convoi de rats, la campagne restera tranquille, les maisons en place et le cheminot mettra du charbon dans la chaudière.

Ce n'est pas vrai, la plus extraordinaire des pensées ne fait pas remuer un caillou. Je peux appeler ceux de là-bas, me vider et les mettre à ma place, dans ma peau : là-bas ils dorment quand je suis ici assis sur la planche. Je ne suis pas maître d'un mètre d'espace, je ne peux pas descendre du wagon pour regarder, je ne suis le maître que de l'espace de mes pieds, et il y aurait des centaines de kilomètres à gagner. Eux aussi, là-bas, doivent sentir la maison écrasante et ne plus pouvoir penser que ceci : que la pensée la plus violente ne fait pas remuer un caillou. Si j'étais mort et qu'ils le sachent, ils ne regarderaient plus la carte et ne feraient plus le calcul des kilomètres. Les collines, les fleuves atroces ne mureraient plus la maison ; les distances infernales s'annuleraient, l'espace se pacifierait, ils ne seraient plus exilés de la partie du monde respirable.

Un coup de sifflet de la locomotive, anodin, étrange. Pour qui ? Sifflet rassurant qui vaut pour tous : c'est le même signal pour les SS et pour nous. Les SS soumis au coup de sifflet. On ne se défera jamais de cette manie enfantine de chercher partout des signes de blasphème, des encouragements. Sûrement, ils ne peuvent pas croire que nous entendons le même sifflet qu'eux. Coup de sifflet : ils montent dans le train. Ah, nous allons devenir incrédules ! Ils ne règnent donc que sur nous ; une pierre peut les faire tomber... S'ils ratent le train, il y aura très vite un espace entre la place de leurs pieds et l'endroit où est le train, un espace comme il y en a un entre la place de nos pieds et la maison. Ils ne règnent pas sur l'espace, et ce qui se passera derrière le front du SS ne fera pas remuer un caillou, ne comblera pas la distance qui sépare ses pieds du train parti...

La sentinelle affectée au wagon est montée. C'est un vieux, un Sudète. Il a de longues moustaches. On lui a collé une tête de mort sur le calot, mais c'est un faux SS. Il a installé un banc près de la porte qu'il a fermée à demi. Il a allumé une bougie qu'il a fichée sur le banc, et il s'est assis, son fusil entre les jambes.

Un ébranlement suspend le faible bourdonnement des conversations. Le vieux gardien chancelle, basculé. Ça y est, les roues tournent. Le plancher vibre. La vibration gagne les membres, les réchauffe. Quelques exclamations feraient croire qu'il s'agit d'un départ habituel pour la guerre, la caserne. « Elle est morte ! » dit un copain, comme si la vie allait renaître. Rien n'était plus insupportable, il est vrai, que ce wagon immobile, plus sinistre qu'une tombe. Le train roule maintenant ; il s'enfonce dans le bois qui descend vers Weimar. Le wagon est terriblement secoué. On se laisse emporter, et le corps bercé se détend. Ça roule, on a l'illusion de vaincre de l'espace. Mais, quand on sera arrivé, on le retrouvera intact, cet espace qui nous sépare de là-bas. On ne remue qu'à l'intérieur de l'Allemagne, et cette distance est neutre, et ce mouvement ne fait que brouiller ce qui, hier, était définitif et le sera demain. On secoue les cadavres.

Le gardien, qui se laisse balancer, fume une grosse pipe qui tombe sur son menton. Le train roule maintenant dans la descente. De temps en temps, la bougie s'éteint, le vieux la rallume et se tourne vers nous en rigolant ; certains d'entre nous rigolent aussi. Les futurs kapos qui ont du tabac lui demandent du feu, il en donne. Il a peut-être envie d'être brave. Il est seul, il fait nuit, il est vieux, il vient d'être mobilisé, on l'a sorti de sa ferme ; on ne devient pas SS en quelques jours.

Les futurs kapos parlent la même langue que lui. L'un d'eux, un gros, qui s'appelle Ernst, se lève et s'approche de la porte. Elle est entrouverte ; le gardien l'a laissé approcher. Le gros passe sa tête dehors et renifle l'air, le vieux ne bronche pas. L'autre rentre la tête et, se tournant vers le gardien, qui le regarde, lui dit quelque chose en allemand. Le vieux rigole dans sa moustache et se tourne vers nous. Le gros rit aussi. Il est presque édenté. Les autres Allemands en profitent pour rire à leur tour, assez fort, et le gardien se tourne carrément vers eux et hoche la tête avec un sourire qui reste dans sa moustache. On ne sait pas ce qu'a dit le gros. Le vieux doit se sentir légèrement menacé, plus seul et moins seul. Mais il n'y a que les Allemands qui ont ri, tout le wagon n'a pas ri, la langue a circonscrit le danger. Le gros reste à côté de la sentinelle. Il parle, l'autre répond de temps en temps. Ce n'est pas une conversation. Le gros voudrait aboutir à une conversation, mais le vieux ne sait pas s'il doit se laisser entraîner. La langue le rassure, mais, tout de même, nous sommes là. Les autres Allemands suivent les efforts du gros qui tente de mettre en évidence, aux yeux du gardien, la hiérarchie du wagon : il y a d'abord lui, le gardien, ensuite eux, les Allemands, nos kapos, et nous pour finir.

On roule depuis un bon moment. Tout est calme. La situation des Allemands se consolide. Maintenant, ils sont trois debout qui entourent le gardien. Un copain s'est levé. Il avait une cigarette. Il s'est approché du noyau et il a demandé du feu au gros en lui tapant sur l'épaule devant le gardien. L'autre n'a pas osé refuser, mais il a pris l'air le plus impatient, le plus méprisant possible.

Le gardien est assis sur le banc, la tête baissée ; il écoute les autres et ne la relève que rarement. Quand il sourit, il évite de les regarder, pour réduire la portée de ce sourire. Il tient bien son fusil par le canon, entre les jambes. Les trois autres ne le lâchent pas, ils ne cessent pas de lui parler.

À l'autre bout du wagon, un Français qu'on ne voit pas commence à chanter. Voix de sirop, écœurante. Il est question d'une femme en proie à une maladie incurable. On écoute. Elle finit par mourir.

Le wagon trimbale tout : nous, prostrés contre les parois, l'îlot allemand des trois et du gardien, le type à la chanson. Puis les mêmes, sans chanson. Le dos du gardien semblait plus large quand le copain chantait : un mur. Un autre commence une autre chanson. Encore un Français. Les trois futurs kapos autour du faux SS se retournent ; ils râlent parce qu'on chante en français.

— Tu nous emmerdes ! répond le copain, qui s'est interrompu. Ils ne sont pas encore kapos. Et il reprend la chanson. Le vieux s'est interrompu quand les trois sont intervenus, comme si leur intervention lui avait rappelé que l'ordre était troublé. Un instant, il a été inquiet. « Est-ce qu'on peut les laisser chanter ? » Puis il s'est retourné vers la porte – non, personne n'a pu sauter –, il a regardé les trois, et il a ramené son fusil qui avait un peu glissé.

Un air glacé pénètre par l'entrebâillement de la porte et les interstices des parois. Je me cale entre Paul et Gilbert qui somnolent. Toujours cette clarté pâteuse qui vient de la porte ; on ne sait pas si c'est le jour naissant ou la lune. La bougie est presque consumée ; les trois Allemands sont revenus à leur place. Le wagon dort. La tête du gardien tombe parfois sur le canon du fusil. Il la relève dans un sursaut et la tourne furtivement vers nous, puis regarde l'entrebâillement de la porte. Mais la largeur est toujours la même. Tout le monde est là.

Plus tard, le train s'arrête. Un autre gardien est venu relever le vieux. Il est un peu plus jeune, mais ce n'est pas non plus un véritable SS.

Avec la montée du jour, les zébrés apparaissent sur le plancher jusqu'au fond du wagon : matière gris-bleu-violet, brouillardeuse dans le faible matin ; les raies suivent le mouvement du corps, des bras, des jambes repliés ; les raies vont jusqu'aux pieds, et, aux pieds, il y a ces grosses galoches à semelles de bois, à tige de carton jaune et noir, neuves, reçues pour le départ. Elles brillent. Les raies sont toutes neuves, les semelles des souliers sont encore entières, les crânes, rasés de nouveau hier, sont lisses, c'est une cargaison fraîche, chacun est un *Häftling* (détenu) type, apprêté et réussi. On n'a pas encore de boue sur le vêtement, pas encore reçu de coups depuis qu'on a le vêtement. Une autre captivité vient de commencer.

Cette nuit, la bougie seule éclairait le profil immobile de la sentinelle. À côté de moi, Gilbert et Paul dormaient. J'avais les yeux ouverts, et d'autres, dans le noir, devaient avoir aussi les yeux ouverts et fixer la flamme jaunâtre et les moustaches pendantes de la sentinelle, la flamme et les moustaches toujours, ce morceau de lumière auquel le gardien avait droit comme pour se veiller lui-même et qui ne baignait que lui. Il n'y avait pas d'autre bruit que celui du wagon qui vibrait et engourdissait le corps. Ces vibrations, cet engourdissement lui redonnaient passagèrement sa sensibilité ancienne. Au milieu du sommeil des autres, celui qui avait les yeux ouverts était seul, c'est-à-dire comme avec ceux de là-bas. À passer simplement la main sur ses jambes, on redécouvrait cette propriété en commun avec ceux de là-bas, d'avoir un corps à soi dont on pouvait disposer, grâce auquel on pouvait être une chose complète. Et, grâce à lui encore, retrouvé, dans la demi-torpeur il semblait qu'on allait pouvoir à nouveau, qu'on pourrait toujours accomplir un moment de destinée individuelle. Le regard dans la flamme, on écoutait se refabriquer dans la tête l'ancien langage et on se retrouvait par bouffées dans la proximité vivante, insupportable de ceux qu'il était impossible d'imaginer ici. On s'élançait hors des grilles violettes et grises et on se redécouvrait celui qui était reconnu, admis quelque part là-bas. On était loin déjà, le corps engourdi, les yeux dans la lumière et tout d'un coup cette lumière vacillait, les yeux revenaient à la surface de la flamme et se brûlaient à sa netteté. C'était de la folie. Il aurait fallu plutôt dormir. De la folie d'avoir abandonné les copains, lâché le SS. Maintenant, on sentait les raies comme peintes sur la peau, le crâne piquant sous la main, et on retrouvait le gardien immobile dont la femme possible est acceptée par les SS, la maison aussi, la maladie, les peines, et dont la mort serait un malheur.

*

Le train a roulé toute la journée. On a mangé le pain qu'on avait touché hier dans le block. On s'est levé de sa place, on s'est approché de la porte, et, par l'entrebâillement, on a regardé la campagne : de la terre, des champs, des petits hommes au milieu, courbés. L'espace voulait être innocent, les enfants aussi dans les rues des villages, une petite lampe au-dessus de la table à l'intérieur d'une maison, la figure d'un garde-barrière, les façades des maisons et cette intimité paisible que l'on surprenait de l'Allemagne ; et le SS aussi, se promenant sur une route, voulait être innocent. Mais un maquillage invisible était partout, dont nous seuls avions la clef, la parfaite conscience. Vers la fin de l'après-midi, les sentinelles ont changé encore une fois, et le vieux de la nuit est revenu. Les futurs kapos n'ont pas cessé de parler et de rigoler. On a cherché à savoir où on allait. On allait vers le Nord, vers Hanovre. Puis le soir est venu, on s'est recouché sur le plancher.

*

On va arriver. Maintenant, le décor de Buchenwald se recompose en entier dans le souvenir : l'immense creux de la carrière et cette gravitation d'êtres minuscules avec la pierre sur l'épaule, devant la plaine d'Iéna ; la parade du départ pour le travail, le matin, avant le jour, sur la place d'appel, avec les vingt mille types sous les projecteurs et la musique du cirque au milieu de la place ; les répétitions du jazz près des chiottes ; les immenses chiottes où l'on avait quelquefois passé la nuit ; le boulevard des Invalides, avec ses unijambistes dans le brouillard à quatre heures du matin, et les aveugles et les vieux et les fous ; la hantise des quinze jours de corvée de merde passés dans la merde, et la cheminée du crématoire dans le petit jour sous l'extraordinaire mouvance des nuages. Et, tout autour, le barbelé, la frontière brûlante dont on n'approchait pas et que, bien avant que nous soyons arrivés, des hommes étaient allés saisir à pleines mains sous les yeux d'un SS paisible qui, du mirador, attendait de voir ces mains se décrocher.

Beaucoup étaient morts pendant les trois mois que nous avions passés à Buchenwald, des vieux surtout : deux types tenaient chacun les bouts d'une couverture qui contenait un poids. Ils passaient en criant : « Attention ! » On s'écartait, ils portaient le poids à la morgue. Parfois, des copains suivaient. Ils allaient jusqu'à la morgue, qui était au bout des grandes chiottes ; une vitre donnait sur la grande allée qui y conduisait. Ils collaient la tête contre la vitre, mettaient les mains de chaque côté de la figure pour se protéger du faux jour, mais ils ne voyaient rien. Ceux qui se connaissaient depuis vingt ans, le père et le fils, les frères, se séparaient ainsi. Celui qui restait rôdait parfois autour de la morgue, mais la porte était fermée, et, à travers la vitre, on ne voyait rien.

Je me souviens du premier que j'ai vu mourir. On était à

l'appel depuis quelques heures. Le jour baissait. Sur une butte du Petit Camp, à quelques mètres devant la première rangée de détenus, il y avait quatre tentes. Les malades étaient dans celle qui se trouvait en face de nous. Un pan de la tente s'est soulevé. Deux types qui tenaient une couverture par les bouts sont sortis et l'ont posée par terre. Quelque chose est apparu sur la couverture étalée. Une peau gris-noir collée sur des os : la figure. Deux bâtons violets dépassaient de la chemise : les jambes. Il ne disait rien. Deux mains se sont élevées de la couverture et chacun des types a saisi une de ces mains et a tiré. Les deux bâtons tenaient debout. Il nous tournait le dos. Il s'est baissé et on a vu une large fente noire entre deux os. Un jet de merde liquide est parti vers nous. Les mille types qui étaient là avaient vu la fente noire et la courbe du jet. Lui n'avait rien vu, ni les copains, ni le kapo qui nous surveillait et qui avait gueulé *Scheisse!* en se précipitant vers lui, mais qui ne l'avait pas touché. Puis il était tombé.

On ne savait pas, quand les deux types étaient sortis, qu'il y avait quelqu'un dans cette couverture. On attendait seulement le SS. C'était le moment de l'appel. On s'assoupissait debout. C'était interminable, comme chaque appel. Et le jet était parti, la merde du copain avait retenti dans ce demi-sommeil. Mille hommes ensemble n'avaient jamais vu ça.

Le copain était étendu dehors sur la couverture. Il ne bougeait pas. Ses yeux ronds étaient ouverts. Il était seul sur la butte. Les mille debout regardaient tantôt si le SS arrivait, tantôt vers lui. Ceux qui l'avaient sorti de la tente sont revenus. Ils se sont penchés sur lui, mais ils ne savaient pas s'il était mort. Ils ont tiré doucement sur la manche de la chemise ; il ne bougeait pas. Ils n'osaient pas toucher la peau. On ne pouvait pas savoir s'il était mort. Peut-être se relèverait-il et chierait-il encore ? C'était par la merde qu'on avait su qu'il était vivant, et, puisque le kapo avait gueulé, c'était qu'il était vivant, car le kapo savait détecter les morts.

Posé sur la couverture, le type ne bougeait pas. Les deux porteurs, debout, immobiles, le regardaient.

Le kapo s'est approché. Il était immense ; de sa figure on voyait surtout une énorme mâchoire inférieure. Il a touché le corps du copain avec le pied. Rien n'a bougé. Il a encore attendu un instant. Il s'est penché sur la figure noirâtre. Les deux porteurs se sont baissés aussi. Les mille types regardaient les trois penchés sur la couverture. Puis le kapo s'est relevé et a dit : *Tod !* Il a fait un signe aux deux porteurs. Ils ont soulevé la couverture, qui s'est un peu bombée vers le sol, et ils l'ont rentrée sous la tente.

*

Ces parades, ce décor n'existeront plus maintenant. Mais nous sommes formés. Chacun de nous, où qu'il soit, transforme désormais l'ordinaire. Sans crématoire, sans musique, sans phares, nous y suffirons.

*

Nous arrivons à Gandersheim, sur une voie qui dessert une usine. On descend des wagons, il fait nuit noire. Les sentinelles gueulent ; chez nous personne ne parle. Seules les galoches font du bruit. Nous entrons dans le magasin de l'usine, la lumière s'allume, on se regarde d'abord. On est deux cents environ. Les sentinelles nous poussent en avant, nous coagulent.

Les deux SS à casquettes arrivent ; ce sont des sous-officiers. L'un est jeune, grand, sa figure est plutôt molle, blanche. L'autre, plus petit, quarante ans, avec une figure roussâtre, sèche, fermée. D'abord, ils nous observent ; leur regard se promène de la tête à la queue de la colonne. On se laisse regarder. Puis, ils circulent dans le magasin, à grands pas, ils se donnent de l'aisance. Le petit SS s'arrête et donne l'ordre à une sentinelle de nous compter. Le gardien compte. On se laisse compter. On ne peut pas être plus indifférent que dans le dénombrement. Les futurs kapos se tiennent un peu à l'écart. On les compte aussi, mais ils bavardent à voix basse et sourient de temps en temps en regardant du côté des SS. Ils veulent montrer qu'ils comprennent bien que si on les compte eux aussi, cette opération ne les concerne cependant qu'à demi.

Personne ne s'est évadé. Le jeune SS est satisfait. Il sourit et hoche la tête en nous regardant. Il se fout de nous. Il sourit comme s'il avait découvert chez nous l'intention de nous évader et que nous n'y soyons pas parvenus. Il est maintenant immobile, les jambes écartées, les jarrets tendus. Mais cette exposition de sa puissance devant nous ne lui suffit pas. Il faudrait que quelque chose vienne de nous pour que ce soit parfait; qu'on lui dise par exemple : « Oui, tu es le plus fort, nous te le disons parce que tu mérites qu'on te dise que tu es le plus fort. Nous n'avons jamais vu plus fort que toi. Nous aussi on a cru autrefois qu'on était forts, mais maintenant on sait que tu es plus fort que jamais nous ne l'avons été; il est bien entendu que nous ne bougerons pas. Quoi que tu fasses, nous n'essayerons jamais de mesurer notre force à la tienne, même par l'imagination. »

L'autre SS se promène. Les futurs kapos contemplent les deux SS. Ils cherchent leur regard. Ils tiennent un sourire prêt pour la rencontre de leurs yeux avec ceux des SS. Ils parlent à voix plus haute maintenant. On suit la gymnastique forcenée de ces yeux, cette offensive de l'intrigue par la mimique du visage, cette utilisation abondante et ostentatoire de la langue allemande – cette langue qui, ici, est celle du bien, leur latin –, la même que celle des SS. Mais ils sont encore comme nous. Les SS sont à quelques mètres d'eux. Eux sont en retrait mais encore dans le groupe des détenus, ils ne sont pas encore en marge. Il s'agit de franchir ces quelques mètres.

Une plaisanterie à haute voix des futurs kapos; ils rigolent et attendent ce qui va apparaître sur la figure du jeune SS. Il esquisse un sourire. Ça vient. Le kapo va éclore bientôt.

On va sortir du magasin : un gardien nous recompte. Un copain n'est pas en place. Le petit SS rouquin l'engueule. Un des futurs kapos s'approche du copain et en le bousculant lui fait prendre sa place. Le copain réagit en levant le coude de côté. Le futur kapo jette un regard au petit SS. Les autres futurs kapos sont suspendus, la situation est décisive. Le petit SS engueule violemment le copain. Le futur kapo est kapo.

*

On ne sort pas encore. Le petit SS s'est davantage écarté de nous. D'un regard qu'il promène de la tête à la queue de la colonne, il impose le silence. Il parle maintenant. Sa voix est sourde, saccadée. Presque personne ne comprend. Il met pourtant toutes les intonations pour distinguer une phrase de la suivante, comme si nous avions saisi la première. Puisqu'il parle, on doit comprendre.

Quand il s'arrête, Gilbert traduit : « Le SS a dit qu'on est venu ici pour travailler. Il veut qu'on soit discipliné. Si on est discipliné et qu'on travaille, on nous foutra la paix et même on touchera de la bière. Il a parlé de primes pour ceux qui travailleraient le mieux. » Gilbert sourit.

« Maintenant on va avoir de la soupe. » Lucien, un Polonais qui habitait en France, traduit en russe.

Le SS est satisfait. Il s'est tu pour que l'un des nôtres parle dans notre langue. Il a laissé parler l'un de nous à voix haute, il n'a rien compris, il était *hors du coup*, et il a accepté.

Nous avons écouté comme des bœufs. On aurait pu nous dire n'importe quoi d'autre, nous l'aurions enregistré de la même façon. Mais il y a la soupe. Ça fait des rumeurs.

— *Ruhe!* (silence !) gueule le grand SS qui n'est pas intervenu depuis un moment.

On nous fait sortir du magasin de l'usine, et on nous mène à la cantine des ouvriers. C'est une salle longue et basse aux murs blancs, avec deux rangées de tables séparées par une allée. Une porte donne sur la cuisine, elle est percée d'un guichet. Dans la cuisine une femme tourne avec un bâton la soupe qui est dans une grande marmite. Les kapos s'affairent. Ils sont entrés dans la cuisine. Tout de suite, ils ont pris le pouvoir là où se trouve la nourriture. Ils boufferont plusieurs gamelles. Ils servent chacun au passage devant le guichet. Les deux SS surveillent.

Ça gueule dans la cantine. La plupart des copains sont assis sur les bancs devant les tables.

La soupe est chaude, c'est de l'eau avec des morceaux de carottes et de rutabagas. Des camarades essaient d'avoir du rab, mais il n'y en a pas. À travers le guichet on voit les kapos manger la soupe.

Il n'y a pas de rab, mais il y a de la lumière ; on est assis sur un banc ou par terre, c'est un répit. On a un peu de chaleur, de la soupe chaude. Il faut surveiller le moment de calme qui vient, il ne faut pas le rater. Il faut s'asseoir n'importe où, s'installer ne fût-ce qu'un instant. Cela, c'est l'art des Russes ; ils sont imbattables.

Au fond de la salle un *Werkschutz* (surveillant d'usine) en uniforme et casquette gris sombre est appuyé au mur ; il tient son fusil par le canon, la crosse par terre. Sa figure est hermétique. Ce n'est pas un SS. Ce n'est pas non plus la Gestapo, mais c'est de la police à un degré quelconque. Un homme à fusil ; et ce fusil ne peut concerner que nous. Mais le fusil n'est pas toujours un obstacle. À l'épaule du vieux gardien sudète par exemple, il n'impressionne guère plus qu'un bâton, et les deux SS à casquette, eux, n'ont pas de fusil.

On s'approche du werkschutz. On essaie de savoir où l'on est exactement et ce que vaut le kommando. D'abord il ne répond pas ; il surveille l'autre bout de la salle où se trouvent les deux SS. Puis il parle entre les dents sans bouger la tête, en regardant droit devant lui. On est tout près de Bad-Gandersheim, entre Hanovre et Cassel. Il ne sait rien du kommando qui est nouveau. Il a été prisonnier en France en 1918. Ce n'est pas drôle d'être prisonnier. Il comprend. Il tient bien son fusil. D'autres copains qui ont entendu s'approchent, font un cercle autour de lui. Il n'est pas tranquille, il surveille le côté des SS. Il cesse de répondre.

— *Antreten !* crie un SS. On se regroupe vers la sortie de la cantine. Ce sont les kapos qui nous comptent cette fois-ci.

Dehors, il fait très noir et beaucoup moins froid qu'à Buchenwald. Le ciel semble moins mouvant. On aperçoit des masses immobiles, des grues, des petites baraques. On ne couchera pas là. Par une petite route qui grimpe, on atteint un terre-plein sur lequel se trouve une vieille église transformée en grange. C'est là que nous coucherons – huit jours, dit le jeune SS –, trois mois en réalité.

*

L'église est partagée en deux. D'un côté, sur toute sa longueur s'étend une allée assez large ; le sol n'est pas dallé, c'est la terre. De l'autre côté, il y a de la paille.

On entre dans la paille. Il y en a beaucoup. Elle est saine, sèche, jaune, elle est neuve. On prend les gerbes à pleines mains, on creuse des trous profonds sans cesser de découvrir de la paille. C'est l'abondance. Le jeune SS nous regarde la remuer, il ne dit rien. On sait qu'il pourrait dire quelque chose, parce qu'il y a trop de paille pour nous, parce que les copains qui prennent les gerbes et les ramènent vers leur place rient; parce qu'elle est moelleuse et profonde, parce que celui qui est enfoui dans la paille avec la tête qui émerge est un roi et pourrait regarder le SS à son tour comme un roi. Parce qu'on a trompé le SS. Pas nous, les choses. Parce qu'il n'avait pas été prévu que sur la paille on marcherait ainsi, qu'on aurait cette tête, que les paysans en remuant les gerbes retrouvaient leur aisance. Couchés ainsi, le sommeil allait être abusif.

Le SS regarde la paille, le dommage; elle était abondante, honnête, pour les vaches allemandes de la ferme allemande voisine qui donnent le lait aux enfants allemands; bon circuit allemand. Dans cette paille, nous avons mis la peste, et nous avons ri dans l'orgie.

Le SS est parti. L'église est éclairée par quelques ampoules. Je suis couché. À côté de moi un Espagnol dort déjà. Nous sommes collés l'un contre l'autre. On ne bouge pas. L'engourdissement vient, le corps est seul, posé dans le trou de la paille. Rien qui déchire; ni la maison, ni la rue de là-bas, ni demain, ici avec le froid. Est-on bien ici? Le calme peut s'étendre ici aussi, un effort devient nécessaire pour vérifier que j'y suis bien, exclusivement, pas ailleurs. Le même principe d'identité que le SS voulait établir hier en me demandant de répondre «oui» à mon nom, je ne cesserai pas de tenter de le reconstruire pour m'assurer que c'est bien moi qui suis là. Mais cette évidence fuira toujours comme elle fait maintenant. Simplement, en remuant, la paille réveille la plaie au tibia, qui réveille la rue de là-bas dans le crâne, qui réveille D. revenant du travail en balançant les bras, et le calme craque et alors je crois que c'est bien moi qui suis ici.

Maintenant il faut dormir. Nous avons droit au sommeil. Les SS l'acceptent, c'est-à-dire que pendant quelques heures, ils consentent à ne plus être nos SS. S'ils veulent encore avoir demain de la matière à SS, il faut que nous dormions. Ils ne peuvent pas échapper à cette nécessité. Et nous, il faut que nous fabriquions de la force. Il *faut* donc dormir : on ne doit pas perdre de temps. On est pressé. Le sommeil n'exprime pas un répit, il ne signifie pas que nous sommes quittes d'une journée envers des SS, mais que nous nous préparons, par une tâche qui s'appelle le sommeil, à être de plus parfaits détenus.

Les SS tolèrent également que l'on pisse et que l'on chie. Pour cela, ils nous font même réserver un emplacement qui s'appelle *Abort*. Pisser n'est pas choquant pour le SS ; beaucoup moins que d'être simplement debout et regarder devant soi, les bras ballants. Le SS s'incline devant l'indépendance apparente, la libre disposition de soi de l'homme qui pisse : il doit croire que pisser est exclusivement pour le détenu une servitude dont l'accomplissement doit le faire devenir meilleur, lui permettre de mieux travailler et ainsi le rendre plus dépendant de sa tâche ; le SS ne sait pas qu'en pissant on s'évade. Aussi, parfois, on se met contre un mur, on ouvre la braguette et on fait semblant ; le SS passe, comme le cocher devant le cheval.

*

Il doit y avoir quelques heures que je dors. Depuis un moment on entend des bruits rythmés. Ils sont distincts maintenant. *Auf, ab ! Auf, ab !* Une voix forte de maître de gymnastique. Elle vient d'en bas, de l'allée. Aucun bruit ne répond à cette voix. C'est une gymnastique que l'on commande. La lumière est allumée. L'Espagnol qui est à côté de moi a les yeux ouverts. D'autres copains, ici et là, soulèvent la tête, écoutent et se regardent sans parler. On retient presque la respiration. La porte de l'église est fermée. Il doit faire encore nuit.

Vlan ! une claque ; c'est bien une claque. On est réveillé. Ça cogne.

— *Auf, ab ! Auf, ab !*

La voix reprend plus violemment. Rien n'a répondu à la claque, aucune plainte.

Je me retire doucement de mon trou, j'essaie de regarder dans l'allée, à travers les interstices des planches qui contiennent la paille. Le jeune SS est adossé au mur, les jambes écartées, les mains dans les poches. C'est lui qui commande. Devant lui, trois copains en chemise et pantalon. Ils sont alignés et, les mains aux hanches, ils s'accroupissent et se lèvent au commandement du SS.

Un copain qui a la figure rouge s'arrête. Une claque. Il se

relève, il fait deux fois le mouvement, il s'arrête encore. Un coup de pied dans les genoux. Le SS rigole et menace. Sa bouche est entrouverte, ses yeux lourds, il a l'air saoul. Les copains ont le visage décomposé, ils ne savent pas ce qu'on leur veut.

Un type qui revient de pisser en courant s'abat sur la paille à côté de nous.

— Il est saoul, dit-il à voix basse. Il y a une demi-heure qu'il est là... Il a piqué les gars qui allaient pisser pour leur faire faire le truc. Moi, il ne m'a pas vu.

À ce moment-là, un copain qui ne peut sans doute plus tenir et qui n'a pas compris de quoi il s'agit se lève pour aller pisser. Il court vers les chiottes.

— *Du, Du, komme hier, komme, komme!* gueule le SS, et il lui montre les autres.

— *Los!*

Et le type commence le mouvement. Je regarde l'Espagnol qui est sorti de son trou et a mis sa figure contre la planche. On est tenté par un rire nerveux; quand on ne comprend pas, on peut rire (par exemple le jour de l'arrivée à Buchenwald, lorsqu'on a été déguisés et que venant de se retrouver on ne se reconnaissait pas). Ils ont déjà réussi à nous faire rire. On pourrait tous se mettre à rigoler, c'est la folie, le jeu dément, on devrait rigoler. Il ne faut pas comprendre, ce n'est pas la peine, c'est le jeu, sans fin, sans raison, sans raison pour que ça finisse.

Les copains qui sont en bas sont atterrés. « Pourquoi la gymnastique? Pourquoi les coups? Qu'est-ce qu'on a fait? » Les copains n'ont que ça sur la figure : « Pourquoi? » Ça excite le SS. Il cogne. Deux sont par terre. Ils ne bougent pas. Le SS fout des coups de pied. Ils recommencent; ils sont épuisés et désemparés. Nous, nous sommes derrière les planches, sur la paille, à l'abri.

Parfois, le SS rigole en désignant comme pour lui-même un type du doigt. Le type profite du rire du SS pour essayer de lui faire croire qu'il pense bien que c'est du jeu, mais qu'on pourrait peut-être s'arrêter. Alors le SS s'approche et il claque. Le copain revient au jeu, il ne sait pas quand ça s'arrêtera.

— *Auf, ab! Auf, ab!*

Il continue.

Le SS s'est arrêté, il se lasse. Les copains sont debout. Il s'approche d'eux, il les regarde fixement. Il n'a pas envie de leur faire faire autre chose, il les regarde bien, et il ne parvient pas à se découvrir une autre envie. Il s'est déchaîné un moment, et il les retrouve là, essoufflés mais intacts, devant lui. Il ne les a pas fait disparaître. Pour qu'ils ne le regardent plus, il faudrait qu'il sorte le revolver, qu'il les tue. Il reste un moment à les regarder. Personne ne bouge. Le silence, il l'a fait. Il hoche la tête. Il est le plus fort, mais ils sont là, et il faut qu'ils y soient pour qu'il soit le plus fort; il n'en sort pas.

— *Weg!*

Il leur a jeté ça tout d'un coup à la figure, et ils ont foutu le camp en courant. Il est resté immobile comme devant les quatre qui n'étaient plus là. Puis il s'est retourné vivement, et il a foutu en gueulant des coups de pied dans le vide.

On le voit à travers les planches. Il est seul dans l'allée. Il n'entend rien. Il tourne sur lui-même, il regarde l'ampoule électrique. Tous les yeux sont ouverts maintenant. Avec le silence, la paille recèle une attention formidable. Elle pèse sur lui, il ne peut pas la conquérir.

Il fait quelques pas vers la porte. On *accompagne* sa sortie. Le bout de l'église, déjà, respire. Mais on n'entend pas encore de bruit. Il s'arrête, on voit sa nuque, son dos. La rumeur rentrée se bande, emplit toute l'église, elle le pousse, il avance. Le SS n'est plus là.

*

Il y a quelques jours que nous sommes ici. Le lendemain de notre arrivée, on nous a rassemblés devant l'église, et des civils sont venus chercher ceux qui étaient susceptibles de travailler à l'usine. On a vu apparaître sous le rayé un tourneur, un dessinateur, un électricien, etc.

Après avoir trié tous les spécialistes, les civils ont cherché d'autres types qui pourraient faire des corvées dans l'usine. Pour cela, ils sont passés devant ceux qui restaient. Ils ont regardé nos épaules, nos têtes aussi. Les épaules ne suffisaient pas, il fallait avoir une tête, peut-être un regard dignes des épaules. Ils restaient un moment devant chacun. On se laissait regarder. Si ça plaisait, le civil disait : *Komme!* Le type sortait du rang et allait retrouver le groupe des spécialistes. Parfois le civil se marrait devant un copain et le montrait du doigt à un autre civil. Le copain ne bougeait pas. Il faisait rire, mais il ne plaisait pas.

Les SS, eux, se tenaient à l'écart. Ils avaient ramené la cargaison, mais ils ne triaient pas, c'étaient les civils qui triaient. Quand un copain répondait à l'appel de sa profession : *tourneur*, le civil approuvait de la tête, satisfait, et se tournait vers le SS en montrant le type du doigt. Devant le civil, le SS ne saisissait pas tout de suite ; il avait amené sa cargaison ; il n'avait pas pensé qu'elle pût contenir des tourneurs. Il regardait le civil avec sérieux, pas admiratif, mais comme on regarde l'homme compétent ; celui qui avait réussi à découvrir là-dedans un homme qui pouvait, même en Allemagne, créer quelque chose avec ses doigts et qui ferait à l'usine le même travail qu'un ouvrier allemand. Quand le tourneur sortait du rang, le SS se retournait et le suivait des yeux ; il croyait ce qu'avait dit le civil ; à ce moment, peut-être n'aurait-il pas osé cogner sur le rayé qui recelait ce pouvoir mystérieux que le SS, lui, n'avait pas découvert mais qui faisait qu'il avait été remarqué par un autre Allemand.

Ceux qui devaient travailler à l'usine étaient isolés des autres. Les civils s'occupaient d'eux avec les kapos qui prenaient leurs noms. Les deux SS les avaient abandonnés et étaient revenus vers nous, ceux qui restaient et qui ne savaient rien faire. Libérés des civils qui avaient fait une discrimination de valeur entre nous, leur conscience tranquille, les SS retrouvaient leurs vrais détenus, ceux sur lesquels ils ne s'étaient pas trompés. Paysans, employés, étudiants, garçons de café, etc. Nous ne savions rien faire ; comme les chevaux, nous travaillerions dehors à charrier des poutres, des panneaux, à monter les baraques dans lesquelles le kommando devait loger plus tard.

Le choix qui venait de s'opérer était très important. Ceux qui allaient travailler à l'usine échapperaient en partie au froid et à la pluie. Pour ceux du zaun-kommando, le *kommando des planches*, la captivité ne serait pas la même. Aussi, ceux qui allaient travailler dehors ne devaient pas cesser de poursuivre le rêve d'entrer à l'usine.

*

Ce sont les premiers jours d'octobre. Le jour n'est pas encore levé. Les camarades qui travaillent à l'usine sont déjà partis. Une demi-heure après, le *Zaun-Kommando* quitte l'église et dévale le chemin qui conduit vers Gandersheim. On passe devant l'usine, masse carrée, au toit plat, au creux d'un cercle de collines. Elle est éclairée et brille dans le noir.

La voie ferrée par laquelle nous sommes arrivés domine une prairie qui s'étend, de l'usine, au pied d'une colline boisée que la voie traverse par un tunnel. C'est sur cette prairie que l'on construira les baraques. Le talus de la voie ferrée est couvert de panneaux et de poutres en vrac qu'il faudra trier. Il y en a déjà quelques tas dans le pré.

Nous avons quitté la route de Gandersheim, nous sommes entrés dans le pré. Nous sommes une cinquantaine, parmi lesquels il y a une majorité de Français. Il y a trois colosses russes et quelques Espagnols. On est engourdi. La terre du pré est mouillée et molle. On se planque sous une planche, contre un tas.

Nous sommes quelques copains, dans le noir, collés les uns aux autres. Derrière nous, la colline fait une ombre dure qui se découpe sur le ciel plus mou. De l'usine arrive le bruit du compresseur qui commence à fonctionner. Les épaules en dedans, les mains dans les poches, on se tait. Il va être six heures ; il faut atteindre midi. On n'a pas encore commencé. Comment commencer ? Comment fabriquer le premier geste de ce travail élémentaire : prendre une poutre, la porter à l'épaule, marcher ? On pourrait le faire les yeux fermés, mais il faut sortir les mains des poches, faire un pas en avant, se baisser. C'est difficile.

Pourtant, nous ne sommes pas encore très faibles ; mais il a fallu sortir du sommeil, il a fallu se rassembler, il a fallu arriver ici, il va falloir sortir les mains des poches, il va falloir charrier les poutres, il va falloir revenir après midi, il va falloir résister à la faim après la soupe, il va falloir attendre que la nuit revienne, il va falloir dormir, il va falloir recommencer demain, il va falloir attendre dimanche matin, il va falloir recommencer lundi, il va falloir attendre qu'ils soient sur le Rhin, il va falloir être sûr que ça viendra, il va falloir ne rien imaginer, ne rien rêver, il va falloir bien savoir que nous sommes ici absolument, que, sur chacun de nos jours, le SS règne, le savoir jusqu'à la dernière minute, jusqu'à ce que ceux qui derrière le micro disent : « Dans un mois... au printemps prochain... » ceux qui ont le temps arrivent, se montrent et disent : « Vous êtes libres ! »

Sortir les mains des poches, faire un pas, c'est faire quelque chose en attendant, c'est attendre. Ce n'est pas encore le froid ni la fatigue qui nous ankylosent, ni le passé, c'est le temps.

*

Là-bas, la vie n'apparaît pas comme une lutte incessante contre la mort. Chacun travaille et mange, se sachant mortel, mais le morceau de pain n'est pas immédiatement ce qui fait reculer la mort, la tient à distance ; le temps n'est pas exclusivement ce qui rapproche la mort, il porte les œuvres des hommes. La mort est fatale, acceptée, mais chacun agit en dépit d'elle.

Nous sommes tous, au contraire, ici pour mourir. C'est l'objectif que les SS ont choisi pour nous. Ils ne nous ont ni fusillés ni pendus mais chacun, rationnellement privé de nourriture, doit devenir le mort prévu, dans un temps variable. Le seul but de chacun est donc de s'empêcher de mourir. Le pain qu'on mange est bon parce qu'on a faim, mais s'il calme la faim, on sait et on sent aussi qu'avec lui la vie se défend dans le corps. Le froid est douloureux, mais les SS veulent que nous mourions par le froid, il faut s'en protéger parce que c'est la mort qui est dans le froid. Le travail est vidant – pour nous, absurde – mais il use, et les SS veulent que nous mourions par le travail ; aussi faut-il s'économiser dans le travail parce que la mort est dedans. Et il y a le temps : les SS pensent qu'à force de ne pas manger et de travailler, nous finirons par mourir ; les SS pensent qu'ils nous auront à la fatigue c'est-à-dire par le temps, la mort est dans le temps.

Militer, ici, c'est lutter raisonnablement contre la mort. Et la plupart des chrétiens la refusent ici avec autant d'acharnement que les autres. Elle perd à leurs yeux son sens habituel. Ce n'est pas de cette vie avec le SS, mais de l'autre là-bas, que l'au-delà est visible et peut-être rassurant. Ici, la tentation n'est pas de jouir, mais de vivre. Et si le chrétien se comporte comme si s'acharner à vivre était une tâche sainte, c'est que la créature n'a jamais été aussi près de se considérer elle-même comme une valeur sacrée. Elle peut s'acharner à refuser la mort, se préférer de façon éclatante : la mort est devenue mal absolu, a cessé d'être le débouché possible vers Dieu. Cette libération que le chrétien pouvait penser trouver là-bas dans la mort, il ne peut la trouver ici que dans la délivrance matérielle de son corps prisonnier. C'est-à-dire dans le retour à la vie du péché, qui lui permettra de revenir à son Dieu, d'accepter la mort dans la règle du jeu.

Ainsi, le chrétien substitue ici la créature à Dieu jusqu'au moment où, libre, avec de la chair sur les os, il pourra retrouver sa sujétion. C'est donc rasé, lisse, nié comme homme par le SS que l'homme dans le chrétien aura trouvé à prendre en importance la place de Dieu.

Mais, plus tard, lorsque son sang lui refabriquera sa culpabilité, il ne reconnaîtra pas la révélation de la créature régnante qui s'impose à lui chaque jour ici. Il sera prêt à la subordonner toujours – il acceptera, par exemple, qu'on lui dise que la faim est basse – pour se faire pardonner, y compris rétrospectivement, le temps où il avait pris la place de Dieu.

*

Le ciel commence à pâlir. Nous sommes sous la planche. Les épaules sont lourdes, les mains en plomb dans les poches. Le passage de la nuit au jour est aisé, il n'y a pas de trace d'effort dans le ciel. Les figures commencent à sortir de la nuit, mais la cigarette du kapo qui nous garde brille encore. Nous restons sous la planche. Déjà des copains sont partis aux chiottes, pour n'être pas dans le pré, pour être entre les quatre planches qui les entourent avec la bonne angoisse de la planque.

La nuit, on ne peut rien nous demander ; rien ne peut faire que nous travaillions dehors dans la nuit parce qu'on ne pourrait pas nous surveiller. Alors, on attend que le jour vienne nettement. Ce sera le jour quand le SS pourra voir que nous ne faisons rien, quand nos petits groupes deviendront scandaleux. On attend que la lumière fasse le scandale.

Déjà on se voit mieux. Les copains bavardent par deux ou trois ; les trois Russes rigolent. Nous offrons une image du désordre qui va devenir incontestable. Le jour naissant nous montre ; maintenant le SS ne peut plus ne pas voir. Le kapo le sent ; il éteint sa cigarette, le refuge est découvert, nous sommes dans la lumière. Ça va finir.

— *Arbeit ! los !* crie le kapo.

Ça y est. Ce n'est pas seulement un signal, c'est une injonction scandalisée, mûrie dans la nuit. Il n'y aura jamais d'autre signal. Nous serons toujours en retard. Pour les SS et pour les kapos, il y aura chaque matin un manque à crier de la nuit, qu'ils devront rattraper. Il n'y a pas de commencement au travail. Il n'y a que des interruptions ; celle de la nuit, reconnue pourtant, est scandaleuse. Dans le sommeil qui nous prépare à mieux travailler, le SS puise la force nouvelle de son prochain cri.

— *Los !* Une syllabe avec un élan de la langue repliée. De *los !* en *los !* jusqu'ici ; les premiers datent de Paris ; depuis Fresnes, c'est la même poursuite, interrompue la nuit, reprise dans l'indignation le matin.

Avoir les mains dans les poches est défendu. Cela dénote trop d'indépendance. Souvent, devant nous, les SS, eux, mettent leurs mains dans les poches ; c'est le signe de la puissance. De notre part, c'est un scandale. Il faut que l'on voie pendre les mains violettes ; à Buchenwald, en passant sous la Tour pour aller au travail, nous ne devions même pas balancer les bras.

Maintenant, on a quitté le dessous de la planche. On marche lentement vers le ballast où se trouvent les panneaux et les poutres. Nous avons déjà la démarche qui ne nous quittera plus. Seul le coup de pied au cul du SS ou du kapo peut provoquer quelques petits pas rapides, mais on ne sait plus courir. On marche en regardant par terre. Le pré est vert et mouillé. On repère les pissenlits. Le soleil trace des raies dans le brouillard. Il sort derrière la colline qui est en face, à l'opposé de la voie ferrée, de l'autre côté de la route, au bout d'une autre prairie. Nous nous traînons dans le pré, sans heurt, lentement. Le SS est loin, vers l'usine. Le kapo ne nous regarde pas.

Arrivés au pied du ballast, on s'arrête. Il y a beaucoup de

panneaux et de poutres, on n'est qu'une cinquantaine. Nous ne pouvons pas, de nous-mêmes, décider de travailler. Il y a eu un premier *Los ! Arbeit !* et nous sommes partis. Maintenant nous sommes arrivés au pied du talus et aucun ne bouge plus. Le kapo vient. Il est petit, il a une figure rouge, des yeux bleus. L'allure d'un clochard. C'est un droit commun allemand, un paysan : il a vendu des cochons au marché noir, Himmler l'a envoyé ici. À côté des autres, il est inoffensif. Les SS l'ont affecté au plus mauvais kommando, au zaun-kommando. Il ne pensait pas à nous ; peut-être ne nous avait-il pas vus. Il découvre le tableau, il est effaré ; on ne bouge toujours pas. Alors, il entre en transes. *Los, los, Arbeit !* Il court en gueulant, mais les cris glissent.

— Ça va, ça va, répond un copain.

On se rapproche des planches.

— On y va ?

Le copain qui a répondu au kapo grimpe sur le ballast. On se divise en équipes. Je suis avec Jacques, un étudiant en médecine, et un autre, un garçon de café. Jacques est long, maigre, il parle peu. Il est arrêté depuis 1940.

Celui qui est sur le ballast fait glisser une poutre, elle est longue. À trois, on la prend sur l'épaule. Je la cale bien, je penche un peu la tête, je mets les mains dans les poches. On quitte lentement le talus. Chacun a une démarche différente, il faut s'accorder. Rien d'autre n'est présent dans le travail que le point de l'épaule qui porte la poutre. On marche comme des somnambules. Le pré est mou. La poutre nous cale dans une sorte de paix. Porter la poutre, c'est tout ce qu'on peut nous demander. Si nous ne portions pas la poutre, mais que nous allions la chercher, le kapo gueulerait : *los !* Maintenant, nous avons notre complément nécessaire, notre charge, nous sommes conformes, nous ne choquons pas.

J'ai les mains dans les poches. Venant de l'usine, le petit SS, le rouquin, entre dans le pré. Le kapo l'a vu ; il se précipite vers moi :

— *Hände !*... (Les mains !)

Je sors les mains. On continue sans s'occuper du SS. Le soleil est monté. Les zébrés bleus et mauves flottent sur la prairie.

Le garçon de café porte au milieu. Il a des lunettes, un long nez, son calot descend jusqu'aux oreilles. Il râle parce qu'il est plus grand et porte plus. On aurait dû se placer autrement. Il parle en portant. On mange bien chez lui, en Auvergne. Le matin, il a du café au lait, du pain et du beurre. Il sert beaucoup d'apéritifs dans la journée. À midi aussi, il mange bien. À son jour de sortie, il boit plusieurs apéritifs. Il est marié. Sa femme lui fait des gâteaux. Quand il va chez sa mère aussi il mange bien. On bouffe bien en Auvergne. Il y a du porc, du fromage. De temps en temps on tue un cochon, qu'est-ce qu'on se met ! Si on avait un colis ! À midi, si on avait la soupe aux fèves ! En prison, il avait des colis ; cinq paquets de cigarettes par colis. Il se démerdait avec la sentinelle en lui refilant un paquet, alors le chleuh laissait passer même de la gnole. Il a été vendu à Clermont. C'est pas encore fini. Ils prennent leur temps de l'autre côté. Si sa femme le voyait comme ça ! Elle chialerait. Ils peuvent pas savoir. Il vaut mieux. Il avait tout ce qu'il lui fallait. Si on avait su que ça serait comme ça, à Compiègne on aurait foutu le camp, n'importe comment. Le paradis, Compiègne. Il se démerdait pour bouffer. Il croit qu'ils sont allés chercher des patates pour la soupe. Hier c'était de la flotte. À Buchenwald elle était plus épaisse. Elle était bonne, surtout la blanche. Il y avait un vieux qui ne la bouffait pas, il la lui refilait. On pouvait se défendre à Buchenwald. C'était mieux organisé. On avait le litre. Ici, ils ne remplissent pas la louche et ils ne remuent pas le fond du seau. C'était plus réglo à Buchenwald. Travailler et ne pas bouffer, si ça continue comme ça, dans trois mois, il y aura la moitié du kommando qui aura crevé. S'ils se démerdaient un peu, ça ne serait pas impossible que ça soit fini pour Noël. On pourrait être à la maison en janvier. Oui, je boufferai bien si je vais chez lui. Je suis invité.

Il n'arrête pas de parler, de répondre à ses propres questions. On ne sent pas la poutre. On est arrivés à l'endroit où il y en a déjà un tas. Un coup d'épaule ensemble, elle est balancée. L'épaule est libre. Une autre poutre nous attend. On retourne très lentement. On s'entend bien, on tâchera de rester ensemble. On mettra le garçon de café en tête.

Ainsi on avait commencé à parler, on ne sentait plus la poutre. Maintenant, on croit qu'on pourra recommencer tout à l'heure, cet après-midi, demain aussi. On croit aussi qu'on pourra parler ce soir à l'église. On le croit vraiment. Pourtant, il suffira que tout à l'heure, pour une raison quelconque (par exemple que la poutre soit trop courte pour être portée à trois) nous nous séparions, et nous ne nous connaîtrons plus. Chacun a parlé pour soi, pour se montrer les richesses, car à haute voix on les voit mieux. Ce soir, devant le guichet, on attendra tellement la soupe que même si nous sommes voisins, nous ne nous dirons peut-être rien. Demain, on ne se dira peut être pas bonjour.

Déjà tout à l'heure on sera avec un autre ; il expliquera comment sa mère fait le flan, parce qu'il a besoin de parler du flan, du lait, du pain. On l'écoutera, on verra le flan, le café au lait ; on s'invitera à manger, parce qu'en s'invitant on voit encore plus de viande, plus de pain. Et, s'il y a du rab de soupe ce soir, celui qui aura invité le copain à manger avec sa femme le bousculera peut-être.

Le petit train sort du tunnel ; c'est le milieu de la matinée. Il passe devant nous. On l'a déjà vu plusieurs fois. Il relie Gandersheim à une petite ville sur la grande ligne de Hanovre, à quelques kilomètres d'ici. Ce sont de vieux wagons avec des plates-formes ; il y a surtout des enfants dedans.

On le regarde, le train ; quand on porte une poutre, on s'arrête et on se retourne pour le regarder. C'est chaque fois la même stupeur. Ils sont plus libres que les SS ceux qui sont dans le train. Ils achètent un billet et ils sont dedans. Ils peuvent même s'approcher de la France, même les Allemands. Ils le font naturellement, comme ils se mettent à table et se couchent dans un lit. Quand on est libre on ne se contente pas de manger, on se déplace aussi. Ces Allemands sont plus près des nôtres que nous. Et s'ils se rencontraient avec les nôtres, il y aurait des conventions. Il pourrait même arriver, s'ils se rencontraient en Suisse, qu'ils se parlent.

C'est à cela qu'il faut arriver, à monter dans un train, comme eux. Pour cela, il faudra qu'on vienne nous chercher ; on sera obligé de nous défroquer. Redevenir des gens simples, comme eux. Ce sera interminable. Ce sera la fin quand on pourra monter dans le train ; la fin de la guerre est possible, mais monter dans le train...

— Un wagon de la SNCF ! crie un copain.

Il est en queue. C'est un wagon de marchandises. On le suit

dans le tournant où disparaît le train. « Il a de la veine le wagon ! » On le regarde comme ça. Un wagon qui est wagon, un cheval qui est cheval, les nuages qui viennent de l'ouest, toutes les choses que le SS ne peut pas contester sont royales ; jusqu'à la pesanteur qui fait que le SS peut tomber. Les choses pour nous ne sont plus inertes. Tout parle, et l'on entend tout, tout a un pouvoir ; le vent qui apporte l'ouest sur la figure trahit le SS, les quatre lettres de SNCF qu'il n'a même pas remarquées, également. On est en pleine clandestinité. Ce n'est pas parce que les SS ont décidé que nous n'étions pas des hommes que les arbres se sont desséchés et qu'ils sont morts. Quand je regarde la corne du bois et que je vois ensuite le SS, il me paraît minuscule, enfermé lui aussi dans les barbelés, condamné à nous, enfermé dans la machine de son propre mythe. On n'arrête pas de provoquer, d'interroger l'espace. Tout à l'heure, à six heures, j'étais ici ; chez moi on dormait. Et on dormait bien pendant que j'étais ici ; tandis qu'hier soir on parlait de moi pendant que je dormais. Quand je recevais un coup de schlague sur la tête, on se souvenait d'une promenade avec moi à Tamaris. Hier, on parlait de moi, quand j'attendais la soupe et ne regardais et ne pensais qu'à la louche qui sortait puis s'enfonçait dans le seau. Je ne les aimais pas à ce moment-là, il n'y avait que la soupe dans ma tête ; je ne les aime pas *tout le temps*, eux non plus.

Un soir, j'ai appelé ; ils ne devaient pas dormir. Les copains, eux, dormaient. J'ai crié à voix basse, longtemps, sûr, un instant, qu'ils devaient m'entendre. En pleine sorcellerie. Jamais absolument assuré que l'on n'est qu'ici, que l'on peut bien finir ici. C'est peut-être le langage qui nous trompe ; il est le même là-bas qu'ici ; nous nous servons des mêmes mots, nous prononçons les mêmes noms. Alors on se met à l'adorer car il est devenu l'ultime chose commune dont nous disposions. Quand je suis près d'un Allemand, il m'arrive de parler le français avec plus d'attention, comme je ne le parle pas habituellement là-bas ; je construis mieux la phrase, j'use de toutes les liaisons, avec autant de soin, de volupté que si je fabriquais un chant. Auprès de l'allemand, la langue sonne, je la vois se dessiner au fur et à mesure que je la fais. Je la fais cesser et je la fais rebondir en l'air à volonté, j'en dispose. À l'intérieur du barbelé, chez le SS, on parle comme là-bas et le SS qui ne comprend rien le supporte. Notre langue ne le fait pas rire. Elle ne fait que confirmer notre condition. À voix basse, à voix haute, dans le silence, elle est toujours la même, inviolable. Ils peuvent beaucoup mais ils ne peuvent pas nous apprendre un autre langage qui serait celui du détenu. Au contraire, le nôtre est une justification de plus de la captivité.

On aura toujours cette certitude, même méconnaissable pour les siens, d'employer encore ce même balbutiement de la jeunesse, de la vieillesse, permanente et ultime forme de l'indépendance et de l'identité.

Le train est passé depuis longtemps. Les poutres et les panneaux s'entassent. Les copains ralentissent le travail. Entre chaque trajet, ils s'arrêtent au pied du talus et flânent.

Je me suis planqué derrière un tas de panneaux. Les trois Russes se sont assis sur une planche, protégés aussi par des panneaux. Le kapo Alex passe devant eux, il ne leur dit rien. Ils sont très forts, solidaires, et le kapo ne lèverait pas la schlague sur eux.

Il me découvre derrière le tas de planches.

— *Los! Mensch, Arbeit!*

Je sors lentement de la planque. Il me regarde avec ses petits yeux bleus. Il ne sait pas s'il doit gueuler encore.

— *Franzose?*

— *Ja.*

Je marche à côté de lui, vers le talus. Il baisse la tête, puis la relève brusquement vers moi, comme illuminé :

— *Ach!* Alexandre Dumas?

— *Ja.*

Il rigole et moi aussi.

Je suis arrivé au talus. J'ai pris une petite poutre et je suis redescendu dans la prairie. Je vais très lentement. Alex qui était resté près du talus fonce vers moi, *los, los, Mensch!* et il lève son morceau de tuyau de caoutchouc dur qui lui sert de schlague. J'accélère un peu.

Lucien est appuyé contre un tas de panneaux; il ne fait rien. Il suit la scène en souriant. Lucien est un Polonais, droit commun, qui a longtemps habité la France. Il parle le russe, l'allemand, le polonais, le français. C'est un blond, avec de gros yeux bleuâtres, dans une figure flasque. Il est *Dolmetscher* (interprète). Il traduit les ordres des SS et des kapos. Il ne travaille pas et touche la double gamelle. Bientôt, il sera *Vorarbeiter,* c'est-à-dire qu'il sera chargé, comme il le dit lui-même, de *pousser* le travail. Le nombre de ses gamelles augmentera encore.

Lucien est arrivé comme nous, simple détenu. Avec sa connaissance de plusieurs langues, il s'est défendu. Un jour, dans le pré, on traînait. Il nous a dit : « Le SS arrive, travaillez. » On n'y a pas fait attention. Plus tard, le SS étant là, il a gueulé : « Travaillez, travaillez, nom de Dieu ! » en regardant le SS qui n'a rien dit. Enfin un jour, il a dénoncé au kapo, qui l'a dénoncé au SS, un jeune Espagnol qui se planquait. Le petit a reçu 25 coups sur le cul. Maintenant, Lucien est installé dans sa planque. Il a compris que pour survivre il ne faut pas travailler, mais faire travailler les autres, leur faire foutre des coups et bouffer des gamelles. Aussi Lucien grossit. Il ne quitte pas le kapo. Il le flatte et il le fait rire. Il fait déjà partie de cette catégorie de détenus que l'on appellera l'*aristocratie* du kommando – essentiellement composée de droit commun – parce que nos kapos ne sont pas des politiques, mais des droit commun allemands. Ils mangeront, ils fumeront, ils auront des manteaux, de vraies chaussures. Ils gueuleront si nous sommes sales, quand il y a un robinet pour cinq cents et qu'eux se lavent à l'eau chaude et changent de linge.

Le pain supplémentaire qu'ils bouffent, la margarine, le saucisson, les litres et les litres de soupe, ce sont les nôtres, ils nous sont volés. Les rôles sont distribués ; pour qu'ils vivent et grossissent il faut que les autres travaillent, crèvent de faim, et reçoivent les coups.

*

Fin novembre. – Le talus de la voie ferrée a été déblayé. Une partie du zaun-kommando a été désignée pour poser des barbelés le long de la voie. L'autre pour bêcher le pré, aplanir le sol et monter les baraques.

Il avait beaucoup plu. Le soir on rentrait trempés, et le lendemain les zébrés étaient encore mouillés et glacés sur la peau. On mettait du papier entre la chemise et la veste. On avait peur pour les poumons. C'était une peur collective. Il n'y avait rien pour soigner la pneumonie. Les paysans les plus aguerris et qui ne s'en étaient jamais inquiétés se sentaient menacés par la pluie. Ils sentaient soudain la fragilité de leur corps qui avait résisté à tout et dont ils n'avaient pas pensé qu'il pouvait flancher; ils se savaient à la merci d'une ondée. Ils parlaient de la maladie comme les gens habitués à être malades, comme ceux qui se soignent. Ils regardaient, angoissés, les gros nuages, le ciel noircir. Cette angoisse n'allait pas les quitter. Ils avaient beau rentrer les épaules, bander le corps, se frotter les bras pour lutter contre le froid, se faire frotter le dos par un copain, le mal pouvait être déjà là. Ils n'avaient plus confiance dans leur corps; ils le savaient sans recours.

Un matin, le kapo Fritz est venu chercher dans le pré quelques détenus pour travailler à l'usine. Avec d'autres, il m'a désigné. Les copains se sont arrêtés de bêcher pour nous regarder partir. Il faisait froid. Les pluies avaient cessé, la neige allait venir.

On a quitté le pré en marchant vite; on souriait en se regardant. Les copains s'éloignaient, on ne se retournait pas. Arrivé près de l'usine, j'ai regardé derrière : ils avaient recommencé à bêcher, et le kapo Alex gueulait : *los, Arbeit!*

J'ai été affecté au magasin de l'usine. La planque, c'était cela. Être sous un toit. Les copains qui travaillaient ici étaient familiers de l'abri; ils étaient détendus, ils n'avaient pas d'angoisse pour leurs poumons. Ils s'ennuyaient. Ils comptaient les heures, ils pensaient être au cœur de la captivité. Ils étaient dans *leur* camp de concentration, je venais de sortir du mien.

J'avais conquis une liberté, je n'avais plus froid. Peu à peu le corps se faisait oublier. Séries de rassurements : les pieds marchaient avec bonheur sur le ciment. Il n'y avait de boue nulle part. Les copains travaillaient avec leurs doigts des morceaux de fer, ou bien, ils commandaient une machine; il n'y avait pas de trace d'effort sur leur figure; ils ne ployaient pas leurs reins ni leurs genoux. C'était l'apparition de la civilisation de l'usine.

Je circulais dans le magasin comme un paysan. Fritz m'a appelé. Il m'a ordonné d'aller balayer un bureau et d'y allumer le poêle. C'était à l'étage au-dessus du magasin.

Je suis monté. Sur le premier palier, l'ouverture d'une porte était masquée par un rideau gris. J'ai soulevé le rideau, et je suis entré.

J'ai enlevé mon calot. Une jeune femme brune était assise devant une table ; elle était pâle, habillée de noir, avec un foulard mauve autour du cou. Dans le bureau qui était vaste, il y avait une autre table avec une machine à écrire et des papiers dessus. Il y avait aussi des sièges et un fauteuil.

Je tenais mon calot dans la main et je regardais la femme. Elle s'est levée, elle a pris un balai dans un coin et me l'a tendu de loin. De l'index, elle m'a désigné le plancher.

À ce moment-là Fritz est arrivé. Il a retiré son calot. J'avais le balai dans une main, le calot dans l'autre. Fritz n'était pas tout à fait rasé, mais dans ce bureau il avait l'air, lui aussi, d'un détenu ; d'un détenu honnête, mais d'un détenu. Il a dit bonjour à la femme, elle n'a répondu que d'un signe de tête.

Il m'a parlé de loin, officiel. Il fallait que je balaie vite et bien, et qu'ensuite j'allume vite le poêle ; il fallait que j'enlève mon calot chaque fois que j'entrerais ici.

Il la regardait en parlant, elle approuvait légèrement de la tête. Elle était debout, appuyée à la table. Fritz lui parlait dans sa langue, et dans cette langue il me commandait ; c'était pour elle un allemand du *Lager*, rien de plus. Puis il est parti, elle n'y a pas fait attention.

J'étais seul avec elle, et je commençais à balayer. Elle restait debout et me regardait. Nous n'avions pas échangé deux paroles. Elle avait vu le F sur ma veste, elle savait que j'étais français. J'étais français et j'étais dans son bureau, tout rasé et je balayais mal. Je balayais il est vrai très lentement. Insensiblement j'approchais de ses pieds ; elle ne bougeait pas. Elle fixait le tas de poussière qui se ramassait. J'allais toujours très doucement. Quand j'ai été sur le point de l'atteindre, elle a fait brusquement un pas en arrière. Je me suis arrêté, j'ai relevé la tête, sa figure était crispée. Elle était tendue et ne s'asseyait toujours pas.

J'ai recommencé à balayer, j'ai poussé le tas de poussière en avant, elle s'est encore déplacée brusquement. Elle a regardé autour d'elle, puis ne sachant plus quoi regarder, elle a regardé la poussière. Finalement, n'y tenant plus :

— *Schnell, schnell !* monsieur, dit-elle.

C'étaient ses premières paroles.

Je me suis relevé et je l'ai regardée, en soulevant les épaules, impuissant. Ses yeux étaient durs.

Elle avait couché dans un lit, elle s'était levée à six heures du matin, elle était arrivée au bureau et, indifférente, elle avait posé sur la table un paquet dans lequel il devait y avoir des tranches de pain beurré. Elle ne pensait pas faire cette rencontre, être seule avec moi. Si j'avais balayé bien et vite, elle m'aurait à peine vu passer ; mais je balayais mal. J'étais là, installé dans ce bureau, empêtré dans des tas de poussière et elle s'était laissée surprendre à voir de près l'un de nous. Elle n'était pas préparée à cela.

Maintenant elle me regardait de temps en temps de côté ; elle ne pouvait plus me tolérer. Je pesais sur elle, je la décomposais. Si j'avais touché la manche de sa blouse, elle se serait trouvée mal. Puissance extraordinaire du crâne rasé et du zébré ; le déguisement multipliait la force.

J'avais repris le balayage, mais je n'allais guère plus vite. Elle serrait le bord de la table à laquelle elle s'appuyait. Ça ne devait pas pouvoir continuer. En effet, elle m'a brusquement arraché le balai des mains et s'est mise à balayer frénétiquement.

J'étais immobile au milieu du bureau, je ne faisais rien. J'avais mis les mains aux hanches et je regardais les murs ; je me sentais tranquille. Elle balayait. Après avoir fait un tas homogène elle m'a rendu l'instrument. Je hochais la tête en regardant la poussière, puis en la regardant ; elle avait bien balayé.

J'ai ramassé le tas avec une pelle, je suis sorti et j'ai remis mon calot.

Quelques instants plus tard je suis revenu. Il y avait des hommes dans le bureau. La fille avait repris de l'assise ; elle avait une bonne épaisseur de mâles allemands derrière elle. C'étaient des civils de Gandersheim. De nouveau, j'ai enlevé mon calot. Pour eux je n'existais pas. Je suis allé ramasser un morceau de papier à côté du pied de l'un d'eux. Il a retiré le pied machinalement tout en poursuivant sa conversation avec un autre. Puis un autre bout de papier, près d'un autre pied. L'Allemand a retiré son pied comme on chasse une mouche du front, dans le sommeil, sans s'éveiller. Je rôdais dans leur sommeil. Je pouvais, si je le voulais, leur faire remuer le pied ;

ils ne me voyaient pas, mais leur corps remuait; dans la mesure où je n'existais pas pour eux, ils étaient soumis.

Elle, était réveillée. Elle suivait mon manège; elle savait que je jouais; elle savait que je ne ramassais le bout de papier à côté du pied que pour m'approcher des dieux et leur faire remuer le pied.

Elle ne pouvait pas me dénoncer parce qu'il aurait fallu une explication, ils n'auraient pas compris tout de suite; elle aurait montré ainsi qu'elle n'était pas aussi puissante qu'eux, puisqu'elle m'avait aperçu. Elle m'aurait fait apparaître, et il aurait bien fallu alors qu'on me parle, qu'on formule des mots pour moi, pour me faire de nouveau disparaître totalement.

Ayant fini de ramasser les papiers, je m'apprêtais à allumer le feu. Je me suis approché du poêle et j'ai commencé à le vider. La fille a réalisé, elle a bondi, puis calmement elle m'a dit que ça suffisait comme ça et que je pouvais m'en aller.

Je suis sorti du bureau et j'ai remis mon calot. Dans l'escalier, j'ai croisé un civil de trop près. Il portait une blouse grise, des bottes, un petit chapeau vert.

— *Weg!* (fous le camp!) m'a-t-il dit d'une voix rauque.

Ça a glissé. Ça n'avait peut-être pas grande importance ici. Mais c'était le mouvement même du mépris – la plaie du monde –, tel qu'il règne encore partout plus ou moins camouflé dans les rapports humains. Tel qu'il règne encore dans le monde dont on nous a retirés. Mais ici c'était plus net. Nous donnions à l'humanité méprisante le moyen de se dévoiler complètement.

Le civil m'avait dit très vite : *Weg!* Il ne s'était pas attardé, il avait dit cela en passant et le mot l'avait calmé. Mais il aurait pu faire éclore sa vérité : «Je ne veux pas que tu sois.»

Mais j'étais encore. Et ça glissait.

Au prolétaire le plus méprisé la raison est offerte. Il est moins seul que celui qui le méprise, dont la place deviendra de plus en plus exiguë et qui sera inéluctablement de plus en plus solitaire, de plus en plus impuissant. Leur injure ne peut pas nous atteindre, pas plus qu'ils ne peuvent saisir le cauchemar que nous sommes dans leur tête : sans cesse nié, on est encore là.

*

René possède un morceau de miroir qu'il a trouvé à Buchenwald après le bombardement d'août. Il hésite à le sortir parce que, aussitôt, on se précipite et on le lui réclame. On veut se regarder.

La dernière fois que j'ai eu le miroir, il y avait longtemps que je ne m'étais pas regardé. C'était un dimanche ; j'étais assis sur la paillasse, j'ai pris mon temps. Je n'ai pas examiné tout de suite si j'avais le teint jaune ou grisâtre, ni comment étaient mon nez ou mes dents. D'abord, j'ai vu apparaître une figure. J'avais oublié. Je ne portais qu'un poids sur les épaules. Le regard du SS, sa manière d'être avec nous, toujours la même, signifiaient qu'il n'existait pas pour lui de différence entre telle ou telle figure de détenu. À l'appel, en colonne par cinq, il fallait que dans chaque colonne le SS pût compter cinq têtes. *Zu fünf! Zu fünf!* cinq, cinq, cinq têtes. Une figure n'était repérable que par un objet surajouté : par exemple les lunettes, qui, dans ce sens, étaient une calamité. Et si quelqu'un devait *demeurer* repéré, pour ne pas le perdre, les kapos dessinaient un cercle rouge et un cercle blanc dans le dos de sa veste rayée.

D'autre part, personne n'avait, par le visage, à exprimer rien au SS qui aurait pu être le commencement d'un dialogue et qui aurait pu susciter sur le visage du SS quelque chose d'autre que cette négation permanente et la même pour tous. Ainsi, comme il était non seulement inutile, mais plutôt dangereux malgré lui, dans nos rapports avec le SS, on en était venu à faire soi-même un effort de négation de son propre visage, parfaitement accordé à celui du SS. Niée, deux fois niée, ou alors aussi risible et aussi provocante qu'un masque – c'était proprement provoquer le scandale en effet, que de porter sur nos épaules quelque chose de notre visage ancien, le masque de l'homme –, la figure avait fini pour nous-mêmes par s'absenter de notre vie. Car même dans nos rapports entre détenus, elle restait grevée de cette absence, elle était presque devenue cela. Du même rayé, du même crâne rasé, de l'amaigrissement progressif, du rythme de la vie ici, ce qui apparaissait des autres pour chacun c'était bien, en définitive, une figure à peu de chose près collective et anonyme. D'où cette sorte de seconde faim qui nous poussait tous à chercher à nous retrouver par le sortilège du miroir.

Ce dimanche-là, je tenais ma figure dans la glace. Sans beauté, sans laideur, elle était éblouissante. Elle avait suivi et elle se promenait ici. Elle était sans emploi maintenant, mais c'était bien elle, la machine à exprimer. La gueule du SS apparaissait nulle à côté. Et la figure des copains qui à leur tour allaient se regarder, restait réduite, elle, à l'état fixé par le SS. Celle du miroir était seule distincte. Seule elle voulait dire quelque chose que l'on ne pouvait pas recevoir ici. C'était sur un mirage que s'ouvrait ce morceau de verre. On n'était pas comme ça ici. On n'était comme ça que dans la glace, tout seul, et ce que les copains attendaient avec envie, c'était ce morceau de solitude éclatant où devaient venir se noyer les SS et tous les autres.

Mais il fallait lâcher le miroir, le passer à un autre qui attendait, avide. On faisait la queue pour le morceau de solitude. Et pendant qu'on l'avait en main, sa solitude, les autres vous harcelaient.

Cependant, même s'il n'avait pas fallu passer la glace à un autre, je l'aurais abandonnée, parce que, déjà, je contaminais la figure qui était dedans ; elle vieillissait, elle allait se niveler sur celle des copains, pendante, misérable, comme les mains que l'on regarde les yeux vides. Et c'était mieux ainsi. Cet objet neuf, isolé, encadré, n'avait rien à faire ici. Il ne pouvait que désespérer radicalement, faire mesurer de façon insupportable une distance dont la nature même était insupportablement incertaine : ce n'était pas là un état passé dont on n'aurait eu qu'à se souvenir, comme tous les autres états passés, et qui aurait été comme tous les autres, simplement déchirant. C'était exténuant. C'était ce que l'on pouvait, pouvait réellement redevenir demain, et c'était le plus impossible.

*

Dans le magasin du sous-sol de l'usine, je travaille avec Jacques, l'étudiant en médecine. Nous sommes tranquilles. Nous rangeons des pièces de carlingue d'avion dans les travées. Le civil qui nous commande est un Rhénan. Il est assez grand, blond ; il porte toujours un chapeau mou marron rejeté en arrière. Il doit avoir quarante-cinq ans. Il a l'air triste, sa démarche est lourde, lente, absente. Il a l'air ennuyé. Il pourrait être malade, d'une maladie chronique, tenace et pas très grave.

Un matin, il est venu vers nous dans la travée. Il nous a regardé travailler un moment, sans expression. Puis il s'est approché et il a dit d'une voix calme, assez nette :

— *Langsam!* (lentement).

On s'est retourné vers lui comme s'il venait de déclencher un signal tonitruant. On l'a regardé sans rien répondre, sans faire le moindre signe de connivence. Lui aussi nous a regardés, il n'a rien dit d'autre. Il n'a pas souri, pas fait un clin d'œil. Il est parti.

Langsam! Ça suffisait bien.

Ce qu'il venait de dire suffisait à l'envoyer dans un camp et à en faire un rayé comme nous. Dire *langsam* à des gens comme nous, qui sommes ici pour travailler et crever, cela veut dire qu'on est contre les SS. Nous avons un secret avec cet Allemand de l'usine, qu'il ne partage avec aucun autre Allemand de l'usine. Quand il parle avec les autres civils dont la plupart sont nazis, nous sommes seuls à savoir qu'il leur ment. Quand ils ne seront plus avec lui, il ira vers d'autres détenus et il leur dira *langsam*. Il lâchera ça de temps en temps, après avoir examiné ceux devant lesquels il le tient encore en réserve, et il s'en ira sans rien ajouter.

Il s'ennuie. Il fait semblant de s'intéresser à la construction des carlingues. Mais il sait depuis longtemps que ça ne sert qu'à faire mourir d'autres Allemands pour rien. Il le savait avant la guerre. Son air d'ennui, sa maladie, c'est donc ça. On aurait pu le deviner. On comprend maintenant, sachant ce que l'on sait, que cet ennui est entièrement révélateur. Les SS pourraient faire fusiller tous les Allemands qui ont l'air de s'ennuyer. On pourrait presque trouver maintenant qu'il ne prend pas assez de précautions.

Souvent il s'arrête devant une fenêtre de l'usine et il regarde longuement la campagne. Le soir, en passant près de nous, tandis que nous balayons le couloir du sous-sol, il évitera de nous regarder. Il fallait qu'il dise *langsam*.

Cinquante détenus polonais sont arrivés d'Auschwitz. Ce sont des seigneurs. Ils sont pour la plupart solides; ils ont des joues roses. Ils ne sont pas vêtus de rayé. Ils portent des pardessus chauds, des pull-overs. Certains ont des chronomètres en or. On sait déjà d'où cela vient. On connaît Auschwitz. Naturellement, ils ont aussi du tabac.

Ils parlent parfaitement l'allemand. Il y a quatre ans qu'ils sont en camp de concentration. Ils seront tous planqués, ici comme avant. Ils étaient habitués à manger à Auschwitz ; ici aussi, il faudra qu'ils mangent. Alors, l'un d'eux est déjà ordonnance du lagerführer SS, un autre est à la cuisine, un autre à la cantine des SS...

Trois d'entre eux arrivent au magasin : un dentiste, un officier, un entrepreneur de transports. Celui-ci est le plus gros : il était employé au magasin des vivres à Auschwitz. Ils sont propres, souriants. Le Rhénan leur explique quel sera leur travail. Ils comprennent tout de suite. Ils parlent très correctement, et ils ont une science de l'intonation qui les met à l'aise devant le civil. Aussitôt qu'ils ont reçu les indications, ils se montrent empressés, mais pas bêtement, avec intérêt, intelligence même. Quand un *Meister*[1] vient nous demander une pièce, à Jacques ou à moi, ils nous devancent et posent quelques questions qui montrent comme ils ont le souci de la chose. Le Rhénan les regarde avec un peu de curiosité, perceptible.

— Nous sommes des détenus *spéciaux*, nous a dit, quelques jours plus tard, le dentiste, d'une voix nasillarde.

Le civil qui commande le sous-sol arrive ; c'est un nazi. Il a l'allure d'un hobereau. Les trois nouveaux se découvrent et claquent des talons. Raides, ils regardent le civil bien en face, avec complaisance. Le civil est satisfait. Il nous regarde. Les autres sont plus gros, plus propres.

Nous sommes de trop. Le civil parle. On saisit au passage *Zaun-Kommando* : ça veut dire le terrassement, avec la neige en ce moment. C'est devenu le kommando disciplinaire. Le civil a fini. On ne bouge pas ; il s'en va.

— Qu'est-ce qu'il a dit ? demande-t-on au dentiste.

Lui sait ce qu'il a dit ; il a parfaitement compris. Comme toujours, nous sommes restés en dehors de l'affaire ; nous n'avons à peu près rien compris. On a juste entendu le mot, mais comment venait-il dans la phrase ? Une décision a été prise pourtant, on n'ose pas la deviner, elle doit nous concer-

1. Contremaître civil.

ner, nous, toujours en dehors de ce qui se fait ici, comme des sourds, et qui vont quêter auprès de l'autre, tout frais : « Qu'est-ce qu'il a dit ? »

— Je crois que vous irez au zaun-kommando, répond le dentiste.

Il a transmis la sentence et, tranquille, très à l'aise, il nous laisse.

Un meister vient chercher une pièce. Il finit par la trouver, mais il reste là, la pièce à la main : la case où il l'a trouvée ne correspond pas à celle qui est indiquée sur le fichier. Il demande au dentiste qui a rangé ça.

— *Der Franzose*, répond le dentiste.

Le civil hausse les épaules, il sait déjà qu'on va s'en aller. On va s'en aller parce qu'on ne parle pas l'allemand, parce qu'on n'est pas vifs au travail, parce qu'on est laids à voir, parce qu'entre ces nouveaux et nous, le chef du sous-sol ne peut pas hésiter un instant. Pour les SS et les nazis, si nous ne parlons pas l'allemand, si nous sommes maigres et laids à voir, si nous ne sommes pas utilisables devant un tour, c'est que nous représentons la quintessence du mal. Pour nous, le zaun-kommando seul est possible. C'est notre place.

Demain, nous ne nous rassemblerons pas comme les autres jours avec ceux du magasin. Nous les regarderons désormais comme les grands planqués. Nous serons de nouveau avec la petite troupe qui travaille dehors. Les figures n'y sont pas les mêmes : la neige, le vent sont passés dessus. Au zaun-kommando, les figures sont nouées, les gestes lents, une induration du malheur se lit dans les yeux qui ne réagissent plus, ne suivent pas les choses. Dehors, maintenant, on leur fout la paix : le froid suffit. On les a littéralement remis au froid. On les voit cheminer le matin, par deux ou par quatre, portant une planche ou une poutre, ou essayant de creuser un trou dans la terre glacée. Plusieurs fois l'un d'eux, n'en pouvant plus, est entré dans l'usine, hagard, et a couru vers le poêle. Les autres, les copains de l'usine qui l'avaient aperçu le regardaient furtivement, sans bouger, tremblant pour lui. Celui qui était chargé de bourrer le poêle essayait rapidement de le faire partir. « Attention, c'est défendu, tu vas me faire engueuler ! » Le type ne répondait pas, restait collé contre le poêle, le corps contracté, les yeux rouges. Il n'était pas toujours repéré à l'instant. Un peu réchauffé, il osait regarder alors d'où ça allait venir. Ça venait. Un civil, à dix mètres de lui, se mettait à gueuler, se précipitait. Le copain le laissait venir, accroché jusqu'au bout à la chaleur. Le civil contre lui, il se laissait frapper, la figure d'abord, se protégeant seulement des bras. Puis venaient les coups de pied au cul, les coups de poing dans le dos. Le civil s'excitait sur cette surdité, cet entêtement animal. Le copain finissait par fuir, poursuivi quelques mètres. Chassé du paradis. Les autres regardaient. Faire n'importe quoi, mais ne pas aller au zaun-kommando.

Déjà, j'ai l'angoisse dans tout le corps, dans toutes les parties du corps. Je ne sais pas comment je les protégerai ni laquelle d'abord. Je ne peux pas choisir. Mais je ne peux pas imaginer comment je pourrais, pendant sept heures de suite, piquer la pioche dans la terre gelée avec le vent qui entre par toutes les ouvertures, et qui traverse même directement l'étoffe.

Il y a eu des distributions de capotes rayées et de manteaux. L'aristocratie a eu les meilleurs. Une nuit, en allant pisser, j'ai trouvé une capote qui traînait par terre dans l'allée, je l'ai prise. Elle pue. Elle est mince et déchirée. Le pantalon déchiré aussi racle mes cuisses. Je suis courbé, la tête dans les épaules, je suis vieux. Depuis des semaines, je n'ai guère vu de ma chair que les mains.

L'idée du zaun-kommando me traque, j'essayerai de ne pas y aller. J'essayerai de me planquer dans l'usine, de trouver un endroit où je ferai semblant de travailler, puis on finira par s'habituer à ma figure ; le kapo pensera que j'y ai peut-être été embauché. J'essayerai de ne pas aller au zaun-kommando.

Le sous-sol de l'usine est partagé en deux par une allée. D'un côté il y a les travées du petit magasin, de l'autre les ateliers de soudure, les tours et la forge. Le personnel civil de l'usine entre par la grande porte du sous-sol qui donne du côté de la prairie et de la route de Gandersheim. À l'autre bout du sous-sol, une petite issue donne sur une pente qui conduit à la route qui va vers l'église. En contrebas, à gauche de l'usine en regardant vers le nord, il y a une série de baraques : la cantine du personnel, celle des SS, des magasins à vivres, l'atelier d'électricité, la cordonnerie, etc.

Au rez-de-chaussée de l'usine se trouve le *hall*. C'est là

qu'on met en forme les pièces de dural et qu'on monte les carlingues. Paul travaille dans le hall. Il passe sa journée devant un étau, à taper sur des plaques de dural. Il en bousille le plus possible, qu'il va jeter dehors à la ferraille en se planquant. Nous ne nous voyons guère Paul et moi dans la journée. On se retrouve le soir, à l'église, avec Gilbert. Gilbert, lui, qui parle bien l'allemand, sert d'interprète entre les détenus du hall et les meister qui commandent le travail. Les meister ont une certaine considération pour lui parce qu'il parle leur langue, la langue de la bonne Allemagne, celle qu'ils parlent dans leur lit. Ils sont intrigués par ce type en rayé comme nous et qui les comprend tout de suite et qu'ils peuvent immédiatement saisir, comme un des leurs. Parce qu'il parle la langue des meister, Gilbert parvient souvent à éviter des coups aux copains. Les choses se passent en général ainsi :

Le copain travaille à son atelier ; le meister arrive. Il examine la pièce qui est serrée dans l'étau. Elle est loupée. Le meister le fait observer au copain, parfois calmement. Le copain ne comprend pas, il ne répond rien, il hausse seulement les épaules. Alors, le meister s'énerve. Il crie. Ça va venir. Le copain sent que ça va venir. Alors il dit à son voisin : « Va chercher Gilbert ! » Mais c'est long, et il faut trouver l'interprète. Il faut gagner du temps.

— Moment, moment, *Dolmetscher*, dit-il au meister, en désignant du doigt l'extrémité de l'usine.

— *Dolmetscher ? Was Dolmetscher ?* s'indigne le meister.

Là-dessus, si le copain a de la chance, Gilbert arrive. Immédiatement, il parle en allemand au meister. Il le cloue. Avec son propre langage il l'attire à lui. Il fallait d'abord dégager le copain, c'est fait. Maintenant, le meister et l'interprète parlent en allemand. Le copain n'est plus dans le coup. Ce qu'ils racontent n'a plus d'importance : que le copain ne connaît pas le boulot, que ce n'est pas son métier et qu'on ne peut pas lui demander de faire correctement ce qu'il fait pour la première fois ; qu'il ne comprend pas l'allemand et que ce n'est pas sa faute. Ils parlent allemand, ça va. Ce n'est pas cette fois qu'il dérouillera. Déjà les aboiements du meister deviennent grognements ; il regarde Gilbert de biais et il finit par s'en aller.

Ainsi, Gilbert intervient d'un atelier à l'autre, et la langue allemande maniée par lui sert de bouclier aux copains. Mais, à la longue, il s'est fait repérer et il a dressé contre lui les kapos ; Fritz surtout, avec lequel il s'est déjà bagarré. C'était, il est vrai, avant que les SS ne déclarent officiellement que celui qui toucherait un kapo serait pendu. Les kapos n'admettent pas que le dolmetscher qui jouit naturellement d'une forte influence auprès des détenus – Gilbert est le seul politique Français qui ait une responsabilité officielle – ne marche pas avec eux. Ils voudraient qu'il cogne sur les copains au lieu de les défendre. Ils voudraient qu'il joue carrément le jeu de l'aristocratie. Mais comme Gilbert ne marche ni pour les coups, ni pour les trafics, ils l'accuseront de faire de l'agitation. Ils le dénonceront au lagerältester qui lui-même le gardera en réserve pour le livrer aux SS quand cela pourra le servir. En tout cas, plus tard, Fritz prendra ce prétexte pour essayer de se venger du coup de poing qu'il a reçu.

D'autres travaillent dans un grand bâtiment derrière l'usine, juste en bordure de la voie ferrée, c'est le grand magasin. C'est là qu'arrivent de Rostock, maison mère Heinkel, les pièces principales. Il y a également dans le grand magasin, une quantité de petits objets précieux : des clous, des petites boîtes qui peuvent servir à ranger la portion de margarine, des pochettes en papier dur contenant des clous et dans lesquelles on peut mettre des papiers à l'abri, du fil de fer pour ficeler ce qui nous reste de nos chaussures, du papier goudronné dont ceux du zaun-kommando se servent pour se protéger de la pluie. On y est allé souvent rôder. Il est silencieux et peu surveillé. Un détenu russe est là en permanence, il est chargé de l'inventaire du matériel. Quelquefois, en passant le nez dans une travée, il aperçoit un type accroupi, affairé. C'est un homme qui vole. Le Russe ne dit rien.

Parfois, en tenant dans la main un sac plein de petites agrafes, on rêve que cette chose si lourde et si pleine puisse être un sachet de graines. Mais ici il est impossible de trouver autre chose que du fer.

Nous sommes encore, Jacques et moi, dans le petit magasin du sous-sol. Bientôt ce sera midi et demi, l'heure de la soupe. Nous avons encore une soupe à *Mittag*, mais ça ne va pas durer. Bientôt nous n'aurons plus que le pain le matin avec la ration de margarine et la soupe le soir. En attendant que la sirène sonne, je me suis planqué dans une travée. J'y suis depuis quelques minutes quand arrive une femme allemande. Elle cherche une pièce. Je fais semblant de chercher aussi. Je la surveille du coin de l'œil. Elle est jeune, maigre, assez grande, des yeux bleuâtres dans une figure blafarde avec des cheveux clairs.

Elle regarde de mon côté ; je fais toujours semblant de chercher. Pour avoir l'air plus naturel, je cesse même de la surveiller, je la perds de vue quelques secondes. Elle est allée au bout de la travée, vers l'extérieur. Elle avance la tête, me tournant le dos, elle a l'air de surveiller l'allée. Puis elle me fait face, rentre dans la travée, marche vers moi, s'arrête et s'appuie contre les casiers. Je me tiens aussi appuyé contre des casiers, à deux mètres d'elle. Je ne sais pas ce qu'elle veut. Elle regarde encore vers moi. Elle hésite. Puis elle s'approche latéralement, faisant toujours face aux casiers. Je ne bouge pas. Elle arrive près de moi. Je ne bouge toujours pas. Elle tourne rapidement la tête vers l'allée. Puis elle met la main gauche dans la poche de son tablier. Elle la sort, fermée sur quelque chose. Sa figure se crispe. Elle me tend sa main fermée.

— *Nicht sagen*, dit-elle à voix basse. (Il ne faut pas le dire.)

Je prends ce qu'il y a dans sa main.

— *Danke.*

C'est dur ce qu'il y avait dans sa main. Je serre, ça craque. Sa figure se détend.

— *Mein Mann ist gefangene.* (Mon mari est prisonnier.)

Et elle s'en va.

Elle m'a donné un morceau de pain blanc.

Je mets la main dans la poche, je ne lâche pas le morceau.

L'événement m'empêche de tenir en place. Je sors de la travée, la main dans la poche. Les copains de la soudure sont penchés sur leur chalumeau. Il ne leur est rien arrivé à eux. C'est comme si je les regardais de l'extérieur du barbelé.

C'est une femme de l'usine. Elle travaille avec celles qui rigolent quand un meister frappe un copain. Le Rhénan aussi travaille avec eux. Les copains ne savent pas ce qui s'est passé entre cette femme et moi qui suis l'un d'eux. Ils n'ont pas vu sa figure quand elle a tendu le pain et sa figure après qu'elle l'a lâché.

Mie et croûte ; c'est de l'or. Les dents vont gâcher ça, de ça aussi elles vont faire une boule aussitôt avalée. Ce n'est pas du pain de l'usine Buchenwald, du pain = travail = schlague = sommeil; c'est du pain humain. Il faudra aller très lentement; mais, même en allant plus lentement que d'habitude, ce pain-là aussi sera mangé; et c'est parce que ça se mange qu'elle a dit *nicht sagen.* Il *faut* donc le manger. Après ce sera fini; il n'y aura pas un autre morceau de ce pain.

Comme ce qui est arrivé avec le Rhénan, ce qui est arrivé avec cette femme restera inachevé. Ils sont apparus un instant dans l'ombre d'une travée. Ils ont fait signe. À la soudure, dans le hall, dehors, au grand jour, nous continuerons à les faire fuir. Quand on croisera la femme, elle fera peut-être un signe de tête imperceptible, et quand on passera à côté du Rhénan, dans les couloirs de l'usine, il dira entre les dents : *Guten Morgen, monsieur.* C'est tout. Il faudra se contenter de savoir. Mais la puissance de l'attention est devenue formidable. Les convictions se font sur des signes. *Nicht sagen, langsam :* par le langage je ne saurai d'eux jamais rien de plus.

Comme le morceau de pain, ces mots donnent la clef de cette cave noire, de ces catacombes presque totalement inaccessibles pour nous : la conscience – ce qu'il y avait de conscience alors, dans l'Allemagne.

Et on guettera, on flairera l'Allemand clandestin, celui qui pense que nous sommes des hommes.

La sirène a sonné. On se précipite pour être les premiers sur les rangs, afin d'être parmi les premiers servis à la soupe. S'il y a du rab, ensuite, on aura le temps de tenter sa chance.

On se range par cinq, sur la pente qui descend vers la route de l'église. Fritz compte, il donne le chiffre au SS rouquin qui est d'accord. On dévale la pente en rangs, on franchit la porte barbelée. On marche vite. Aujourd'hui, soupe aux fèves. Encore une fois, dans une demi-heure ce sera fini ; mais, pour le moment, ça n'a pas encore commencé : il faut se forcer, comme toujours, pour chasser l'une de ces pensées par l'autre.

Le ciel est gris. La route est couverte de neige boueuse. Il n'y a pas de vent aujourd'hui; il ne fait pas trop froid. On patauge en remontant la pente qui mène au terre-plein de l'église. Le lagerältester et le jeune SS qui faisait faire la gymnastique aux copains attendent. Sur le terre-plein, Fritz nous compte de nouveau. Le lagerältester compte à son tour. L'opération est juste. Au signal, on se précipite dans la cour, à l'intérieur des barbelés.

Le cuisinier a sorti le baquet de soupe. Ça fume. Le SS arrive, et il monte sur la table, contre la cloison de la cuisine. On est rangé sur plusieurs rangs et une rumeur de foule monte.

— *Ruhe!* gueule le SS.

On n'entend plus rien. Le cuistot sert les premiers. En passant devant le SS, il faut enlever le calot. Ensuite le mettre sous le bras, puis, arrivé devant le cuisinier, tendre la gamelle des deux mains contre le baquet. La louche sort et tombe dans la gamelle. On se hausse sur la pointe des pieds pour voir la soupe.

— Elle est belle? demande-t-on derrière.

— *Ruhe!* gueule le SS.

Celui qui est servi ne répond pas; il fonce la tête en avant et se réfugie dans l'église avec sa gamelle.

Le cuisinier est puissant. S'il veut, tout à l'heure, il peut donner une autre gamelle au type qui lui revient. Il n'a qu'à plonger une seconde fois la louche, la retirer et on a le ventre deux fois plus rempli.

Mon tour approche. Je la vois maintenant. Elle est noire, épaisse. La louche s'enfonce et remonte comme une drague. C'est pour celui qui me précède. Elle est lourde, elle déborde, grasse. La surface en reste immuable dans le baquet; pas de reflet, pas de clapotis, c'est un bloc. J'arrive devant le baquet, le calot sous le bras. Le cuistot me regarde. Il enfonce la louche jusqu'au fond. Je place la gamelle contre le baquet; il retire la louche. C'est extraordinaire: des fèves, des fèves, une matière d'une épaisseur insondable. En se détachant, la louche a fait un bruit boueux; il la tient bien, n'en laisse pas retomber; il l'a renversée dans la gamelle qui est lourde et pleine jusqu'au bord. Il est impensable que cette soupe puisse se renverser.

Déjà, il y en a qui ont fini. Agglutinés à la porte de l'église, ils attendent le rab. Il faut crier sans arrêt pour qu'ils s'écartent et protéger la gamelle. Ils regardent la mienne encore pleine.

— Tu es bien servi, disent-ils.

La leur est déjà vide. Leurs yeux sur la mienne, il faut qu'ils disent quelque chose.

J'arrive à ma place. René y est déjà. Il a presque fini la sienne. Les deux du lit voisin aussi, deux Auvergnats dont l'un est devenu à peu près aveugle à l'usine. Je m'assieds avec précaution sur la paillasse. Ils ont fini. Ils ne bougent pas. Ils regardent la gamelle pleine que j'ai calée sur mes genoux. Je prends ma cuiller et je commence lentement à écrémer la soupe.

— Elle est belle aujourd'hui, dit René, qui la regarde terriblement.

Les autres ne disent rien. Moi non plus. Après quelques cuillerées, je m'arrête un instant. Je la regarde, le niveau a baissé. J'ai pompé le plus liquide. René regarde le niveau qui a baissé. Bientôt je serai comme lui. Ça le rassure.

Maintenant, c'est l'épais. Cette soupe gave ; la figure se congestionne. La question de savoir si elle est bonne ne se pose pas : elle est belle. Je vais lentement, mais ça baisse. Je m'arrête encore. Il ne reste que quelques cuillerées. Je recueille d'abord la purée de fève qui s'est déposée sur la paroi. La gamelle est presque vide, les deux copains ne regardent plus. J'attaque ce qui reste. La cuiller racle le fond, je le sens. Maintenant, ce fond apparaît, on ne voit plus que lui. Il n'y a plus de soupe.

Ça gueule dehors pour le rab. René vient de partir. Il *faudrait* y aller. Je sais que je n'en aurai pas, mais il faut essayer.

Une centaine de types sont collés autour du cuistot qui les menace de la louche. Le kapo de la cuisine sort de la baraque pour les faire mettre en rang.

— *Keine Diziplin, kein Rab !* crie le kapo.

Les copains savent ce que ça veut dire, la discipline, qui sera en tout cas celle des kapos droit commun. Ça veut dire que le menuisier qui fait les petits travaux du lagerältester et qui lui fabrique des jouets pour la Noël, que la petite tante de stubendienst français droit commun, qui couche avec ce lagerältester, et d'autres petits copains, ont déjà eu leur rab, eux. Ça veut dire que Lucien est déjà venu chercher quelques gamelles, pour lui et pour ceux avec lesquels il les échange contre du tabac ; sans compter les kapos eux-mêmes. Alors, comme il ne reste que quelques litres de soupe, de la discipline, ils s'en foutent, les copains. Et c'est la ruée. Le kapo intervient et dirige un jet d'eau sur eux. Ils s'enfuient, trempés, en gueulant. Le jet a cessé. Ils repartent à l'attaque du baquet. Maintenant, c'est la schlague du kapo, les coups de louche du cuistot qui s'indigne de toute sa bonne conscience.

Les types en s'écrasant essayent de placer leur gamelle contre le baquet. Ceux qui sont derrière tournent autour de la grappe pour trouver une faille.

— *Keine Suppe!* gueule le kapo.

Ceux qui ne peuvent pas passer la gamelle par-dessus une épaule essaient d'atteindre le baquet par-dessous. Ils se font écraser la tête.

— Je ne servirai pas ! gueule le cuistot.

— Bande d'enculés, ils en ont plein le ventre ! crient les types qui s'écrasent contre le baquet et se piétinent.

Le kapo ordonne au cuistot de rentrer le baquet.

— Vous êtes comme des animaux ! gueule le cuistot.

C'est fini. Il n'y aura plus de rab !

— *Scheisse!* ponctue le kapo en regardant la masse des types.

Le cuistot a rentré le baquet dans la cuisine ; le kapo est rentré aussi et a refermé la porte sur lui. Les types vont se coller contre la porte. Ils attendent encore. Le kapo sort, il les asperge de nouveau avec le jet. Alors, ils rentrent dans l'église la gamelle pendante.

Lucien, appuyé contre la porte, mange tranquillement sa deuxième gamelle. On est resté quelques-uns dans la cour. On savait qu'il n'y aurait pas de rab. Je garde encore ma gamelle à la main et je regarde la porte de la cuisine. Rien ne viendra, on le sait. Encore un regard sur la gamelle.

— Merde !

Je l'ai balancée sur la table qui est contre la cloison de la cuisine.

— *Antreten!* gueule Fritz.

On repart à l'usine.

*

Depuis longtemps, cette nuit, on entend les avions. Leur bruit est régulier, sûr. Ils passent au-dessus de nous, le bruit remplit l'église et nous tient éveillés. Aussi fortement que la nuit, ce bruit règne, pénètre tout, va bourdonner dans les oreilles des SS, qui en deviennent aussi minuscules que nous. Il fait peur au SS gras et chaud dans ses draps. Mais, nous, il caresse notre corps sur la paillasse.

Le temps durant lequel chacun survole le kommando est très court. Notre univers est étroit, quelques dizaines de mètres carrés. Ils ne savent pas qu'ils nous survolent. Simplement, la nuit dans l'Allemagne, il y a des gares, des usines et, jetés n'importe où dans ce réseau de points sensibles, des camps comme le nôtre. Ils lâchent les bombes pas loin, ça roule, c'est l'épouvante. On se sent moins abandonné. Ils sont là, le bruit continue, on se soulève, on écoute ; ils sont puissants, insaisissables. Le SS tremble. On n'a pas peur ; et, si l'on a peur, c'est une peur qui fait rire en même temps. Ils sont dans leur petite cage, ils sont venus passer une heure sur l'Allemagne, ils ne nous connaîtront jamais, mais du bombardement nous faisons un acte accompli à notre intention. On savoure le fruit de l'épouvante SS.

Lorsqu'ils passent le jour et que les SS sont là, un nouveau partage se fait entre ceux-ci et nous. Ils lèvent la tête vers le ciel, ensuite ils nous observent. Le passage leur rappelle le sens de notre présence ici ; cessant alors d'être des *bandits*, peut-être, pendant un instant, nous aperçoivent-ils comme des ennemis, des adversaires même ?

Mélodie de ce bruit dans la nuit. C'est calme, c'est long. On est sous leur toit. Et ça commence : il y a une heure ils étaient là-bas, dans une heure ils y seront revenus. Le rêve : un avion atterrit dans le pré, il nous prend à son bord, on s'envole ; deux heures après, je sonne à ma porte. Il serait deux heures du matin. À deux heures du matin, tout à l'heure, heure à laquelle je serai ici, je pourrais être là-bas. Plusieurs fois dans la nuit, on s'arrange de ces calculs. On s'accroche à tout ce qui abolit la distance, à tout ce qui indique qu'elle est franchissable, que l'on n'est pas vraiment dans un autre monde : cinq jours à pied, on est en Hollande, huit jours à pied, à Cologne. Par le parcours avec mes jambes, d'une distance, par la simple marche à pied, tel que je suis ici, en plus ou moins de temps, je peux encore devenir celui qui, à deux heures du matin, aurait sonné à sa porte si l'avion l'avait emporté. Il y a des possibilités infinies.

Il n'est même pas nécessaire de franchir des kilomètres. Là, derrière les barbelés, quelques pas et je suis sur la route. Ça y est. Je n'ai qu'à suivre cette route et me guider aux étoiles : je suis rentré dans l'univers de tout le monde. Tout est possible, cette nuit. Les obstacles que je m'oppose : le vêtement rayé, l'absence de nourriture, la faiblesse, toutes les chances d'échec, la pendaison possible si je suis repris, ne sont que des obstacles. Je peux les franchir. Il n'y a rien d'impossible puisque je sais que l'ouest existe, et que je sais où je veux aller. Mais dans le même instant que je sais cela, je sais aussi qu'au réveil cet équilibre entre le possible et l'impossible sera rompu. Seulement, en ce moment, je ne sais pas si c'est au réveil ou maintenant qu'on a raison. Mon pouvoir retrouvé dans la nuit s'évanouira au réveil. La route ne sera plus que le bout de route qui conduit à l'usine ; l'ouest, ce sera le petit bois qui la domine ; le reste sera effacé. Partout, il y aura le barbelé, une sentinelle, ma condition. Je penserai et me déplacerai avec sur moi le barbelé, le kapo, la faim, les plaies ; j'aurai la tête dans les épaules, je serai courbé, déjà un produit de la captivité, non d'avant. Avec cela, je parle le français, et il doit m'arriver comme aux copains d'avoir encore quelquefois des *manières* et de m'excuser si je bouscule un camarade : c'est plutôt cela, au réveil, qui me ferait croire que nous sommes fous. Parce que ce qui est, est ; ce que nous sommes, nous le sommes ; et l'un et l'autre est impossible.

Si un observateur niais nous regardait vivre quelques jours, peut-être douterait-il que nous soyons tous du même côté de la bataille et que les gens qui sont ici aient été des combattants.

Dans l'usine, il verrait un Français fabriquer des jouets pour les enfants du meister : des petits chars « Tigre » ; un *Vorarbeiter*[1] engueuler un autre Français parce qu'il ne travaille pas ; le premier Français continuer à fabriquer les jouets, le meister lui tapoter l'épaule et lui donner du pain, puis foutre une claque à un Russe qui est à côté et ne travaille pas assez ; auprès du Russe, un autre détenu tchèque s'appliquer aussi sur un petit jouet et recevoir du pain ; un autre Français se faire matraquer parce qu'il travaille mal, et un Russe manger sa troisième soupe.

1. Détenu chargé de contrôler le travail d'une équipe.

À la distribution du pain le matin, avant le jour, dans la cour de l'église, il entendrait nos cris, cris des Italiens, des Français, des Russes qui s'écrasent et se battent pour ne pas être les derniers, et il verrait le kapo faire régner l'ordre.

Car il ne suffit pas aux SS d'avoir rasé et déguisé les détenus. Pour que leur mépris soit totalement justifié, il faut que les détenus se battent entre eux pour manger, qu'ils pourrissent devant la nourriture. Les SS font ce qu'il faut pour cela. Mais c'est en cela qu'ils ne sont au fond que des idéalistes vulgaires. Car les détenus qui vont à l'assaut du baquet de rab présentent sans doute un spectacle *sordide*, mais ils ne s'abaissent pas, comme le pensent les SS, comme le penserait cet observateur et comme chacun ici le pense chaque fois que ce n'est pas lui qui va au rab.

Il ne faut pas mourir, c'est ici l'objectif véritable de la bataille. Parce que chaque mort est une victoire du SS. Mais les détenus n'ont pas décidé pour vivre de s'exploiter mutuellement. Ils sont tous exploités par les SS et les kapos droit commun. La contradiction écrasante pour l'observateur entre la guerre qui se poursuit là-bas et ce grouillement d'ici, c'est premièrement la figure pleine du kapo (qui, lui, a gardé la *forme humaine* – jamais elle n'aura été aussi insolente, aussi ignoble qu'ici, jamais elle n'aura recelé un aussi gigantesque mensonge), et, deuxièmement, le sourire du SS qui en donnent la clef.

Ceux qui se battent ou s'insultent ainsi ne sont pas des ennemis. Ils s'appellent entre eux justement *camarades*, parce qu'ils n'ont pas décidé de cette lutte, elle est leur état.

Je suis allé directement dans le hall de l'usine. Il était six heures et demie du matin. Dehors, il faisait noir et il neigeait. J'ai erré un moment dans le hall, à travers les ateliers ; le bruit du compresseur martelait l'usine. Le gros kapo Ernst, policier du hall, était assis derrière sa table près de la chaudière. Il avait terminé à l'église son quart de boule du matin, premier petit déjeuner. Il attaquait maintenant un gros morceau de pain civil avec un pot de marmelade.

Les copains qui étaient penchés sur leur étau l'observaient. « Cette grosse vache. » Ernst, qui riait souvent de toute sa bouche édentée avec les civils, parfois avec les SS et avec ses collègues kapos, mangeait aujourd'hui presque lugubrement. Assis sur une chaise, il étalait largement ses coudes sur la table et penchait son buste en avant. Personne, pas même un civil, n'aurait songé à l'empêcher de manger pendant les heures de travail. Il prenait cependant soin de camoufler son pain derrière ses mains. Dans le tiroir entrouvert de la table, il avait posé le pot de marmelade. Ernst coupait un morceau, le trempait dans le pot et se l'envoyait dans la bouche. Il n'était pas kapo depuis longtemps ; il n'osait pas encore étaler son pot sur la table et manger à l'aise. Aussi cette masse énorme – c'était simplement un homme un peu gros, mais ici c'était vraiment une masse énorme – faisait des petits gestes rapides qui contrastaient avec son poids. En s'envoyant le morceau dans la bouche, Ernst relevait vite la tête et ses yeux surveillaient et attendaient encore un danger qui ne venait pas. Quand le morceau était dans la bouche, Ernst était encore plus lugubre, peut-être parce qu'il n'était plus inquiet. Dans la bouche on ne pouvait pas lui enlever le pain, c'était un lieu sûr. Alors, ses joues se gonflaient, ses mâchoires broyaient sérieusement, ses yeux ne remuaient plus. Ernst faisait son devoir. Il n'avait pas envie de rire. *Essen, essen !* Tout le monde ne le méritait pas ; et il méprisait ceux qui ne mangeaient pas, et qui étaient maigres : ils n'étaient pas de son rang.

Je suis sorti de l'usine un moment ; le jour se levait. Les lumières du hall brillaient, plus pâles. La prairie était couverte de neige ; ceux du zaun-kommando arrivaient.

Aux chiottes – un espace entouré de quatre planches hautes avec une fosse au milieu –, des copains piétinaient dans la boue de neige et d'urine. Ils n'y allaient pas simplement pour chier ou pour pisser ; ils y allaient pour y rester un moment, les mains dans les poches. C'était aux chiottes que les copains se disaient bonjour pour la première fois le matin, et se questionnaient.

— Quoi de nouveau ?

— Rien de nouveau.

Des Polonais et des Russes fumaient un mégot au pied de la fosse à merde couverte d'une couche de neige. D'autres arrivaient. Du haut du talus, le long de la voie ferrée, on dominait le carré. Le jour faisait apparaître les rayés, agrégés par trois ou quatre, près de la fosse. Alors, un type annonçait

Fritz ou Alex, ceux qui fumaient le mégot et ceux qui avaient les mains dans les poches disparaissaient. Ceux qui chiaient restaient ; on ne pouvait rien leur dire. Ils étaient tranquilles puisqu'ils étaient accroupis au bord de la fosse. Ils parlaient à voix basse de la soupe. Fritz entrait brusquement dans le carré. Ils chiaient, ils ne bougeaient pas. Fritz les regardait. Ils chiaient vraiment. Il s'en allait.

À l'usine, comme je ne pouvais me caser dans aucun atelier, j'ai pris un balai. Il me fallait quelque chose dans les mains, mais le balai était réservé aux vieux. Je me suis promené un long moment dans le hall, et, quand un civil s'avançait vers moi je balayais. D'abord les civils n'y ont pas fait attention, puis ils se sont aperçus que je n'étais pas un vieux. Ils m'ont regardé comme si je me foutais d'eux avec le balai ; je travaillais moins qu'eux. En balayant je les narguais et je me foutais aussi de la carlingue qu'ils construisaient. Les copains étaient à leur atelier. Chaque meister tenait les siens ; ils travaillaient pour la carlingue et je me promenais. Je me promenais avec un instrument de femme, et leurs femmes travaillaient le fer pour la carlingue, et, elles, ne se promenaient pas.

J'ai abandonné le balai quand j'ai vu que je devenais trop scandaleux et avant qu'ils ne gueulent. J'ai pris un grand panier et j'ai commencé à ramasser les déchets de dural qui traînaient par terre. Il fallait se baisser, se relever, faire quelques pas, se baisser de nouveau. Je ne travaillais pas à la carlingue, mais cette tâche devait rassurer les civils parce que je ne cessais pas d'être courbé et que je ramassais les déchets. Puisque je n'étais pas ce détenu extraordinaire, tourneur ou mécanicien, j'étais le détenu déchet qui avec ses pieds avance, avec ses mains ramasse les déchets. Coïncidence parfaite de la tâche et de l'homme ; cette harmonie les rassurait, c'était sûr.

Ils avaient de la considération pour celui qui travaillait à sa machine, parce qu'il fabriquait méthodiquement une chose qui servirait et ils devaient penser que ce travailleur qui était plus estimable était aussi plus libre.

Ils ne savaient pas qu'en ramassant les déchets au hasard, courbé, parfaitement ignoré, il arrivait qu'on soit heureux, comme en pissant.

Un autre détenu faisait comme moi. C'était un Allemand d'une cinquantaine d'années. Il était assez grand, blond, légèrement voûté. Il avait été arrêté comme *objecteur de conscience*, c'était un évangéliste. Il portait un triangle mauve.

Les nazis avaient pris soin de distinguer les religieux allemands par la couleur du triangle. Leur traitement n'était pas différent, mais le triangle mauve signifiait *objecteur de conscience*. L'objecteur était celui qui avait opposé Dieu à Hitler. À celui-là on reconnaissait une *conscience*. Ils étaient des ennemis par cette conscience opposée, dont ils ne pouvaient se défaire. Les politiques, triangle rouge, n'étaient pas considérés comme des ennemis par la conscience. La question de la conscience ne se posait pas pour eux. Dans la mythologie nazie, c'est l'avènement d'Hitler qui avait révélé le mal, et tous ces triangles rouges étaient sortis un à un à travers l'Allemagne, puis autour, d'eux-mêmes, sous la puissance de l'exorcisme.

Parmi ces objecteurs, à Buchenwald, certains étaient sensibles à cette distinction opérée par les nazis. Ils se sentaient une conscience, presque une bonne conscience ; celle des politiques représentant souvent pour eux un élément impur, de désordre. Même là-bas, certains entretenaient naturellement cette hiérarchie des consciences, la leur se considérant comme la conscience n° 1.

L'évangéliste qui était là, ne se sentait pas, lui, une conscience d'une autre nature que la nôtre.

Il n'avait pas de panier ; il est venu vers moi et nous avons décidé de faire équipe. Il ne parlait ni ne comprenait le français, et moi, à peine l'allemand.

On marchait lentement dans l'usine, en tenant le panier chacun par une anse. De temps en temps, on s'arrêtait, on ramassait un morceau de dural, on le jetait dans le panier et on repartait.

L'usine était remplie du bruit du compresseur et des marteaux à river. Notre tâche était silencieuse, la moins utile. Le plus mauvais manœuvre n'aurait pas passé sa vie à ramasser ainsi des morceaux de dural ; juste de quoi se baisser, de quoi ne pas garder les bras ballants ; pellicule de travail ; travail presque inventé, au delà il n'y en avait plus.

L'évangéliste ne parlait pas, mais quand on s'arrêtait il me regardait et cette figure, en face, et de près, était aussi éblouissante que celle que j'avais trouvée dans le morceau de miroir. Mais lui ne pouvait pas davantage se faire comprendre. J'essayais de lui parler en allemand, et de cette énorme volonté de parler sortaient des lambeaux de phrases criblés des mêmes barbarismes qui me servaient pour les kapos ou les meister. Lui, répondait. Je faisais répéter plusieurs fois la même phrase, parfois je finissais par saisir : « L'Allemagne a perdu la notion de Dieu », « La joie que j'ai le matin c'est Dieu qui est en moi ». Je saisissais à peine le langage dont les SS auraient compris chaque terme, celui de l'objecteur qui disait qu'il était heureux.

Après un grand effort pour se comprendre, on restait silencieux, l'un et l'autre de chaque côté du panier, impuissants. Sa figure ne cessait de vouloir dire, et avec cette parole qu'il fabriquait et que je ne comprenais pas, il s'évadait. Dans ce marécage de langage, j'attrapais aussi parfois : *Musik, Musik*; il le prononçait comme l'auraient prononcé les SS. Il parlait de Mozart. Autour de nous, les copains étaient penchés sur leur atelier. Un meister foutait des coups de pied à un copain. Le compresseur crépitait. *Musik* résonnait dans la tête et couvrait le bruit de l'usine. J'avais attrapé le mot et je ne lui faisais pas répéter la phrase. L'évangéliste continuait à parler seul. Ses yeux étaient bleus et doux. Je ne comprenais plus, mais le mot que j'avais saisi illuminait toute la phrase. Quand il avait achevé, je disais non de la tête et à mon tour je parlais en français, il répondait en allemand, et nous nous arrêtions désespérés et comme honteux de n'arriver à rien.

Nous avions fait le tour de l'usine en posant le panier par terre de temps en temps. Le panier était presque plein. Nous sommes sortis pour aller le vider derrière le grand magasin, le long de la voie ferrée.

Le soleil était très pâle sur la neige ; le vent était froid. Nous marchions lentement et régulièrement. On ne se comprenait pas, mais qu'est-ce qu'il y aurait eu à expliquer ? On ne sentait pas le froid du corps, ni la faim, ni les SS. On était encore capables de se regarder pour se regarder et se serrer la main. Il ne fallait pas quitter cet homme. Jamais sans doute on n'avait eu envie de crier ainsi de joie, cependant que les SS promenaient leur tête de mort sur la prairie. On essayait de retenir cette joie, de calculer pour la retenir le plus possible, de ne pas s'en séparer.

Nous nous sommes arrêtés derrière le magasin où se trouvaient des tas de déchets de dural et de fer rouillé. Il n'y avait personne. On a renversé le panier sur un des tas et on l'a posé par terre. Un peu plus loin, sur la voie ferrée, les sentinelles se promenaient. En contrebas, Fritz fouinait dans les chiottes.

Nous sommes restés un moment près du panier, sans bouger. L'évangéliste regardait les bois, la prairie, et la colline de l'autre côté de la route. Puis il s'est tourné vers moi :

— *Das ist ein schön Wintertag,* a-t-il dit.

Sa figure était bonne. Les bois étaient très beaux. Nous les avons encore regardés.

Puis, on a repris le panier vide chacun par une anse, et on est rentrés à l'usine.

*

C'est un dimanche du commencement de décembre. Nous sommes toujours dans l'église. Ce matin, Karl ne crie pas. On revient toujours de cette même nuit d'où chaque jour l'on revient chez soi. Je n'ai pas rêvé – je rêve très rarement – mais je me suis réveillé avec le volume de ma chambre dans la tête. Avec le sommeil j'avais retrouvé ma torpeur, mes jambes repliées, et le réveil m'a écartelé, mis la tête en bas ; je n'ai rien reconnu. Puis j'ai senti le corps de René et lentement l'image s'est redressée, la chambre s'est transformée, l'église est réapparue.

L'heure normale du réveil est dépassée. Le court moment d'anxiété qui vient juste après, où l'on se demande si on ne bénéficie pas d'un simple retard de Karl, est lui-même passé. Étonnement inquiet de n'être pas pressé. Nous-mêmes sommes un moment troublés par l'espèce d'anarchie qui règne dans l'église. Ce désordre, ce n'est que la rupture de la cadence habituelle. Un copain va se laver d'un pas tranquille. Son voisin est encore couché. Un autre s'habille lentement. D'autres se sont mis à bavarder. Cette lenteur est précieuse. Prendre tout son temps pour enfiler ses chaussures, avoir le goût de se dire bonjour, aller pisser lentement, commencer à s'attarder en tout : c'est le piège du dimanche matin. Car on ne nous laissera pas tranquilles. Les SS supportent mal cette église où les uns sont couchés, les autres debout, où d'autres encore essayent d'écrire. Il ne faut pas que cette journée soit pour nous à ce point différente des autres. Les meister ne vont pas à l'usine le dimanche, alors on nous trouvera un autre travail.

Malgré cela, les SS, eux, veulent dormir un peu plus longtemps et il nous suffit que l'heure habituelle du réveil soit dépassée pour que cette journée soit d'une autre nature que les autres. Les SS ne peuvent pas tout à fait vaincre le dimanche, à peine plus que le sommeil. Nous avons gardé une certaine cadence de la semaine et nous avons, nous aussi, notre calendrier. D'abord notre grand calendrier. Nous nous sommes donnés des relais. Cela a été le 11 novembre. Puis la Noël. Ensuite ce sera Pâques : les grandes dates mythologiques de la fin. Mais il y a des havres plus modestes, qui sont les dimanches. Parce qu'il y a les dimanches, on sait que quatre, cinq dimanches sont passés et qu'il y a sûrement du temps écoulé, du temps gagné. La part de jeu est tellement mince dans notre vie, nous sommes tellement coupés du monde où quelque chose arrive, que le mardi est absolument calqué sur le lundi, le mercredi sur le mardi, et ainsi de suite, sans repère aucun. Le dimanche seul peut nous décoller de cette glu de durée homogène, y faire des cassures, de sorte qu'une partie puisse être nettement rejetée dans le passé. On le caresse ce passé, à mesure qu'il s'étend. La seule certitude possible est derrière nous.

Parce que le jour finit, la semaine aussi finit, le mois finit. Mais ce découpage peut être plus étroit : 9 heures du matin à l'usine, trois heures sont déjà passées, la moitié du temps pour atteindre midi : midi, la moitié de la journée. Après midi, les heures deviennent de plus en plus précieuses, on les avale littéralement ; quatre heures : encore deux heures. Neuf heures du matin, c'était un autre monde, comment a-t-on pu être ici à 9 heures du matin avec encore dix heures à faire à l'usine ? Comment chaque heure a-t-elle pu passer ? La première heure d'abord de 6 à 7, pendant laquelle il a fallu accepter la journée, entrer dedans. Une sorte de rassurement à être parvenu à y entrer. L'heure qui suit, très longue ; on ne peut pas encore évaluer ce qui est derrière soi, c'est trop peu. La pause à 9 heures, etc. On pourrait aussi imaginer qu'on reste tellement étranger à ce qu'on fait que l'on passe la journée dans le calcul des quarts d'heure passés et à venir, et qu'on passe son temps à compter le temps. C'est en réalité aux moments de répit que le temps apparaît nu, aussi impossible à franchir que le vide. Mais, à regarder la pièce, le temps passe ; à frapper des coups de marteau, le temps passe ; à recevoir des coups sur la tête, le temps passe ; à aller aux chiottes, le temps passe ; à guetter le visage qu'on hait, le temps passe.

— *Alle raus!* (Tous dehors !)

Les kapos sont allés à la baraque des SS. Ils y ont pris les ordres.

— *Alle raus!*

Personne ne bouge. La porte est ouverte, on voit le jour. Il doit être plus de sept heures. Nous avons déjà empiété sur l'interdit. Que le kapo crie, ça n'a pas d'importance. On est resté deux heures de plus sur la paillasse, quelque chose a été arraché à l'impossible. Il gueule d'un bout de l'église à l'autre : *Alle raus! Alle raus!* mais on ne bouge pas. Même avec la schlague, ce n'est pas suffisant. Quelques-uns prendront, les autres ne bougeront pas.

Alors le SS est devenu nécessaire. Le SS vient. Il s'est dérangé lui-même. La délégation de sa puissance n'a pas réussi à nous faire lever. Il a fallu qu'il soit là. La machine se rouille. On ne sait donc pas? Nous savons bien pourtant ce qui va se passer si nous voulons jouer.

Cette fois, on s'est levés. Il est là. Il n'entre pas. Il reste à la porte, un peu sur le côté, de façon qu'on le voie, sa schlague à la main, mais sans barrer le passage. Il n'a pas l'air furieux. Seulement, quand un type, en retirant son calot, passe en vitesse près de lui, il se déclenche. Il cogne avec une force froide que la colère ne pourrait pas augmenter. Pour aller au rassemblement sur la place, il faut passer devant lui. Alors, on reste à l'intérieur, et on tente de se camoufler, espérant qu'il s'éloignera ou qu'il se détournera. Mais le kapo qui rabattait les types du fond de l'église revient vers nous : *Raus! Los!* Il faut sortir. Le SS est toujours là. Si l'on passe seul, on prendra sûrement. Mais plus on tardera, plus on courra de risques. Cinq ou six copains s'élancent en bloc, les uns poussant les autres. Il cogne. Mais il ne peut toucher qu'un type à la fois.

Pendant qu'il frappe, les autres passent. L'opération se répète.

Bientôt tout le monde est dehors, sauf les malades toujours étendus sur leur paillasse, au fond de l'église. On reste sur la place une bonne demi-heure. Froid et vent, terribles. Il n'y a pas de travail mais on ne rentrera quand même pas. Il ne faut pas que nous ayons l'occasion de montrer le moindre signe d'étonnement heureux. Ça dure. On ne rentrera pas de la matinée. On ira aux pierres.

Le dimanche est sensible sur la campagne. La route, les prés, les abords des bois sont déserts.

Le ciel est très sombre. Le petit cirque de collines au fond duquel nous sommes est clos. On doit nous y voir comme des personnages mécaniques. Vus de près ou de loin, nous ne pesons pas, nous n'avons pas de prise sur les choses.

Celui qui, longeant les barbelés, passe sur la route, petite silhouette noire sur la neige, est bien une puissance de la terre. Mais s'il nous voit derrière les barbelés, s'il lui arrive simplement de penser qu'autre chose est possible dans la nature que d'être un homme qui marche libre sur la route, s'il s'embarque à penser ainsi, il risque vite alors de se sentir menacé par toutes ces têtes rasées, par toutes ces têtes dont il n'a aucune chance de jamais connaître aucune et qui sont ce qu'il y a pour lui de plus inconnu sur la terre. Et ces hommes eux-mêmes contamineront peut-être pour lui les arbres qui encerclent de loin les barbelés, et celui qui est sur la route risquera alors de se sentir étouffé par la nature entière, comme refermée sur lui.

Le règne de l'homme, agissant ou signifiant, ne cesse pas. Les SS ne peuvent pas muter notre espèce. Ils sont eux-mêmes enfermés dans la même espèce et dans la même histoire. *Il ne faut pas que tu sois :* une machine énorme a été montée sur cette dérisoire volonté de con. Ils ont brûlé des hommes et il y a des tonnes de cendres, ils peuvent peser par tonnes cette matière neutre. *Il ne faut pas que tu sois,* mais ils ne peuvent pas décider, à la place de celui qui sera cendre tout à l'heure, qu'il n'est pas. Ils doivent tenir compte de nous tant que nous vivons, et il dépend encore de nous, de notre acharnement à être, qu'au moment où ils viendront de nous faire mourir ils aient la certitude d'avoir été entièrement volés. Ils ne peuvent pas non plus enrayer l'histoire qui doit faire plus fécondes ces cendres sèches que le gras squelette du lagerführer.

Mais nous ne pouvons pas faire que les SS n'existent pas ou n'aient pas existé. Ils auront brûlé des enfants, ils l'auront voulu. Nous ne pouvons pas faire qu'ils ne l'aient pas voulu. Ils sont une puissance comme l'homme qui marche sur la route en est une. Et comme nous, car maintenant même, ils ne peuvent pas nous empêcher d'exercer notre pouvoir.

Un matin en effet, il y a un mois de cela – quelques jours après qu'il nous eut dit *langsam* – le Rhénan est venu dans une travée du magasin du sous-sol. Nous étions là, Jacques et moi, à trier les pièces. Il nous a tendu la main. Cela aussi coûtait le lager. On l'a serrée. Quelqu'un venait, il l'a retirée. C'était évidemment une nécessité pour lui, ce matin-là, de venir nous serrer la main. Il s'est arrangé pour le faire aussitôt après son arrivée à l'usine. Il est venu à nous. Il était sombre, timide. Je sentais son odeur d'homme propre, celle de son costume et cette odeur gênait. Nous étions tout près de lui. Pour tout autre que nous trois, c'était un Allemand qui donnait à des *haeftling* des indications sur le travail : des yeux morts qui passaient sur une veste rayée, une voix qui commandait des mains captives.

Nous étions devenus des complices. Mais il n'était pas tant venu nous encourager que chercher lui-même une assurance, une confirmation. Il venait partager notre puissance. Les aboiements de milliers de SS ne pouvaient rien, ni tout l'appareil des fours, des chiens, des barbelés, ni la famine, ni les poux, contre ce serrement de main.

Le fond de l'âme SS ne pouvait pas se découvrir mieux que devant nous. Mais de son côté, cet autre Allemand ne s'était peut-être jamais autant senti redonné à lui-même depuis des années qu'en serrant la main à l'un de nous. Et ce geste secret, solitaire, n'avait cependant pas un caractère privé, par opposition à l'action publique, immédiatement historique des SS. Tout rapport humain, d'un Allemand à l'un de nous, était le signe même d'une révolte décidée contre tout l'ordre SS. On ne pouvait pas faire ce que le Rhénan avait fait – c'est-à-dire agir en homme avec l'un de nous – sans par là même se classer historiquement. En nous niant comme hommes, les SS avaient fait de nous des objets historiques qui ne pouvaient plus aucunement être les objets de simples rapports humains. Ces rapports pouvaient avoir de telles conséquences, il était tellement impossible de songer seulement à les établir sans avoir pris conscience de l'énorme interdiction contre laquelle il fallait s'élever pour le faire ; il était nécessaire de s'être tellement abstrait de la communauté encore renforcée par la lutte, d'avoir accepté d'encourir le déshonneur, l'ignominie de la désertion, la trahison même, qu'à peine ébauchés, ces rapports se prolongeaient aussitôt en histoire, comme s'ils étaient les voies mêmes, étroites, clandestines, qu'elle était ici forcée d'emprunter.

C'est une espèce de carrière, non loin de l'église, en contrebas. Il faut extraire des pierres et les transporter dans une remorque jusqu'au camp en construction, près de l'usine.

Une partie des détenus doit extraire les pierres, l'autre pousser la remorque. Mais il n'y a pas assez de pioches. La plupart de ceux qui ne poussent pas la remorque piétinent sur place dans le froid. On n'a rien à faire, mais il faut rester dehors ; c'est cela l'important. Nous devons rester ici, par petits groupes, agglutinés, les épaules rentrées, tremblants. Le vent entre dans les zébrés, la mâchoire se paralyse. La cage d'os est mince, il n'y a déjà presque plus de chair dessus. La volonté subsiste seule au centre, volonté désolée, mais qui seule permet de tenir. Volonté d'attendre. D'attendre que le froid passe. Il attaque les mains, les oreilles, tout ce qu'on peut tuer de votre corps sans vous faire mourir. Le froid, SS. Volonté de rester debout. On ne meurt quand même pas debout. Le froid passera. Il ne faut pas crier, ni se révolter, chercher à fuir. Il faut s'endormir dedans, le laisser faire, comme la torture, après on sera libre. Jusqu'à demain, jusqu'à la soupe, patience, patience… En réalité, après la soupe, la faim relayera le froid, puis le froid recommencera et enveloppera la faim ; plus tard les poux envelopperont le froid et la faim, puis la rage sous les coups enveloppera poux, froid et faim, puis la guerre qui ne finit pas enveloppera rage, poux, froid et faim, et il y aura le jour où la figure, dans le miroir, reviendra gueuler *Je suis encore là* ; et tous les moments où leur langage qui ne cesse jamais enfermera poux, mort, faim, figure, et toujours l'espace infranchissable aura tout enfermé dans le cirque des collines : l'église où nous dormons, l'usine, les chiottes, la place des pieds, et la place de la pierre que voici, lourde, glacée, qu'il faut décoller de ses mains insensibles, gonflées, soulever et aller jeter dans le tombereau.

On devient très moches à regarder. C'est notre faute. C'est parce que nous sommes une peste humaine. Les SS d'ici n'ont pas de Juifs sous la main. Nous leur en tenons lieu. Ils ont trop l'habitude d'avoir affaire à des coupables de naissance. Si nous n'étions pas la peste, nous ne serions pas violets et gris, nous serions propres, nets, nous nous tiendrions droits, nous soulèverions correctement les pierres, nous ne serions pas rougis par le froid. Enfin nous oserions regarder en face franchement, le SS, modèle de force et d'honneur, colonne de la discipline virile et auquel ne tente de se dérober que le mal.

La fermière qui habite à côté de l'église a mis une robe de dimanche et des bottes. Elle est rouge, forte, elle rigole toujours en nous voyant... Elle ne pensait pas qu'un jour à côté de la ferme il y aurait une réunion de types tellement risibles. C'est grâce à ses SS qu'elle peut voir ça.

Son fils, Jeunesse hitlérienne, porte aujourd'hui l'uniforme avec le poignard et le brassard à croix gammée. Il boite un peu, ça le raidit. Il a une petite gueule inachevée de con imberbe. On en a rarement vu d'aussi belle. Lui aussi est fier de ses SS.

Quelquefois, la fermière tue un poulet pour le lagerführer. Le cou du poulet avec la tête et la crête traînent par terre contre le mur de la ferme.

Le fils apporte le poulet au SS. Il parle sérieusement avec lui en nous regardant. Il tend une jambe en avant et il croise les bras. Il doit avoir seize ans. Pour la première fois de sa vie, il voit des Russes, des Polonais, des Français, des Italiens...

« L'Allemagne est un grand pays. On a réussi à en amener beaucoup comme ça en Allemagne. Évidemment le Führer aurait pu les faire tuer. Mais c'est un homme bon et patient, le Führer. Quand même, c'est répugnant d'être aussi moche que ça. Quelles raisons peut avoir le Führer pour laisser vivants des types aussi moches ? Quand il y a un seau de soupe au milieu de la cour, ils sautent tous dessus, ils gueulent, ils se foutent des coups. *Scheisse, Scheisse !* Quand des hommes ne sont pas plus disciplinés, est-ce qu'on peut trouver qu'ils méritent de vivre ? Ça, des ennemis de l'Allemagne ? Une vermine, pas des ennemis. L'Allemagne ne peut pas avoir des ennemis comme ça. Est-ce qu'ils pensent quelque chose ? Quand je questionne le SS sur eux, il fait une grimace – parfois il rigole – et il répond *Scheisse !* Si j'insiste, il répond qu'il n'y a pas grand-chose à dire. Il a l'air de ne rien penser d'eux, de ne pas penser à eux du tout. »

Le petit con nous regarde, agglutinés dans la carrière. Il vient parler à une sentinelle. La sentinelle, c'est un vieux, il préférerait être chez lui. Le con ne comprend pas que la sentinelle n'ait pas des tas de choses à lui dire et qu'elle nous laisse comme ça, comme un troupeau, brouter notre travail. Pourtant, il porte l'uniforme des Jeunesses hitlériennes, on peut lui dire les choses. Le vieux regarde un peu de côté. Le petit con se dit que ça ne doit pas être drôle de faire la guerre comme ça, en gardien de troupeau. Le vieux ne pense rien de la guerre. Il a une fourrure du front russe sur le dos. Le fusil sur l'épaule, il n'a pas envie de nous tirer dedans, ni même de nous emmerder. Le con promène la main sur son poignard ; il ne peut pas détacher ses yeux de nous. La sentinelle aurait bien envie de l'envoyer se faire foutre, mais la fermière a peut-être un morceau de porc en trop, et le type est des Jeunesses hitlériennes.

Le con pense que la sentinelle le prend pour un gosse, et il s'en va, raide.

Dans le creux de la carrière, une dizaine de types se sont collés en grappe pour se protéger contre le froid. Ceux qui sont à l'extérieur essaient d'entrer à l'intérieur de la grappe. La mâchoire inférieure est paralysée par le froid. Quand on essaye de parler, la langue glisse, on ne forme que la moitié des mots. On livre une bataille minuscule pour grignoter ou défendre des centimètres, pour entrer au cœur de la grappe ou s'y maintenir. On est coagulé. On se frotte les uns contre les autres, on ne cesse pas de lutter sourdement pour extraire celui qui est au milieu – sans râler contre lui, sans rien dire que, parfois, « les vaches ! » – et qui à son tour prendra le froid à l'extérieur de la grappe, et servira de paravent. Parfois, on en entend un qui se met à rire de froid. C'est comme si sa figure craquait. À l'extérieur, on se sent nu. Toujours l'angoisse pour les poumons. On n'y avait jamais pensé comme ça. On ne peut jamais savoir si l'on n'est pas en train de se faire atteindre. La morsure du froid, les poumons ne la sentent pas. Le règne du froid s'étend en silence et sans brutalité. On ne saura pas tout de suite si l'on est condamné à mort ; plus tard, on verra qu'on ne peut plus résister. On ne commande pas, on ne peut rien demander aux poumons. La volonté ni la prière n'y peuvent rien. Le froid a plus de puissance que le SS.

Le *Blockführer* SS – adjoint du lagerführer – est venu nous rejoindre. C'est un grand type carré, la gueule classique de l'aryen des statues géantes de la production nazie.

La grappe s'est défaite. On est allé contre la paroi de la carrière, et, du bout des doigts gonflés – on peut à peine fermer les mains –, on prend une pierre et on la porte jusqu'à la remorque qui attend. La sentinelle s'est rapprochée. *Los, los !* dit-il, sans grande conviction. Il n'a pas l'habitude de gueuler. Les jambes écartées, les jarrets tendus, la cravache à la main, la casquette à tête de mort sur les yeux, le SS regarde.

« Pauvre con, tu ne vois rien. En ce moment, si je pouvais te prendre par le collet, te secouer, la première chose que je voudrais te faire comprendre, c'est que, moi, chez moi, j'ai un lit, que j'ai une porte que je peux fermer à clef, que si l'on veut me voir on sonne à ma porte. Et qu'il n'y a pas un des types que tu vois ici, dont le nom ne soit déjà là-bas sur une liste, attendu, et qu'on ne voudrait em-bras-ser. Inimaginable, hein ? Et ce sont des filles pareilles aux filles allemandes et pour lesquelles des hommes auraient accepté de mourir et dont les images ont été fixées sur des photographies qu'on regarde en ce moment dans des maisons tièdes, qui maintenant sont des vieillardes en zébré toutes semblables à cette vermine qui est devant toi. Et il y a des vieilles femmes comme ta grand-mère, et des mères comme la tienne qui ont accouché comme la tienne qui t'a sorti de son ventre et qui se battent pour manger et qui avaient des cheveux gris qu'on a rasés. Qu'on ait été les mêmes gosses qui braillaient et qu'on se soit attendri sur toi aussi, comme sur moi ! Qu'on ait pu dire de toi que tu étais "mignon", petit SS ! Si on te disait cela, tu répondrais en rigolant : *"Ja wohl !"* Et tu dirais que maintenant tu es SS et que ceux de ton âge sont SS. »

On croit que ce qu'on voudrait c'est de pouvoir tuer le SS.

Mais si l'on y pense un peu on voit qu'on se trompe. Ce n'est pas si simple. Ce qu'on voudrait, c'est commencer par lui mettre la tête en bas et les pieds en l'air. Et se marrer, se marrer. Ceux qui sont des hommes, nous qui sommes des êtres humains, nous voudrions aussi jouer un peu. On se lasserait vite, mais, ce qu'on voudrait, c'est cela, la tête en bas et les pieds en l'air. Ce que l'on a envie de faire aux dieux.

La remorque qui était partie vers le camp est revenue. Qu'est-ce qu'on fait ? Voilà : il y en a qui ont pioché, qui ont descellé des pierres ; ces pierres, d'autres les lancent dans la remorque et d'autres poussent la remorque jusqu'au camp. Voilà ce qu'on fait, mais on le sait à peine. Les kapos le savent, et ceux qui passent sur la route, c'est aussi ce qu'ils doivent voir. Nous l'avons oublié. La sentinelle aussi.

En rentrant de la carrière, on a mangé la soupe. Une des plus liquides depuis notre arrivée. Toujours le même processus : on a pris d'abord le jus, les quelques morceaux de patates sont restés au fond ; après avoir bu le jus, on a attendu un instant, on a regardé le petit monticule de patates au fond de la gamelle, puis on l'a attaqué. Puis il n'y a plus eu que le fond de la gamelle, le fer qu'on racle et qui sonne.

L'après-midi de ce dimanche-là, on nous a laissés tranquilles. Il faisait très froid dans l'église ; je me suis allongé sur la paillasse, enroulé dans ma couverture. René, assis sur la même paillasse, écrivait son journal.

L'aveugle qui couche dans le lit voisin du mien a mis une couverture sur son dos et est allé voir un copain qui somnolait un peu plus loin. Il lui a fait une véritable visite. L'aveugle espérait que le copain aurait des choses à lui dire. Mais le copain s'est mis presque aussitôt à manger un morceau de pain qu'il avait gardé depuis le matin. Il regardait le morceau diminuer, et il ne voyait que lui.

Il n'est guère sorti de son mutisme que pour constater que Cologne n'était toujours pas pris, que c'était foutu pour la Noël. Il n'osait pas encore fixer le terme du printemps. Il ne devait pas savoir si c'était désespérément loin ou encore trop tôt. « Pourtant, qu'est-ce qu'il y a eu comme avions l'autre nuit ! Qu'est-ce qu'ils ont dû lâcher, d'après la gueule que faisaient les meister le lendemain ! »

L'aveugle écoutait avidement. Il n'avait pas vu la gueule des meister, lui. Il aurait voulu que le copain lui parle encore. Mais le copain avait sommeil. Il laissait tomber la conversation. Alors, l'aveugle s'est énervé.

— Tu n'as pas de moral, a-t-il dit.

L'aveugle est seul toute la journée dans l'église. On le laisse tranquille dans son coin. Son temps se passe à nous attendre, à espérer qu'on lui ramènera une nouvelle. Pour lui, nous sommes de l'extérieur. Qu'un type, pour s'en débarrasser, lui raconte n'importe quel bobard, il s'en empare. Il le rapporte, quête des avis. On lui dit que c'est faux, qu'on en a marre, qu'on ne veut plus croire que le communiqué allemand, qu'il y a trois mois déjà on nous annonçait que Cologne était pris et que maintenant encore Cologne est aux Allemands. Alors, il râle et nous traite de défaitistes. Il dit qu'on doit se plaire ici, qu'aucun de nous n'a envie de s'en aller, qu'on n'a rien dans le ventre puisqu'on y voit, qu'on a des yeux pour voir et qu'on n'essaye même pas de s'évader. Lui ne veut plus rester ici. Il a promis du pain à un électricien pour qu'il lui fasse une boussole ; il s'évadera avec un copain. Il cherche celui qui sera ce copain.

Il a dit tout cela une fois de plus à l'autre, qui n'a pas répondu. Alors il lui a dit qu'on était tous complètement abrutis. Là-dessus, il s'est arrêté ; le copain n'a pas réagi davantage.

Blond, pas encore trop amaigri, la tête penchée sur les mains, l'aveugle est resté assis un moment au pied de la paillasse. La couverture qu'il portait sur le dos lui remontait sur la nuque. Il ne disait plus rien. Une fois de plus, peut-être parce que c'était dimanche et qu'il pensait que, ayant un peu de temps devant eux les copains ne le rembarreraient pas, il avait espéré que ça servirait à quelque chose d'aller en voir un. Il ne pouvait pas s'empêcher de croire que celui qui y voyait devait avoir davantage de raisons d'espérer, devait mieux savoir en tout cas ce qui pouvait arriver bientôt dans le déroulement de la guerre, que lui qui était aveugle et inventait tout. Comme si, avec nos yeux, nous avions pu voir la guerre et le temps mieux que lui. Mais le copain avait envie de dormir : lundi l'usine, mardi l'usine, usine-soupe, usine-soupe-sommeil ; il abandonnait l'aveugle.

Celui-ci, la tête basse, a fini par quitter la paillasse. Il est revenu vers sa place en tâtonnant. Il s'est assis. J'étais toujours allongé. Je ne bougeais pas. Je n'ai rien dit. Mais il a dû sentir à ma respiration que je ne dormais pas.

— Qu'est-ce que tu en penses, toi, de la guerre ? m'a-t-il demandé en tendant la tête vers ma place.

— Rien, tu sais, on ne sait rien.

René écrivait toujours, il n'écoutait pas.

— Moi, je crois que dans deux mois ça sera fini.

Je n'ai rien répondu.

Et il a recommencé :

— Vous êtes de plus en plus dégonflés, tous, c'est dégueulasse.

Il était épuisant, on répondait à peine. Pour échapper aux questions, je lui ai demandé s'il y voyait mieux. Il m'a dit qu'il distinguait la lumière et qu'à ma place il voyait une ombre.

Dans l'allée de l'église, quelques types circulaient, courbés, la couverture sur le dos. La plupart des détenus étaient couchés. Le dimanche, on ne touchait pas de soupe le soir. Il n'y avait plus rien à attendre de la journée jusqu'au pain du lendemain matin.

L'aveugle s'est levé, et il est allé vers l'extrémité de sa paillasse. Il a tâté la boîte dans laquelle il range son pain. Il l'a ouverte, et il a pris le morceau qui restait. Puis il s'est assis et a pris le couteau dans sa poche. Je le regardais. Ses gestes étaient lents, précis, aussi nets que s'il avait vu ce qu'il faisait comme je le voyais moi-même. On aurait dit qu'il décomposait.

Il a ouvert le couteau, et il a coupé le morceau en trois. René écrivait toujours. Je regardais les morceaux coupés, ses deux mains autour. Il les a tâtés, pour bien en estimer le volume. Il ne disait rien. C'était angoissant. Qu'est-ce qu'il attendait ? Il tâtait les morceaux. Ça devenait terrible.

Il en a tendu un. Je l'ai pris. Puis un autre ; un coup de coude dans le dos de René. Il s'est retourné. La main de l'aveugle était tendue, le morceau entre le pouce et l'index. La figure de René s'est décomposée. Il a pris le pain.

L'aveugle n'a rien dit ; son visage n'avait pas changé. Il était puissant. Une mère.

J'ai coupé un petit morceau, René aussi, l'aveugle aussi. D'abord, nous ne nous sommes pas regardés, chacun mangeait pour soi, mais c'était la même chose pour chacun.

J'ai mâché lentement. Le pain a résisté un peu. Je mâchais, je ne faisais que cela de tout mon corps. Cologne pris ou pas pris, je mâchais. La fin de la guerre dans deux mois ou dans un an, à ce moment-là, je mâchais. Je savais que la faim ne me quitterait pas, que j'aurais toujours faim, mais je mâchais, c'était cela qu'il fallait, et cela seulement.

Le morceau est devenu humide, puis une pâte s'est formée sur la langue. Je regardais le morceau que j'avais encore dans la main. Puis j'ai commencé à avaler par parcelles celui que j'avais dans la bouche. C'était long.

Puis il n'y a plus rien eu dans la bouche. Je me suis arrêté un instant. Ensuite, j'ai coupé un morceau plus petit, mais, avant de le mettre dans la bouche, j'ai regardé ce qui me restait dans la main. J'ai recommencé à mâcher.

René s'est arrêté un instant ; après avoir regardé le morceau qu'il tenait dans la main, il a regardé le mien, puis de nouveau le sien. Moi aussi, j'ai regardé le sien. On se surveillait, on essayait de s'accorder dans le temps de la mastication, pour ne pas rester seul, sans pain, quand l'autre mâcherait encore.

L'aveugle avait fini, il avait mangé son pain par gros morceaux, sans ménagements. Il s'était allongé.

J'étais immobile ; mâcher était comme un bon sommeil. Bientôt j'allais ne plus avoir que le couteau dans la main. Il n'y aurait plus de pain, et du pain on ne peut pas en créer, on ne peut pas en trouver, nulle part, par aucun moyen. Même les miettes de pain, le pain qui traîne après le repas sur la table, le pain que certaines femmes ne mangent pas, le pain enfoui dans les poubelles, le pain très vieux, dur comme de la pierre, on ne peut pas les inventer. J'ai attendu un moment. Je me suis demandé si je devais couper en deux petits cubes le morceau qui me restait. J'ai hésité.

René a dit :

— Quand il n'y en aura plus, il n'y en aura plus.

Et il a avalé le dernier morceau.

Je n'ai pas coupé le mien en deux. J'ai pensé qu'il valait mieux pour la fin avoir un gros morceau dans la bouche. Je l'ai mâché longtemps, la tête immobile, puis malaxé entre la langue, le palais et les joues ; le morceau s'est désagrégé peu à peu et a fini par s'avaler.

J'ai gardé le couteau dans la main droite. Dans la gauche, il n'y avait plus de pain. Il n'y en avait vraiment plus. On pouvait chercher par terre, racler, se l'imaginer sous les formes où on le laisse traîner, se le représenter en croûton dur que mangent les poules, en croûton sur lequel on met la mort-aux-rats, en miettes qu'on balaie de la main sur la nappe ou dont on se secoue le pantalon, il n'existait pas. Il n'y avait plus rien à mâcher. Rien. D'aucune autre chose le manque n'appelle autant ce mot : rien.

Déjà la faim nous enferme. On n'en souffre pas, ça ne fait mal nulle part, mais on est obsédé par le pain, le quart, le cinquième de boule de pain. La faim n'est autre chose qu'une obsession.

Quand on est arrivé à Fresnes, pendant deux jours on n'a pas pu manger ; puis, quelques jours après, on ramassait les miettes.

À Buchenwald aussi, en arrivant, on n'avait pas très faim. Puis, insensiblement, on s'est mis à préserver le pain. Quand un copain qui en avait trop donnait la moitié de sa soupe, on était riche d'autant, cette journée-là prenait l'allure d'une bonne journée. Au réveil, alors, dès qu'on touchait le pain, on en faisait des tartines avec la margarine, et on les mangeait ; mais on ne se torturait pas encore à penser que, quelques instants plus tard, on n'en aurait plus. La faim était supportable ; un halo à l'intérieur duquel on n'était pas encore trop mal à l'aise.

Ça a commencé ici, à Gandersheim. La soupe de Buchenwald était magnifique à côté de celle-ci. Mais il n'y a pas de moment précis où ça s'est déclenché. La faim a gagné peu à peu, secrètement, et maintenant on est obsédé. Quand le menuisier revient de la cuisine avec une gamelle pleine de patates, on regarde la gamelle, on ne voit plus qu'elle. Il faut décider de ne plus la regarder, avec une vraie dépense de force.

Maintenant, on se presse pour toucher le pain et on lutte contre soi-même pour arriver à en garder une tranche pour le soir. En le touchant, et avant même de le toucher, on sait qu'il est périssable, on est accablé déjà d'avoir à le manger. Le pain ne vieillit pas comme la chair et la beauté, il ne dure pas, il n'est destiné qu'à être détruit. Il est condamné avant de naître. Je pourrais calculer quelles quantités il faudra que j'en aie à détruire pour vivre cinq ans, dix ans... Il y a des montagnes de pain, des années-pain entre la mort et nous.

L'apparition du morceau de pain, c'est l'apparition d'un certain futur assuré. La consommation du pain, c'est celle même de la vie : on se rejette dans le risque, le vide, la fragilité de chaque seconde.

Il faudrait le garder, le regarder, pouvoir attendre. Si l'on pouvait toujours en retenir un morceau dans la petite caisse en bois qu'on a derrière sa paillasse, on pourrait se rassurer. Mais on ne le garde presque jamais. Et si cela arrive, le copain qui a mangé le sien d'un trait le matin est ulcéré. Il dit : « Tu es un con de garder ton pain. Moi, je le mange d'un coup, après, on n'y pense plus. Ils me font marrer ceux qui coupent des petites tranches, des petits cubes. C'est pas digne d'un homme. Moi, je le mange exprès par bouchées normales. Comme ça, au moins, on sent quelque chose pendant qu'on mange, et après on n'y pense plus. »

Et le soir, il regarde le pain que le copain a gardé. Lui n'a plus rien et l'autre a encore quelque chose, et il pense que c'est un lâche, un profiteur, qui capitalise le pain ; il voudrait penser que c'est un type qui n'a pas faim, ou peut-être qui se démerde autrement, qui a des combines. Il pense qu'il est vache, en tout cas, de sortir son pain devant le copain qui, lui, a eu le « courage » de manger le sien d'un coup. Et, naturellement, il n'en donnera pas un morceau. Ce n'est pas lui l'enfant prodigue, ce n'est pas lui qui risquera de ne pas en avoir pour le soir. Ce n'est pas lui qui dira : « Merde, quand il n'y en aura plus, il n'y en aura plus ! » Il n'est jamais les mains vides, lui. Il mériterait presque de se le faire voler. Il faut manger le pain d'un seul coup, pense le copain, parce qu'on a faim et qu'un homme sain, quand il a faim, mange son pain. Après, il faut être comme les copains, il ne faut pas avoir de cachette à trésor, il ne faut plus rien avoir dans la main ; il faut avoir faim comme les copains, et rien, comme les copains.

Nicht gut Kamerad, m'a dit un jour un Russe parce que j'avais encore à midi un morceau de pain du matin dans ma poche.

On attend la soupe, dans la cour de l'église. On parle.

— Elle était belle hier. Et j'étais bien servi : cinq morceaux de patates, dit un type.

— Moi, c'était de la flotte, répond un autre ; juste un morceau de patate. Ça fait la quatrième fois que j'ai de la flotte.

Un troisième :

— Hier, j'ai été pas mal servi. Mais avant-hier c'était Jeff, je suis mal avec lui, il n'a pas remué le fond. Il prend toujours le dessus quand il me repère.

Le premier reprend :

— Il paraît qu'il y a de la farine d'arrivée.

— C'est pas pour nous, ne t'excite pas.

— Si ça continue comme ça, dans trois mois la moitié seront crevés.

— Lucien, lui, il ne crèvera pas. Hier, il a sorti quatre gamelles.

— Et les kapos ? Le gros, Ernst, il se remplit le ventre de soupe à midi dans la cuisine, et puis à l'usine il bouffe des morceaux de saucisson comme ça.

Ils s'arrêtent.

— Soupe au lait ce soir, reprend l'un d'eux, lentement.

— Merde, on va pisser. On ne pourra pas dormir. La dernière fois, j'ai pissé six fois dans la nuit.

— Il faut essayer de passer dans les derniers pour avoir un peu d'épais.

— Il n'y a plus de soupe aux fèves maintenant, remarque celui qui a annoncé la soupe au lait.

— Elle était belle. Avec ça, ça pouvait aller.

— À Buchenwald, elle était plus épaisse qu'ici.

— On pourra pas tenir à ce régime.

Celui-ci a parlé calmement.

— Cinq ans à Fresnes plutôt qu'un mois ici, reprend un autre.

— Tu es con de faire ces comparaisons.

— Tu as vu ce qu'ils se mettent les Polacks ? Ils se démerdent à la cantine SS.

— Ils ont tous les jours du rab.

Là-dessus intervient une voix forte :

— Fermez-la un peu. Vous nous emmerdez. On le sait qu'on ne bouffe pas. On le sait qu'on a faim. Vous verrez comment ça sera dans trois mois. Fermez-la, vous allez devenir fous. Si vous voulez bouffer, c'est facile : allez lécher le cul aux kapos ; lavez leurs mouchoirs et tout et tout. À l'usine, léchez le cul au meister, montrez-lui que le copain ne travaille pas. Ça ne vous intéresse pas ? Alors vous ne boufferez pas. Mais n'en parlez pas toujours. Vous êtes des politiques, nom de Dieu. Vous ne comprenez pas que ça continue la Résistance, non ? Vous foutez le cafard à tout le monde.

Celui qui parle comme ça a faim lui aussi. Il est très grand, très large. On l'appelle Jo. Les os apparaissent sur sa figure. Un quart de boule et de la flotte à mettre dans ce coffre immense. Son corps commence à se manger.

Quand nous sommes arrivés ici, la plupart pouvaient encore penser à autre chose qu'à la faim. Maintenant nous sommes entrés dans le somnambulisme. Une masse vieillie, poussée en avant, de relais en relais : du pain à l'usine, de l'usine à la soupe, de la soupe à la paillasse.

Toujours le poids de l'estomac vide, les mâchoires immobiles, la lourdeur de leurs os. Les dents restent blanches. Prêt à manger ce qu'on lui donnera, l'appareil reste noué et calme comme les machines à vide qui ne bougent pas. Il ne se décrochera qu'à la mort.

Le soir, avant de se coucher, un type rôde quelquefois dans la cour, devant la baraque de la cuisine. Il ne sait pas bien ce qu'il attend. Il va dans la cour pour être près de la cuisine. Quelqu'un sortira peut-être de la cuisine. Le type s'approcherait de celui qui sort et, dans un moment de folie, il pourrait lui demander s'il n'y a rien à bouffer. C'est simple de demander à un cuistot s'il n'y a pas par là un bout de pain. Mais l'autre ne pourra que le regarder comme on regarde un fou. Le plus gros, le plus plein – celui qui n'a pas faim – connaît lui aussi le prix du pain ; il sait le prix du pain pour celui qui a faim et il attribue au sien la même valeur ; ça ne peut pas être simple d'en donner un morceau. Ainsi celui qui a faim et demande à bouffer à celui qui n'a pas faim est un fou, car la nourriture – même si on en est plein et si on travaille dedans – est rare et doit être conquise par le « mérite » (là-bas aussi l'argent est toujours considéré par ceux qui le détiennent comme une chose « méritée »).

Si un kapo sort de la cuisine et voit le type, il lui demandera ce qu'il fait là. Le type ne répondra pas. Il ne pourra quand même pas dire au kapo qu'il a faim. Le kapo le prendra par le dos de la veste et le poussera dans l'église. Le type se retrouvera dans l'allée; il marchera lentement vers sa paillasse en regardant par terre.

Il n'y a pas de solution. Il ne souffre pas. Aucune douleur. Mais le vide dans la poitrine, dans la bouche, dans les yeux, entre les mâchoires qui s'ouvrent et se ferment sur rien, sur l'air qui entre dans la bouche. Les dents mâchent l'air et la salive. Le corps est vide. Rien que de l'air dans la bouche, dans le ventre, dans les jambes et dans les bras qui se vident. Il cherche un poids pour l'estomac, pour caler le corps sur le sol; il est trop léger pour tenir.

Il ne faut pas rester devant ce mur. Il ne faut pas en parler. La faim n'est rien d'autre que l'un des moyens du SS. Contre elle la révolte serait aussi vaine que contre le barbelé, le froid. Elle déforme la figure, tend les yeux. La figure de Jacques, l'étudiant en médecine, n'est plus la même que celle qu'on a connue lorsque nous sommes arrivés ici. Elle est creuse et coupée par deux larges rides et par un nez pointu comme celui des morts. Personne ne sait là-bas, chez lui, quelle étrangeté pouvait receler cette figure. Là-bas, on regarde toujours la même photographie, photographie qui n'est plus de personne. Les copains disent : « Ils ne peuvent pas savoir », et ils songent aux innocents de là-bas avec leurs visages inchangés qui demeurent dans un monde d'abondance et de solidité, avec des peines achevées qui semblent elles-mêmes d'un luxe inouï.

On se transforme. La figure et le corps vont à la dérive, les beaux et les laids se confondent. Dans trois mois, nous serons encore différents, nous nous distinguerons encore moins les uns des autres. Et cependant chacun continuera à entretenir l'idée de sa singularité, vaguement.

Et parce qu'il est impossible ici de réaliser rien de cette singularité, on pourrait quelquefois se croire hors vie, dans des espèces de vacances horribles. Mais c'est une vie, notre vraie vie, nous n'en avons aucune autre à vivre. Car c'est bien ainsi que des millions d'hommes et leur système veulent que nous vivions et que d'autres l'acceptent. C'est ici que s'accomplissent, s'interrompent réellement des destins singuliers. Ceux qui meurent, leur dernière vision est bien d'ici. Déjà, quand nous pensons, maintenant, c'est à cette vie que nous empruntons tous nos matériaux, non à l'ancienne, la « vraie ». Il faut donc lutter aussi pour ne pas se laisser recouvrir par l'anonymat, pour ne pas cesser d'exiger de soi ce qu'on n'exige pas d'un autre. On découvre qu'on peut s'abandonner soi-même comme on ne l'aurait jamais imaginé possible avant.

Jacques, qui est arrêté depuis 1940 et dont le corps se pourrit de furoncles, et qui n'a jamais dit et ne dira jamais « j'en ai marre », et qui sait que s'il ne se démerde pas pour manger un peu plus, il va mourir avant la fin et qui marche déjà comme un fantôme d'os et qui effraie même les copains (parce qu'ils voient l'image de ce qu'on sera bientôt) et qui n'a jamais voulu et ne voudra jamais faire le moindre trafic avec un kapo pour bouffer, et que les kapos et les toubibs haïront de plus en plus parce qu'il est de plus en plus maigre et que son sang pourrit, Jacques est ce que dans la religion on appelle un saint. Personne n'avait jamais pensé, chez lui, qu'il pouvait être un saint. Ce n'est pas un saint qu'on attend, c'est Jacques, le fils et le fiancé. Ils sont innocents. S'il revient, ils auront du respect pour lui, pour-ce-qu'il-a-souffert, pour ce que tous ont souffert. Ils vont essayer de le récupérer, d'en faire un mari.

Il y a des types qui seront peut-être respectés là-bas et qui nous sont devenus aussi horribles, plus horribles que nos pires ennemis de là-bas. Il y a aussi ceux dont on n'attendait rien, dont l'existence était là-bas celle de l'homme sans histoire, et qui ici se sont montrés des héros. C'est ici qu'on aura connu les estimes les plus entières et les mépris les plus définitifs, l'amour de l'homme et l'horreur de lui dans une certitude plus totale que jamais ailleurs.

Les SS qui nous confondent ne peuvent pas nous amener à nous confondre. Ils ne peuvent pas nous empêcher de choisir. Ici au contraire la nécessité de choisir est démesurément accrue et constante. Plus on se transforme, plus on s'éloigne de là-bas, plus le SS nous croit réduits à une indistinction et à une irresponsabilité dont nous présentons l'apparence incontestable, et plus notre communauté contient en fait de distinctions, et plus ces distinctions sont strictes. L'homme des camps n'est pas l'abolition de ces différences. Il est au contraire leur réalisation effective.

Si on allait trouver un SS et qu'on lui montre Jacques, on

pourrait lui dire : « Regardez-le, vous en avez fait cet homme pourri, jaunâtre, ce qui doit ressembler le mieux à ce que vous pensez qu'il est par nature : le déchet, le rebut, vous avez réussi. Eh bien, on va vous dire ceci, qui devrait vous étendre raide si "l'erreur" pouvait tuer : vous lui avez permis de se faire l'homme le plus achevé, le plus sûr de ses pouvoirs, des ressources de sa conscience et de la portée de ses actes, le plus fort. Non parce que les malheureux sont les plus forts, non pas non plus parce que le temps est pour nous. Mais parce que Jacques cessera un jour de courir les risques que vous lui faites courir, et que vous cesserez d'exercer le pouvoir que vous exercez et qu'il nous est déjà possible de donner une réponse à la question : si à un moment quelconque il peut être dit que vous ayez gagné. Avec Jacques, vous n'avez jamais gagné. Vous vouliez qu'il vole, il n'a pas volé. Vous vouliez qu'il lèche le cul aux kapos pour bouffer, il ne l'a pas fait. Vous vouliez qu'il rît pour se faire bien voir quand un meister foutait des coups à un copain, il n'a pas ri. Vous vouliez surtout qu'il doute si une cause valait qu'il se décompose ainsi, il n'a pas douté. Vous jouissez devant ce déchet qui se tient debout sous vos yeux, mais c'est vous qui êtes volés, baisés jusqu'aux moelles. On ne vous montre que les furoncles, les plaies, les crânes gris, la lèpre, et vous ne croyez qu'à la lèpre. Vous vous enfoncez de plus en plus, *ja wohl!* on avait raison, *ja wohl, alles Scheisse!* Votre conscience est tranquille. "On avait raison, il n'y a qu'à les regarder !" Vous êtes mystifiés comme personne, et par nous, qui vous menons au bout de votre erreur. On ne vous détrompera pas, soyez tranquilles, on vous emmènera au bout de votre énormité. On se laissera emmener jusqu'à la mort et vous y verrez de la vermine qui crève. »

« On n'attend pas plus la libération des corps qu'on ne compte sur leur résurrection pour avoir raison. C'est maintenant, vivants et comme déchets que nos raisons triomphent. Il est vrai que ça ne se voit pas. Mais nous avons d'autant plus raison que c'est moins visible, d'autant plus raison que vous avez moins de chances d'en apercevoir quoi que ce soit. Non seulement la raison est avec nous, mais nous sommes la raison vouée par vous à l'existence clandestine. Et ainsi nous pouvons moins que jamais nous incliner devant les apparents triomphes. Comprenez bien ceci : vous avez fait en sorte que la raison se transforme en conscience. Vous avez refait l'unité de l'homme. Vous avez fabriqué la conscience irréductible. Vous ne pouvez plus espérer jamais arriver à faire que nous soyons à la fois à votre place et dans notre peau, nous condamnant. Jamais personne ici ne deviendra à soi-même son propre SS. »

Ce même dimanche de décembre, je suis allé au *Revier* voir un copain qui est malade. Le revier n'est autre chose que le fond de l'église. Nous n'en sommes séparés que par une mince cloison. C'est d'ailleurs la partie la plus froide du bâtiment. Par les ouvertures sans vitraux, mal bouchées par du papier goudronné, entre un air glacial.

Il y a une dizaine de lits à étage et les malades y couchent à deux par paillasse, comme nous, chacun enroulé dans sa couverture. La plupart sont des Italiens qui viennent d'arriver dans un transport de Dachau. Il y a aussi quelques Français. Surtout des pneumonies. L'unique remède du revier est l'aspirine ; quelquefois, une brique ou une pierre que l'on fait chauffer à la cuisine.

Les châlits sont serrés les uns contre les autres, on peut à peine circuler entre eux. La lumière qui éclaire le réduit est faible. Le sol est bosselé, il n'y a pas de plancher, c'est la terre.

Un Italien qui a une forte fièvre, luisant de sueur, tient hors de la couverture ses deux bras nus, très maigres. Dans sa face en couteau, dont une barbe noircit encore la peau collée aux os, la bouche est ouverte et la mâchoire pend ; les yeux brillent, grands ouverts, fixes. De temps en temps, il bafouille. Le corps est seul avec la fièvre. Il n'y a rien à faire. On ne peut que regarder faire la fièvre. On laisse faire, mais on ne peut pas rester devant lui. C'est aussi insupportable que de regarder un homme s'enfoncer dans l'eau. Plusieurs délirent et s'agitent. Le camarade qui sert d'infirmier essaye de les calmer. Il leur parle doucement. Il ne peut guère faire plus. Il comprend que la plupart des types qui sont là vont mourir devant lui. Il les aide à aller pisser et il ne les rudoie pas quand ils gueulent ; mais ils gueulent rarement. Parfois même, ils lui donnent un morceau de leur pain. Grâce au pain des malades et de ceux qui meurent, il a un peu plus de joues que ceux qui travaillent.

Car les malades, chaque matin, touchent leur pain, jusqu'à la mort. Ceux qui ont beaucoup de fièvre ne le mangent pas tout de suite. Ils le mettent sous l'oreiller de la paillasse. Si un type volait le pain d'un malade, tout le monde estimerait que c'est aussi dégueulasse que de voler le lait d'un enfant. Très peu seraient capables de le faire. Mais quand on va au revier et qu'on voit un type qui va mourir tenir son pain dans la main, et le tenir distraitement, comme quelqu'un qui a oublié qu'il a du pain dans la main, oublié ce que c'est, on regarde. Le morceau a séché. Il est plus jaune que celui qu'on a touché le matin. Il ne lui sert à rien, c'est visible. C'est terrible, terrible pour le pain. Il le tient mollement dans les doigts. C'est à cela qu'on est certain qu'il va mourir. Il est quelqu'un d'ici, l'un d'entre nous, à qui le pain est devenu inutile.

L'infirmier, les moins malades qui le voient, n'y touchent pas. Ils attendent. Maintenant qu'il va mourir, c'est sacré, plus comme le lait de l'enfant, mais comme l'héritage. Il va peut-être tester avec ce pain que lui donnent les SS qui le tuent.

S'il meurt sans le donner, il y en a un qui le prendra le premier. Mais le plus souvent d'autres l'auront vu. La contestation se fait alors, brève, et à voix basse, parce que la paillasse où le mort est allongé n'est pas loin.

— Il ne te l'a pas donné, il faut partager.

Et celui qui l'aura pris fera deux, trois parts, pour les principaux protestataires, ou encore répondra sourdement :

— C'est mon copain, c'est à moi que ça revient.

— Moi aussi, c'est mon copain, pourra essayer de dire un autre. S'il a décidé de le garder, s'il a trop faim, s'il a trop espéré n'être pas vu pour supporter la déception de partager, le premier haussera les épaules et gardera le pain. Il le tiendra bien et il le mettra dans sa poche. Il sait que la dispute ne peut aller loin, parce que le copain mort est à côté.

Celui que je suis venu voir n'est pas trop malade. Je me suis assis au bord de son lit. Son voisin de lit, un Français, politique, est en train de mourir. De l'autre côté de la cloison des types chantent; c'est dimanche. L'infirmier s'arrête près de celui qui agonise; il le regarde. Les autres malades suivent aussi l'agonie.

On lui a enlevé son calot; son visage est trempé.

— Non, Cologne n'est pas pris. Mais il n'y a pas que Cologne. Ça avance. Il n'y en a plus pour longtemps. C'est sûr, bientôt on boira un crème au comptoir.

C'est pour le copain qui n'est pas très malade que je me lance ainsi. Il sourit et c'est lui qui reprend : « C'est vrai qu'il n'y en a plus pour longtemps. Ça descend, qu'est-ce qu'ils prennent... »

Le moribond gémit. On entend son souffle. Le copain cesse de parler. Il jette un coup d'œil sur le lit voisin, me le désigne de la tête et dit : « Ils peuvent bien nous faire tous crever, ils l'ont dans le cul. Mais moi, ils n'auront pas ma peau. Je l'ai toujours dit, je rentrerai. » L'autre se tord sur la paillasse ; sa figure ruisselle. Ils ont l'air d'avoir eu la sienne.

Les autres malades parlent à voix basse. Le copain se soulève un peu.

— Ici, c'est dégueulasse, dit-il. Ils nous donnent le dessus de la soupe, c'est de la flotte. Et ils ne mettent pas le litre. Et puis les morceaux de pain sont plus petits.

La plainte du moribond augmente. Derrière la cloison trois ou quatre types continuent à chanter. L'odeur de l'urine se mêle à la plainte, à la chanson. Le type se tord atrocement. Sa figure fond, ses yeux noirs sont comme noyés. Le copain me dit lentement à voix basse : « Un jour ça viendra tu sais, ils seront écrasés, tu comprends, écrasés. »

Il n'y a pas eu encore beaucoup de morts depuis que nous sommes à Gandersheim. Le premier a été un Français. Il était imprudent. Souvent, le matin, il allait au robinet dans la cour, le torse nu, quand l'automne commençait à être froid. Broncho-pneumonie ; ça n'a pas duré. Les SS ont fait mettre le corps dans la grange en face de l'église. Ils l'y ont laissé trois jours. Il commençait à se décomposer. Deux amis du mort se sont proposés pour aller l'enterrer.

C'était le soir, il pleuvait, il faisait plus doux. Ils l'ont mis dans une couverture et l'ont allongé sur une civière.

Le vieux qui nous gardait à la carrière est parti avec eux, le fusil en bandoulière, une lanterne à la main. En rentrant de l'usine, on a croisé le cortège. Trois hommes : deux pour porter le mort, la sentinelle. Un de plus, et ç'aurait été une cérémonie. Les SS ne l'auraient pas permis. Il ne faut pas que le mort puisse nous servir de signe. Il faut que nos morts disparaissent ici aussi, où il n'y a pas de crématoire. Notre mort naturelle est tolérée, comme le sommeil, comme de pisser, mais il ne faut pas qu'elle laisse de trace. Ni dans nos mémoires, ni dans notre espace. Il ne faut pas que le lieu où se trouve le mort puisse être situé.

Les deux copains sont allés l'enterrer dans le petit bois. Ils sont revenus une heure après. Ils étaient trempés de pluie. On les a entourés. L'un d'eux, un type de l'Aisne, se réchauffait les mains à la gamelle de soupe qu'il venait de toucher. L'autre mangeait la sienne. Lui n'avait pas l'air pressé. Il approchait la gamelle de sa figure pour se la réchauffer avec la vapeur de la soupe.

— Vous êtes allés loin ? lui a-t-on demandé.

— Au petit bois, a répondu le type. Il s'est arrêté et a bu une gorgée de soupe. On attendait. Il a continué d'une voix sourde :

— On a creusé le trou, on l'a mis dedans.

Il s'est arrêté encore. Il ne buvait plus sa soupe. Il tenait sa gamelle à pleines mains devant lui.

Quelqu'un a demandé :

— Tu sais où c'est exactement ?

— Oui, la sentinelle était tournée, alors j'ai foutu un grand coup de pelle dans l'arbre à côté du trou. Après j'ai bien regardé autour.

— Et la sentinelle ?

— C'était le vieux. Il nous a dit de faire comme on voulait. Il s'est écarté, il nous a laissés tout seuls.

Le type s'est arrêté un instant :

— Il a salué.

Il n'y avait plus rien à apprendre. On est resté un moment à côté de lui, mais il n'avait plus rien à dire.

Il a pris sa gamelle dans une main. De l'autre, il a pris sa cuillère dans sa poche et il s'est mis à remuer sa soupe. Il paraissait calme. Il s'est arrêté de tourner sa soupe et il nous a regardés :

— Ah ! les vaches ! nom de Dieu.

Il s'est arraché ça lentement, sur un ton de lassitude violente, de rage et de dégoût.

— Ça ne peut pas être des hommes, a dit un type avec la même lenteur.

Puis le copain de l'Aisne a recommencé à racler le fond de la soupe pour essayer de faire monter l'épais. Il a mis une cuillerée dans sa bouche, puis une autre, puis une autre. Il raclait le fond et rien ne venait. Alors, comme au bout de sa patience, toujours avec la même lenteur rageuse, en appuyant, il a dit :

— Merde. C'est de la flotte.

*

C'est la fin du dimanche. Tout à l'heure, le Français qui se tord au revier sera mort. Il échappe à la marche de la semaine qui commence demain matin. Cela ne le concerne plus. On lui fout la paix. On peut être tenté de comprendre ceux qui se sont jetés sur les barbelés électrifiés. Autant pour retirer au SS ce qu'il a dans les mains que pour cesser de souffrir. Le mort est plus fort que le SS. Le SS ne peut pas poursuivre le copain dans la mort. Encore une fois, le SS est obligé de faire trêve. Il touche une limite. Il y a des moments où l'on pourrait se tuer, rien que pour forcer le SS, devant l'objet fermé qu'on serait devenu, le corps mort qui lui tourne le dos, se fout de sa loi, à se heurter à la limite. Le mort va être aussitôt plus fort que lui, comme les arbres sont plus forts, et les nuages, les vaches, ce qu'on appelle les choses et qu'on ne cesse pas d'envier. L'entreprise des SS ne se risque pas jusqu'à nier les pâquerettes des prés. La pâquerette se fout de leur loi, comme le mort. Le mort n'offre plus prise. S'ils s'acharnaient sur sa figure, s'ils coupaient son corps en morceaux, l'impassibilité même du mort, son inertie parfaite leur renverraient tous les coups qu'ils lui donnent.

C'est pourquoi on n'a pas toujours peur absolument de mourir. Il y a des moments où, par brusque ouverture, la mort apparaît juste comme un moyen simple, de s'en aller d'ici, tourner le dos, s'en foutre.

Le Français va mourir comme ils le souhaitent. Chaque fois qu'on est devant un SS ou un meister on sait qu'il souhaite qu'on meure. L'illusion impardonnable serait de l'oublier. On se souvient du sourire du chef de block de Buchenwald, lorsque les camarades sont intervenus pour empêcher de partir en transport celui qui risquait de mourir. On repense à l'incongruité de la démarche. Pourtant, maintenant encore, malgré la place que nous nous sommes faite dans l'enfer, les habitudes que nous y avons prises, il nous arrive encore de nous conduire comme si nous étions prêts à croire que lorsqu'un homme est en danger, tous les autres doivent essayer de le sauver. Maintenant encore, à l'usine, quand un type n'a pas la force de soulever une pièce trop lourde, il arrive qu'il dise au meister :

— *Ich bin krank.*

Ou bien, d'un copain :

— *Er ist krank.*

Il essaie de croire que l'autre va s'arrêter, s'embarrasser, peut-être répondre : *Langsam...*

Mais il répond, automatiquement :

— *Was, krank ?*

Et il bouscule le type, et gueule :

— *Los, Arbeit.*

Un jour des camarades ont dit à leur meister que l'Italien qu'il avait frappé quelques jours auparavant était mort : sa figure s'est éclairée d'un grand sourire.

Il y a un de ces civils allemands de l'usine qui nous a dit *langsam.* C'est arrivé une fois. Il traîne seul dans l'usine. Il est le contraire de ce que sont les hommes de l'usine.

La peur de la mort est devenue un fait social non dissimulé du tout, constatable par n'importe lequel d'entre nous. Les cinq cents types qui attendent, à l'appel, il est visible qu'ils ont peur de mourir, tous.

Lorsqu'on parle avec un copain d'après la libération, on n'emploie plus simplement le futur. On dit : « si on s'en sort... » La condition, la restriction, l'angoisse sont toujours au cœur du dialogue. Et si l'on s'est aventuré à faire des projets, si l'on s'est excité en parlant de la mer, si l'on a oublié de faire sa part à l'anéantissement, il s'impose, n'en revient envelopper que mieux, d'un seul coup de filet, le bloc de futur qu'on vient de produire : « Enfin... Si on s'en tire... » Il vaut mieux placer son *si* plus tôt. Ceux à qui là-bas, leur tempérament permettait de vivre la vie la plus généreuse, animale, bruyante, sont devenus humbles et discrets.

La mâchoire avide qui se décroche, le ventre vide qui s'affaisse : la mort du copain est une catastrophe. Mais la catastrophe, ce n'est pas seulement que *ce* copain soit mort. C'est que l'*un* de nous meure, que la mort arrive sur nous. Celui-là est mort. Ses amis s'en apercevront particulièrement, mais l'oublieront vite. Ça ne fait pas de bruit, rien ne s'arrête. Il meurt, c'est l'appel, il meurt, c'est la soupe, il meurt, on reçoit des coups, il meurt seul.

Quand on a vu en arrivant à Buchenwald les premiers rayés qui portaient des pierres ou qui tiraient une charrette à laquelle ils étaient attachés par une corde, leurs crânes rasés sous le soleil d'août, on ne s'attendait pas à ce qu'ils parlent. On attendait autre chose, peut-être un mugissement ou un piaillement. Il y avait entre eux et nous une distance que nous ne pouvions pas franchir, que les SS comblaient depuis longtemps par le mépris. On ne songeait pas à s'approcher d'eux. Ils riaient en nous regardant, et ce rire, nous ne pouvions pas encore le reconnaître, le nommer.

Mais il fallait bien finir par le faire coïncider avec le rire de l'homme, sous peine, bientôt, de ne plus se reconnaître soi-même. Cela s'est fait lentement, à mesure que nous devenions comme eux.

On tremblera toujours de n'être que des tuyaux à soupe, quelque chose qu'on remplit d'eau et qui pisse beaucoup.

Mais l'expérience de celui qui mange les épluchures est une des situations ultimes de résistance. Elle n'est autre aussi que l'extrême expérience de la condition de prolétaire. Tout y est : d'abord le mépris de la part de celui qui le contraint à cet état et fait tout pour l'entretenir, en sorte que cet état rende compte apparemment de toute la personne de l'opprimé et du même coup le justifie, lui. D'autre part, la revendication – dans l'acharnement à manger pour vivre – des valeurs les plus hautes. Luttant pour vivre, il lutte pour justifier toutes les valeurs, y compris celles dont son oppresseur, en les falsifiant d'ailleurs, tente de se réserver la jouissance exclusive.

Celui qui méprise le copain qui mange les épluchures que l'on jette dans le coffre de la cantine, le méprise parce que ce copain « ne se respecte plus ». Il pense que ce n'est pas digne d'un politique de bouffer des épluchures. Beaucoup ont mangé des épluchures. Ils n'étaient certes pas conscients, le plus souvent, de la grandeur qu'il est possible de trouver à cet acte. Ils étaient plutôt sensibles à la déchéance qu'il consacrait. Mais on ne pouvait pas déchoir en ramassant des épluchures, pas plus que ne peut déchoir le prolétaire, « matérialiste sordide », qui s'acharne à revendiquer, ne cesse de se battre, pour aboutir à sa libération et à celle de tous. Les perspectives de la libération de l'humanité dans son ensemble passent par ici, par cette « déchéance ».

Plus on est contesté en tant qu'homme par le SS, plus on a de chances d'être confirmé comme tel. Le véritable risque que l'on court, c'est celui de se mettre à haïr le copain d'envie, d'être trahi par la concupiscence, d'abandonner les autres. Personne ne peut s'en faire relever. Dans ces conditions, il y a des déchéances formelles qui n'entament aucune intégrité et il y a aussi des faiblesses d'infiniment plus de portée. On peut se reconnaître à se revoir fouinant comme un chien dans les épluchures pourries. Le souvenir du moment où l'on n'a pas partagé avec un copain ce qui devait l'être, au contraire viendrait à faire douter même du premier acte. L'erreur de conscience n'est pas de « déchoir », mais de perdre de vue que la déchéance doit être de tous et pour tous.

*

À l'usine, je travaille maintenant à l'atelier d'un meister qui s'appelle Bortlick. Il a une figure mince et rose, des cheveux noirs collés et brillants ; il porte une blouse grise. L'atelier est dans un coin de l'usine, près d'une grande baie. Quand on arrive le matin, il fait encore nuit ; l'usine est tout illuminée, et des rideaux noirs sont tendus le long des fenêtres.

Tant que les lumières sont allumées, on travaille dans une journée virtuelle. On est encore dans la même nuit qui était venue nous délivrer la veille. Il faut d'abord gagner le jour, à travers lequel on pourra seulement atteindre une nouvelle nuit.

On guette les premières lueurs mauves entre les interstices des rideaux. Bortlick, dans un coin, se réveille. Il a posé sur la table son paquet de tartines beurrées ; il étire ses bras et ses jambes. Le kapo Ernst, penché sur sa table, mange. Tout se met en place. Chacun devant son étau ; le morceau de dural est serré dedans, et les marteaux de bois commencent à tomber dessus. Les types en rayé tapent sur le dural, par crises, trois, quatre coups de marteau très fort et s'arrêtent. Le marteau pend le long du bras ou bien il est posé sur l'étau pendant que d'autres marteaux tapent. Il n'y a pas de silence. Dans le bruit, un marteau arrêté fait cependant son silence à lui. Mais Bortlick est assis à sa table, il mange sa première tartine, on peut attendre sans risque. Le marteau est au repos. Le rayé reste debout devant son étau ou devant son poteau, pas à un mètre, collé contre lui. Si Bortlick ou Ernst, la bouche pleine, tournent la tête, leurs regards ne se briseront pas, leurs mâchoires ne s'arrêteront pas, ils ne s'étrangleront pas. Chaque poteau a son homme, personne ne se tient les bras ballants à un mètre du travail.

Bortlick mange toujours; un autre marteau s'arrête, puis un autre. Quatre ou cinq frappent encore dans l'atelier et protègent ceux qui se sont arrêtés. Bortlick est à la fin de sa tartine; les quatre ou cinq frappent de plus en plus fort, mais le silence des autres lui est entré dans l'oreille. Il mâche sa dernière bouchée, et il regarde son atelier et les marteaux posés sur les étaux.

Il se lève lentement, il met les mains dans ses poches. Il quitte sa table, et il se dirige avec nonchalance vers l'atelier, comme en se promenant.

Les marteaux alors, un à un, repartent. Ils tombent de plus en plus nombreux et de plus en plus fort. Il n'y a plus un creux de silence. Bortlick passe entre deux rangées de dos qui ne bougent pas; il traverse son atelier frénétique, son atelier de tonnerre.

Il est tranquille, maintenant, ses oreilles vont bien, et, en se promenant, il retourne à sa table finir ses tartines.

C'est un détenu polonais qui seconde Bortlick; il est le vorarbeiter de l'atelier. C'est un petit, maigre. Il ne porte pas le zébré, mais ce n'est pas parce qu'il est vorarbeiter. C'est parce qu'il faisait partie du convoi des cinquante Polonais qui sont arrivés d'Auschwitz. Il porte une veste brune avec une croix au minium dans le dos. Il se tient au bout d'un long établi et il a lui aussi un étau devant lui. Il est très habile. Aussi ne fait-il pas le même travail que nous. Il fait de petits jouets pour le gosse de Bortlick; et il nous surveille. Le directeur de l'usine ne sait pas que Bortlick et d'autres meister se font fabriquer des jouets par des détenus.

Le vorarbeiter garde toujours le tiroir de son établi à demi ouvert pour pouvoir planquer immédiatement la pièce du jouet qu'il lime sur l'étau et la remplacer par un morceau de dural. Quand Bortlick se promène dans son atelier, les copains baissent le nez sur leur étau et frappent ou liment plus fort. Le vorarbeiter promène son regard sur eux. Quand Bortlick s'arrête dans le dos d'un type, le vorarbeiter s'arrête aussi de limer la pièce du jouet, et, quand il voit que ça prend tournure, il rejoint Bortlick. Bortlick engueule le copain, qui ne comprend pas, le vorarbeiter engueule aussi le copain, qui ne comprend pas davantage, et meister et vorarbeiter détenu se marrent ensemble.

Si Bortlick ne s'arrête pas devant un étau, le vorarbeiter suit des yeux sa promenade, et, quand Bortlick se rapproche de lui, le vorarbeiter surveille ce qui se passe derrière Bortlick – et il montre à Bortlick qu'il surveille – pour voir si le directeur n'arrive pas. Et s'il n'y a pas de danger, il sourit à Bortlick d'avoir, lui, détenu, protégé le meister, du directeur. Bortlick se laisse aller à demi à cette complicité, précieuse au vorarbeiter. Il se penche sur le jouet qui est sur l'étau, l'examine. Le vorarbeiter-détenu est au chaud près de Bortlick. Il est très avancé dans sa complicité. Depuis longtemps, il n'est plus attaché à l'étau; il peut sortir, rentrer, il peut regarder de loin tous les autres, rivés au leur, la forêt de leurs dos, d'où il s'est évadé.

Bortlick parle avec celui qui parle sa langue et qui a des mains habiles. Celui-ci ne peut rien avoir de commun avec les esclaves qui ne parlent pas sa langue, qui n'ont pas les mains habiles, qui sont maigres. Eux ne sont que la vermine, mais une vermine de prix, la vermine qu'on a poursuivie des années et qu'on n'avait jamais vue d'aussi près, qui est là, dans cette usine, et que l'on côtoie et que l'on conserve, trésor de mal.

À côté de moi, il y a Lanciaux. Il a une quarantaine d'années. Depuis plus de vingt ans, il est mineur dans le Pas-de-Calais. Il est resté six mois à l'hôpital de Saint-Quentin après son passage à la Gestapo. Les Allemands l'ont ensuite amené à Compiègne sur une civière, puis à Buchenwald.

Il est habile, mais il ne veut pas travailler. De temps en

temps, il donne quelques coups de marteau, et il s'arrête. Il est pâle, il a une figure fermée, des petits yeux bleus. Sa voix est très sourde. Il dit : « Il n'y a que le moral qui me tient », et il me regarde.

Quelquefois, quand il s'emmerde trop, il appuie la main sur mon épaule, ses yeux brillent un peu plus, et il commence à taper doucement avec son marteau. Puis, peu à peu, il tape de plus en plus fort, et il se met à chanter *Le Chant du départ* de sa voix sourde et zézayante. Je tape aussi plus fort, et je chante. On tape de toutes nos forces, on s'excite, on gueule dans le chahut du compresseur, et Bortlick, de sa table, croit qu'on travaille, et on rigole.

Bortlick lui aussi rigole avec un autre meister. Donc, tout le monde peut rigoler. Mais si je m'approche pour porter la pièce, il s'arrêtera de rire, et si c'est lui qui vient vers nous, on s'arrêtera aussi de rire. Nous pouvons rire en même temps, mais pas ensemble. Rire avec lui, ce serait admettre que quelque chose entre nous peut être l'objet d'une même compréhension, prendre le même sens. Mais leur vie et notre vie prennent un sens exactement contraire. Si nous rions, c'est de ce qui les fait blêmir. S'ils rient, c'est de ce que nous haïssons.

Les rapports de travail, les ordres, les coups mêmes ne sont que camouflage. L'organisation de l'usine, la coordination du travail masquent le vrai travail qui se fait ici. Il se fait sur nous, c'est celui de nous faire crever. Il leur arrive de s'en distraire, de sommeiller. Mais il suffit qu'un type tombe évanoui de faiblesse à son établi pour les réveiller et le meister fout des coups de pied dans le type à terre pour le faire relever.

*

Le revier qui était au fond de l'église a été transféré dans une baraque du camp, près de l'usine.

On a occupé les lits que les malades avaient quittés. Des types ont monté un petit poêle dans le réduit. On l'alimente avec du charbon, volé à côté de l'usine, que l'on rapporte chaque soir. Nous sommes une vingtaine là : des Français et des Italiens. Quand on rentre le soir, le poêle ronfle. Il a été allumé par ceux qui sont restés à l'église pour quelque corvée. Il y a trois bancs autour du poêle. On se presse pour avoir une place, et ceux qui n'en ont pas restent debout derrière puis finissent par s'appuyer sur les épaules de ceux qui sont assis. On ne regarde que le poêle. On se grille dessus ; la figure rougit, on s'engourdit, on pourrait rester là toujours : se déshabiller dans la chaleur, s'endormir dans la chaleur, oublier le camp de concentration dans la chaleur.

Quelques-uns ont pu ramasser des patates au silo. Ils les coupent en rondelles qu'ils collent sur le dessus du poêle. Quand ça commence à brûler, ils piquent la rondelle avec leur couteau et la retirent. Ceux-là ne regardent pas le poêle de la même façon ; ils sont occupés, ils regardent griller la rondelle qu'ils vont mettre dans leur bouche. Ils vont mâcher. Ils seront un moment comblés par la tranche de patate chaude, par le souci de celle qui grille déjà quand l'autre n'a pas encore été avalée. Et ainsi les yeux ne sont pas vides, les mains non plus.

Les autres, ceux qui n'ont pas de patates, regardent griller celles du copain. Ils chauffent leurs mains vides au poêle, ils se contentent de la chaleur. Ils paraissent seuls à côté des autres, abandonnés, déshérités, sous le coup de l'injustice la plus dure : assis les uns et les autres sur le même banc, il y en a qui ont des rondelles et d'autres qui n'en ont pas. Mais, parmi ceux qui n'en ont pas, il y en a qui sont sérieux ; ils ne regardent pas le copain mettre la rondelle dans sa bouche ; les coudes appuyés aux genoux, la tête penchée vers le poêle, toute embrasée, ils se saoulent de chaleur. Ceux qui sont debout derrière voudraient bien être seulement à la place de ceux qui sont assis et qui n'ont pas de patates, et ceux qui sont plus loin dans l'église voudraient bien être à la place de ceux qui sont debout et qui reçoivent un peu de chaleur dans la figure.

Quelquefois, un kapo arrive. Il voit sur la paroi du poêle les traces de ventouses des rondelles Il fait une fouille sous les paillasses, sous les lits, il ne trouve rien. On reste en place, le nez sur le poêle, indifférents à l'agitation du kapo. Il demande qui a des patates, à qui sont les patates, personne ne répond. Il soupçonne, il reste un moment là, debout, impuissant, à regarder les dos penchés sur le poêle. Puis il se lasse. Il s'en va.

D'autres fois, ceux qui ont réussi à en avoir suffisamment passent un fil de fer dans une dizaine de patates, puis ils jettent le « chapelet » dans le poêle. Le kapo vient, il fait soulever le couvercle du poêle, il trouve le chapelet qui noircit. Il hennit de plaisir. À qui est-ce ? Personne ne répond. Il emmène le chapelet ; fièrement, il l'exhibe dans l'allée. Quelques types rient pour se faire bien voir, et, royalement, le kapo distribue les patates noires à ceux qui ont le mieux ri.

Il arrive que l'affaire se termine différemment. Celui à qui appartient le chapelet se désigne. Le réflexe du kapo joue aussitôt : *schlague* ; il tape des coups secs, le type baisse la tête, il s'enfuit vers l'allée de l'église. Le kapo le poursuit et continue à cogner. Des types rient dans l'allée. Le kapo se met à rire aussi, et parfois aussi celui qui reçoit les coups. Les coups continuent à tomber, le kapo est roi, c'est le cirque. Ainsi, presque chaque soir, pour des raisons diverses.

Après-demain, c'est Noël. Les jours qui se sont écoulés depuis le 1er octobre sont soudés les uns aux autres dans le déroulement des corvées, les cris des kapos, la soupe, la faim toujours, et aussi la gravitation des choses précieuses, le vent, le mouvement des nuages dans le vent d'ouest, le cirque des collines, les silhouettes des hommes libres sur la route, la locomotive, l'automobile, la bicyclette, toutes choses qui règnent sur l'espace et qui appellent les regards des enfants.

Pendant trois jours, on va se remplir d'images ; elles vont fulgurer dans la tête. Ce sera la fête. Pas avec les mains, ni les mâchoires, ni les lèvres, la fête noire dans la tête, la fête des natures mortes.

Des types disent qu'on aura une boule de pain chacun, une pomme, peut-être une soupe épaisse avec un morceau de viande. « Tiens, je leur laisse leur boule et leur ragoût s'ils me laissent partir... » Conneries chroniques. On s'excite, on se donne la liberté comme à un chien auquel on lâche de la laisse, mais on sait qu'on est enchaîné et qu'on sera bien content s'il y a la boule. La boule, c'est l'orgie de pain. De quoi manger un bon moment, on se remplirait ; quand on serait rempli, il en resterait encore et on serait plein, on dormirait plein. On couperait les premières tranches comme d'un gâteau, puis, au fur et à mesure que la boule diminuerait, ça deviendrait du pain ; on pourrait même mâcher et parler en même temps, on craindrait moins d'arriver à la fin de la boule.

Le poêle est rouge, je suis embrasé de chaleur. Tout près, à la paillasse, c'est le froid. René s'est déjà déshabillé. Il a fallu aussi que j'y aille. J'ai enlevé ma veste, mes chaussures, et je me suis glissé sous les couvertures. René ne rayonne que d'une légère chaleur. Depuis ce matin, on n'attend que ce moment. Demain, sitôt le cri du réveil, on pensera au soir. Mais ce moment que j'attends depuis ce matin, ne vient pas. Dans le sommeil aussi, j'entre comme un somnambule. Plus ou moins pesante, chaque heure est déterminée, et je n'y serai jamais autre que dans l'heure la plus lourde. Ce sommeil que j'ai attendu, ce répit, me ferment seulement les yeux.

*

Ce matin, la neige tombe, épaisse. Les bois, les collines sont couverts d'un feutre éblouissant. Les pas ne résonnent plus, ni ceux des SS ni les nôtres. Le ciel clôt un coffret, il n'y a d'horizon pour personne.

Aux chiottes, deux Polonais fument un mégot ; deux Français sont assis sur la barre au bord de la fosse. J'ai enlevé les ficelles qui retiennent mon pantalon, et je l'ai ouvert ainsi que mon caleçon déchiré. Je ne vois guère mes cuisses qu'aux chiottes : elles sont mauves, leur peau est ridée ; celles d'un Français qui est assis sur la barre sont plus blanches. On s'habitue à se regarder chier, mais il reste toujours un peu de curiosité. Les plus silencieux se livrent ici, les plus redoutables aussi. Le gros kapo Ernst, qui cogne, essaye lui aussi de rigoler avec nous quand il chie. Ici, il ne peut pas garder sa dignité (c'est pour cela d'ailleurs qu'à l'usine, des cabinets sont réservés aux civils), et il essaye de faire comme s'il choisissait pour un moment l'humilité de sa situation, en parlant amicalement avec ceux qui sont là. Quelquefois, il se trouve que c'est avec celui sur lequel il vient de cogner. Mais Ernst ne peut rien faire pour ne pas nous paraître indécent : ses caleçons sont blancs, ses cuisses énormes. Il est fort même en chiant. Il ne peut pas devenir un type à cuisses grises ou mauves, à genoux proéminents. Il est plus criant que jamais qu'il bouffe au moins ses trois rations de pain par jour, une série de gamelles, etc.

La fosse est pleine et recouverte d'un duvet de neige. On s'attarde un moment, assis sur la barre.

— Qu'est-ce qu'il y a de nouveau ? demande un des Français.

— Rien, répond l'autre.

Celui qui a posé la question se doutait qu'il n'y avait rien de nouveau. Depuis qu'on est ici, depuis le 1er octobre, il n'y a jamais rien eu de nouveau. Mais, chaque matin, on a posé la question. Celui qui la pose maintenant ne peut pas se répondre lui-même. Il ne peut savoir que ce qu'il constate, et cela c'est toujours la même chose : c'est le pain du matin, l'usine, les chiottes. Depuis qu'il est enfermé, tout ce qui n'est pas le pain, l'usine, lui est caché.

L'autre a répondu « Rien ». Il en est au même point que celui qui le questionne, mais il n'a pas dit : « Je ne sais pas ». Il a dit « Rien », bien qu'il ne sache pas s'il n'y a pas quelque chose. Il a répondu selon ce qu'il a constaté, et nous avons tous la même expérience. Et l'autre n'insiste pas, car il croit que le copain, en disant « Rien », lui a livré son secret.

— Tu crois qu'il y en a pour longtemps ? demande le questionneur.

— Je ne crois pas.

Le premier se rassure : il suffit que l'autre ne soit pas trop bavard et qu'il ne réponde pas : « Je ne sais pas ». S'ils restent ainsi dans le vague, s'ils ne se laissent pas aller à se demander « Comment le sais-tu ? » ils se rassureront. Chacun apportera à l'autre ce qu'il attend, comme d'un frère, comme d'une mère : quelqu'un qui n'est pas soi et qui ne menace pas, quelqu'un qui répond.

« Je ne crois pas », c'est tout ce que peut dire le copain. Il le dit avec assurance, ça suffit. L'autre ne demandera pas plus. Ces questions, ces réponses n'ont pas de sens, mais c'est le langage que l'on tient aux chiottes, et c'est à ce moment-là l'essentiel de ce que l'on a à se dire.

Ils se sont levés. Debout, sur le banc, ils ont enfermé leurs cuisses dans les pantalons, qu'ils ont ficelés, tout cela lentement. Puis ils sont descendus du banc, et ils sont restés un moment les mains dans les poches, les épaules en dedans, entre les quatre planches des chiottes. Ils n'ont rien appris de nouveau.

« — Quoi de nouveau ? — Rien. » Alors, il n'y a plus rien à faire aux chiottes, il faut s'en aller.

Il est dix heures à peine, encore toute la journée à faire

passer. Demain, c'est Noël. Qu'est-ce que ça veut dire ? Maintenant c'est la mémoire qui va s'y mettre sérieusement; si la mémoire n'existait pas, il n'y aurait pas de camp de concentration. Et il ne manquait plus que ça, maintenant, qu'on entende « Noël » entre les planches des chiottes, à piétiner la merde. Eux aussi disent « Weihnachten » et on est toujours en zébré. Cette nuit, il y aura peut-être trêve des fours à Auschwitz ? Cette nuit de l'année serait la nuit de leur conscience ? La boule de pain pour quatre, peut-être la boule pour deux, ou pourquoi pas, la boule pour un ? La boule de leur frousse, la boule pour un et la trêve des fours. Leur conscience festoie peut-être ce soir : « Ce soir on ne tue pas. Non, pas ce soir. » Jusqu'à demain. Ce soir, les kapos des fours se saoulent, ce soir tout le monde chante sur toute la terre, même à Auschwitz ? La boule pour un, la réconciliation universelle, l'unité du genre humain accomplie, ce soir tout le monde va donc rigoler ou pleurer pour la « même » chose !

Honteuse attente. Merde vraie, chiottes vraies, fours vrais, cendres vraies, vraie vie d'ici. On ne veut pas pour ce jour être *plus* hommes que la veille et le lendemain.

On a installé un petit sapin au pied d'une carlingue; on l'a fait sérieusement. On a balayé l'usine avec plus de soin que d'habitude. Ils étaient distraits, et ils parlaient entre eux. Les femmes riaient. On les a regardés comme si quelque chose d'important devait arriver avant notre prochaine rencontre. Cette chose importante, c'était la fin de l'année qui arrivait sur nous.

La sirène a sonné à quatre heures, et on a quitté l'usine. Il ne neigeait plus, le ciel s'était découvert, il y avait même un peu de soleil sur les bois. On est arrivé devant l'église, on s'est laissé compter. On a attendu. Il fallait encore les gagner, la paillasse, et la journée de Noël.

Dormir d'abord, qu'on nous laisse dormir sur nos paillasses, et c'est assez.

Là-bas, ils disent : « Je sors » : ils descendent l'escalier, ils sont dehors. Ils disent : « Je vais m'asseoir », ils disent : « On va dîner ensemble », ils disent : « Je vais... » et ils vont, ils font. « Je », c'est le pain, le lit, la rue. Ici, on peut seulement dire : « Je vais aux chiottes ». Elles sont sans doute ce qui correspond le mieux ici à ce qu'on appelle communément là-bas liberté.

Les kapos nous ont fait entrer dans la cour de l'église, et de nouveau on a attendu, mais cette fois pour toucher la nourriture. On croyait qu'il y aurait une pomme en supplément ; un type l'avait dit et ça s'était répété, on croyait à la pomme. Elle aurait reculé le moment où on n'aurait plus rien dans la main ; on aurait pu manger le pain tranquillement, puisqu'il y aurait eu la pomme après. On pouvait croire à la pomme. Ç'aurait été de leur part une façon de marquer la journée, et ils semblaient le vouloir, puisque déjà on ne devait pas travailler le jour de Noël.

Le guichet s'est ouvert. Il commençait à faire nuit, la lumière jaune éclairait l'ouverture. Le cuistot a passé sa tête ; les types le dévisageaient.

— Qu'est-ce qu'il y a aujourd'hui ? lui ont-ils demandé.

Il a rigolé.

— Il n'y a rien.

Rien de plus. Et la distribution a commencé. On s'est quand même hissé sur la pointe des pieds pour voir ce qu'il y avait.

— Le quart de boule et viande hachée, a dit quelqu'un.

Pas de pomme, la boulette de viande un peu plus grosse peut-être que celles qu'on avait touchées quelquefois. Alors, on est devenu impatient, on s'est pressé pour passer devant le guichet et en finir.

Celui qui est passé devant moi a baissé la tête ; le bras gauche à demi tendu en avant, il tenait bien son quart de boule dans la main et semblait plus anxieux que nous qui n'étions pas encore au guichet. Il ne voyait plus personne, il n'était plus que le quart de boule dans la main ; courbé et pressé, il s'est enfoncé dans l'église.

Mon tour est venu. Le quart de boule, la viande hachée dessus ; je l'ai pris dans la main gauche. L'autre quart de boule, que lève le cuistot, c'est celui d'un autre. Il y en a beaucoup ainsi, je les aperçois, et chacun appartient à un type. Les copains ne sont pas plus riches que moi, il n'y en a qu'un pour chacun, mais le tas de quarts de boule est énorme.

Les cuistots, eux, se démerdent. C'est normal. La chose qu'ils triturent, qu'ils manipulent, ce n'est pas du dural, ni des pierres, ni de la terre, c'est de la nourriture. Ils vivent dedans toute la journée. Les paniers de dural deviennent ici des paniers de pain, de patates. Au grand magasin, il y a des sachets de clous, et toute la journée les copains ont des bouts de fer dans la main ; il n'y a rien à faire, là, les monticules, les tas, les fardeaux, c'est du fer. Chez les cuistots, dans les sacs, c'est de la farine, dans les caisses, de la margarine, etc. Là où ils sont on les entoure, il y a un sillage derrière eux. Ils ont une tête rouge, des muscles sur les bras, ils sont un peu considérés par les SS. Naturellement, on cherche à être bien avec eux, on rigole de leurs conneries, on convient même qu'ils font un métier pénible, on compatit. On se fait décrire en même temps la soupe du lendemain. Ils parlent de kilos de farine, de paniers de patates. Eux, ils prennent une louche, ils la trempent dans le sceau et ça fait une gamelle ; une autre plongée de la louche, et ça fait une deuxième gamelle. Tranquillement. Les copains les regardent, la bouche entrouverte, des dieux, quoi.

Dans notre réduit, il y avait du monde autour du petit poêle. Ceux qui étaient arrivés les premiers s'étaient immédiatement installés sur les bancs. Chacun tenait son pain dans la main. Quelqu'un dit :

— Avec ça on n'est pas fauché. Un chouette de réveillon !

Ils regardaient le pain par intermittence et semblaient réfléchir. Tous les bancs étaient occupés, je n'ai pas pu m'asseoir. Je me suis collé juste derrière un banc, ma figure recevait en plein la chaleur du poêle. J'ai coupé une tranche de pain, j'ai étalé un peu de viande hachée dessus, j'ai étendu le bras par-dessus l'épaule d'un copain qui s'est penché sans râler et j'ai posé la tranche sur le poêle. D'autres faisaient la même chose. Le poêle était très chaud. La graisse de la viande a fondu assez vite, et la couche de viande rouge est devenue brune. Le poêle était couvert de tranches. Quelques types se bagarraient pour trouver une petite place pour la leur ; ils poussaient le pain d'un copain qui tolérait, mais lorsqu'ils poussaient un peu trop sa tranche et la faisaient déborder dans le vide, le copain râlait. Il se retournait, dévisageait les autres qui avaient l'air de s'excuser, mais qui maintenaient tout de même leur tranche en place. Celui qui râlait poussait alors la tranche d'un autre pour bien étaler la sienne sur le poêle, cet autre se mettait à râler aussi, le ton montait un peu.

— Tu nous emmerdes, fallait arriver avant. C'est toujours les mêmes qui roupillent et puis après ils veulent passer devant.

— Oh, ça va. T'énerve pas. On ne va tout de même pas s'engueuler ce soir.

— Je t'engueule pas, mais quand même il ne faut pas exagérer.

Ça n'allait pas plus loin Une odeur montait, de boulangerie, de viande grillée, de petit déjeuner de riches. Mais eux, là-bas, s'ils mangeaient du lard, du pain grillé, ne savaient pas comment cela s'était transformé, avait commencé à changer de couleur, à rôtir, et surtout à sentir, à lancer cette puissante odeur. Nous, nous avions touché le pain gris, nous avions coupé une tranche, nous avions nous-mêmes posé la tranche sur le poêle, et maintenant nous regardions le pain se changer en gâteau. Rien ne nous échappait. La viande qui suintait, brillait et dégageait l'odeur terrible de chose à manger. Nous n'avions pas perdu le goût du pain, des pommes de terre qu'on mâche. Mais la chose à manger qui emplit à distance la gorge de son odeur, l'odeur, nous avions oublié ce que ce pouvait être.

J'ai retiré ma tranche. Elle était brûlante, c'était une brioche. Plus qu'un joyau, une chose vivante, une joie. Elle était légèrement gonflée, la graisse de la viande avait pénétré dans la mie, ça luisait. J'ai croqué la première bouchée ; en entrant dans le pain, les dents ont fait un bruit qui m'a rempli les oreilles. C'était une grotte de parfum, de jus, de nourriture. Tout était à manger. La langue, le palais étaient débordés. J'avais peur de perdre quelque chose. Je mâchais, j'en avais partout, sur les lèvres, sur la langue, entre les dents, l'intérieur de ma bouche était une caverne, la nourriture se promenait dedans. J'ai fini par avaler, cela s'est avalé. Quand je n'ai plus rien eu dans la bouche, le vide a été insupportable. Encore, encore ; le mot a été fait pour la langue et le palais ; encore une bouchée, encore une bouchée, il ne fallait pas que ça s'arrête, la machine à broyer, à sentir, à lécher était en marche. La bouche n'avait jamais éprouvé comme à ce moment-là qu'elle était une chose qui ne pouvait pas être comblée, que rien ne pouvait lui servir une fois pour toutes, qu'il lui en faudrait toujours.

Chacun mangeait solennellement. Quelques-uns ne voulaient pas prendre de risques : ils mangeaient le pain froid, tel qu'ils l'avaient reçu. Ils ne voulaient pas changer de monde, ils ne voulaient pas se tenter. Il ne fallait pas ici s'amuser à réveiller tant d'exigences, de goûts enterrés. Manger quelque chose de pareil – il ne pouvait rien y avoir de meilleur – était dangereux. Eux avaient l'air plus détachés ; ils ne coupaient pas leur pain précieusement par tranches, mais par morceaux, au hasard ; ils tenaient leur morceau dans la main comme ils l'auraient fait là-bas le coude appuyé sur le genou, graves, austères.

C'étaient les dernières bouchées. J'avais trouvé une place sur un banc. Il n'y avait plus qu'à se chauffer, la tête penchée en avant, les mains tendues vers le poêle.

Le pain est fini, on va rentrer, s'enfoncer en soi, en regardant ses mains, s'enliser en regardant le poêle ou la figure d'un type, en étant là assis, s'enfoncer jusqu'à s'approcher de la figure de M..., de D..., là-bas. Je vais me souvenir que, là-bas, on me parlait. Il arrivait, en effet, qu'on ne s'adresse qu'à moi seul. J'étais comme un autre, là-bas, dans la rue. Et l'aisance, la gentillesse, les sourires... On était dans du miel là-bas. On passait d'une pièce à l'autre à la maison, on s'asseyait, on se couchait, sans attente, sans coupure, avec la facilité des nageurs dans l'eau. Des êtres d'une aisance supérieure m'appelaient, ils me parlaient toujours en souriant, comme dans l'eau, comme plongés dans un milieu délicieux.

Je ne me vois que de dos là-bas, toujours de dos. La figure de M... sourit à celui que je ne vois que de dos. Et elle rit. Elle rit, mais ce n'est pas comme ça, je ne crois pas qu'elle riait comme ça. Quel est ce nouveau rire de M... ? C'est celui d'une femelle de l'usine que je reconnais. Je la vois et elle rit toujours. Ou c'est René qui rit comme ça. Je ne sais plus. Elle parle, et c'est faux, c'est la voix de n'importe qui, c'est une voix de crécelle. Quelle est cette voix ? Ça pourrait être la voix d'un homme. Sa figure est ouverte, elle rit. Une crécelle. C'est le rire de celle qui m'a dit *Schnell, schnell ! monsieur.* Sa voix est morte. Sa bouche s'ouvre et c'est une autre qu'on entend. J'oublie, j'oublie tous les jours un peu plus. On s'éloigne, on dérive. Je n'entends plus. Elle est ensevelie sous les voix des copains, sous les voix allemandes. Je ne savais pas que j'étais déjà si loin. Tout ce qui me reste, c'est de savoir. Savoir que M... a une voix, la voix que je sais qu'elle a. Savoir que sa figure s'ouvre et qu'elle rit d'un rire que je sais qu'elle a. Savoir comme un sourd et un aveugle. Et que je suis seul ici à savoir cela. Peut-être que lentement la figure même de M.. disparaîtra et je serai alors vraiment comme un aveugle. Mais on pourra me déguiser encore, faire l'impossible pour que l'on puisse à peine me distinguer d'un autre, jusqu'à la fin je saurai encore cela.

Les copains se chauffaient, s'engourdissaient. Ils étaient, dans la nuit de Noël, comme dans un nuage ; ils attendaient qu'elle passe. Il n'y avait rien eu d'autre que le pain et la boulette de viande hachée et rien d'autre n'allait venir.

Alors, ils ont essayé de raconter des histoires. Ils ont parlé de leurs femmes et de leurs gosses. Elles étaient sérieuses les femmes et elles avaient des caprices. Les histoires ont tourné autour du poêle. Et c'était une drôle de soirée, un samedi soir, on s'était bien marré, les apéritifs, un bon gueuleton, des hors-d'œuvre, des tranches de gigot comme ça, tout ce qu'il fallait quoi, un roquefort, le saint-honoré, elle le faisait drôlement, un copain, le gosse était allé se coucher, le copain commençait à ne plus y tenir, elle avait sommeil, on est sorti avec le copain, rentré à sept heures du matin, elle faisait une drôle de gueule, on a remis ça le lendemain soir, là elle est restée avec nous jusqu'à la fin. Le lundi, au boulot.

Les copains rigolaient doucement. Ils en avaient des histoires comme celle-là, avec de la fine, un copain, la femme qui râle ou qui se marre avec, ils savaient ce que c'était, le boulot aussi. Tout le monde se comprenait, on pouvait parler longtemps comme ça. On décrivait tout, la ligne du métro, la rue pour atteindre la maison, le boulot, tous les boulots, l'histoire ne s'usait pas facilement, il y en avait toujours à raconter.

L'enfer de la mémoire fonctionnait à plein. Pas un qui n'essayait de fixer une femme, qui ne sonnait à sa porte et n'entendait en même temps l'autre sonnerie, celle qui avait tout déclenché, quand il leur avait ouvert la porte.

À partir de ce moment, chacun était devenu un personnage. Celui qui, libre, bavardant, avait entendu sonner quatre heures et demie à l'horloge de l'église, puis qui, à la même horloge, avait entendu sonner cinq heures, les menottes aux mains. Celui qui n'était pas au rendez-vous du soir. Celui que l'on avait volé entre deux phrases. Il remplissait la maison maintenant. On essayait là-bas de fabriquer quelqu'un qui lui ressemble, mais il avait de l'avance, il était défiguré ou il était mort ; et il continuait cependant à pomper l'air de la maison. On ne savait pas, il ne savait pas, lui-même, qu'il pouvait exercer une telle cruauté, être celui qui ne répond pas, celui qui n'est jamais là. Mais eux non plus n'étaient pas là, et personne ne répondait ; c'était hallucinant ici aussi que personne de là-bas jamais ne réponde, que personne ne soit là.

Plus tard, cette nuit-là, la femme du copain qui racontait sa bringue est peut-être allée à la messe avec son gosse ; elle a prié pour son mari, et elle a pleuré. Il dormait. Elle était à genoux. Il ronflait. Elle priait pour lui comme s'il avait une affreuse maladie, elle ne savait pas que c'était pour un inconnu.

Le poêle ronflait dans le ronflement sourd des histoires. Elles tournaient ; la voix, la cadence changeaient, mais c'était la même que l'on répétait.

Puis la fête s'est amortie, l'histoire s'est épuisée, il n'en est rien resté. Il restait la chaleur sur la figure, la chaleur du poêle qui avait fait sortir les histoires. Les plus acharnés, ceux qui avaient parlé le plus, se taisaient. On se chauffait machinalement les mains. Un type est allé se coucher. Puis un autre. Dans le milieu de l'église, quelqu'un s'est mis à chanter. Il essayait de continuer de faire sortir les types de leur estomac et de leur faire changer de figure pendant un moment. Personne ne l'a suivi, mais il a continué à chanter tout seul. Où était celui qui avait chanté, comment le reconnaître ? Ils étaient tous couchés, enfouis sous la couverture. On n'entendait plus qu'un vague murmure qui sortait des paillasses. Dans chaque tête il y avait la femme, le pain, la rue, tout cela en vrac avec le reste, la faim, le froid, la saleté.

Nous sommes restés quatre ou cinq auprès du poêle. On ne mettait plus de charbon dedans. Il a cessé de ronfler. La chaleur et l'immobilité engourdissaient. La figure était brûlante et on était comme ivres. Cependant, comme toujours, il fallait bien que cela aille finir sur la paillasse.

J'ai réussi à me lever pour aller pisser. La nuit était noire et pleine d'étoiles. Il y avait de la lumière dans la baraque des SS ; des voix fortes en arrivaient, et des rires. J'étais seul aux pissotières. Ça fumait. La cour de l'église était vide, le sol gelé. On entendait bien les voix qui sortaient de la baraque des SS, mais aucun bruit ne venait de l'église, qui pourtant était pleine. Ses murs s'étalaient, gris dans la nuit. La porte était fermée. J'étais en dehors de l'église, et cette grange d'hommes, je la voyais comme du sommet d'une montagne.

À force de regarder le ciel, noir partout, la baraque des SS, la masse de l'église, celle de la ferme, la tentation pouvait venir de tout confondre à partir de la nuit. Qu'elle fût la même, cette nuit, pour Fritz et pour le Rhénan, pour celle qui m'avait commandé et celle qui m'avait donné du pain, c'était vrai. Mais le sentiment de la nuit, la considération des espaces infinis, qui tendaient à tout poser en équivalence, rien de tout cela ne pouvait modifier aucune réalité, ni réduire aucune puissance, ne pouvait faire que soit compris par un des hommes de l'église un homme de la baraque, ou inversement. L'histoire se moque de la nuit qui voudrait dans l'instant supprimer les contradictions. L'histoire traque plus étroitement que Dieu ; elle a des exigences autrement terribles. En aucun cas, elle ne sert à faire la paix dans la conscience. Elle fabrique ses saints du jour et de la nuit, revendicatifs ou silencieux. Elle n'est jamais la chance d'un salut, mais l'exigence, l'exigence de ceci et l'exigence du contraire, et même elle peut rire silencieusement dans la nuit, enfouie dans le crâne de l'un de nous, et rire en même temps dans le bruit indécent qui sort de la baraque.

On peut brûler les enfants sans que la nuit remue. Elle est immobile autour de nous, qui sommes enfermés dans l'église. Les étoiles sont calmes aussi, au-dessus de nous. Mais ce calme, cette immobilité ne sont ni l'essence ni le symbole d'une vérité préférable. Ils sont le scandale de l'indifférence dernière. Plus que d'autres, cette nuit-là était effrayante. J'étais seul entre le mur de l'église et la baraque des SS, l'urine fumait, j'étais vivant. Il fallait le croire. Encore une fois, j'ai regardé en l'air. J'ai pensé que j'étais peut-être seul alors à regarder la nuit ainsi. Dans la fumée de l'urine, sous le vide, dans l'effroi, c'était le bonheur. C'est sans doute ainsi qu'il faut dire : cette nuit était belle.

Quand je suis rentré dans l'église, René était déjà couché. Je me suis glissé dans les couvertures. Il faisait bon. René pensait à sa maison ; il pleurait.

Je n'étais dans les bras de personne là-bas. Des visages passaient et repassaient dans ma tête. Je n'embrassais personne, je ne serrais personne dans mes bras. J'ai touché mes cuisses, j'ai passé la main sur leur peau plissée, mon corps ne désirait rien, il était plat. Ce soir-là, je voulais risquer de voir ces visages qui parfois s'illuminaient. Rien d'autre. Mon visage à moi, bouche fermée, yeux fermés, avec, dessus, ce nez devenu trop grand dans la maigreur, était un théâtre clos, et qui n'avait pas de spectateur.

Des éclats de voix venaient du réduit où logeait le stubedienst français droit commun. Il couchait avec le lagerältester, détenu allemand. Il s'était débrouillé pour avoir un lapin et de quoi bouffer ; il avait invité ses copains à bouffer avec lui. Ils avaient fait des frites et ils avaient de l'alcool. Ils étaient saouls et ils gueulaient.

Lucien, le vorarbeiter polonais, est sorti du réduit en marmonnant, puis il a crié : « Les Allemands, je les emmerde. Vous voulez me casser la gueule, vous êtes des cons. Quand je vous dis de travailler, vous n'avez qu'à ne pas travailler. Moi je veux bouffer, vous êtes des cons. Les Allemands, je les emmerde, vous entendez, je les emmerde, mais moi je veux bouffer ! »

Il vomissait, il chialait, les autres derrière bramaient *La Marseillaise.*

— Vos gueules, bande de salauds, a crié un copain. Ils se démerdent avec les chleuhs, ils se remplissent le ventre, et puis ils chantent *La Marseillaise* !

Le copain râlait mais il n'y a pas eu d'écho. Le poêle était éteint. Les charbons ne brillaient plus. Le froid des murs tombait sur la figure. René dormait, je me suis tourné sur le côté.

*

Les bras et la poitrine me démangent. D'abord la démangeaison a été très légère, je n'y ai pas fait attention. Maintenant, il faut que je regarde, pour cela il faut enlever la chemise et il fait très froid.

J'ai tourné ma chemise à l'envers, j'ai cherché sous les bras, sous les coutures, j'ai regardé de près : j'ai des poux. Il y en a un dans cette couture, il semble endormi. Il est brun, rond, on voit ses pattes. Je l'écrase entre les ongles des pouces. Pour tuer les lentes, il faut chercher encore. À côté du poêle éteint, un autre fouille aussi. Il ne dit rien, mais il écrase entre les ongles, discrètement. D'autres sont venus et nous sommes quatre maintenant, le torse nu, les pouces prêts. On cherche, et de temps en temps on écrase en silence. Nous en avons tous. C'est le transport de Dachau qui les a amenés. On ne peut pas changer de linge, on ne peut pas se laver à l'eau chaude, il y en aura encore, on ne s'en débarrassera pas.

Jusqu'ici on n'y avait pas pensé. Jacques, l'étudiant en médecine, en était couvert lorsqu'il était au cachot dans une prison de Toulouse. Il était sucé, il ne pouvait pas dormir, il avait failli en crever. On n'a éprouvé que quelques démangeaisons, mais on connaît déjà la puissance de la vermine. Il doit y en avoir partout dans la paille. Patience, persévérance imbattable des poux.

On recevait des coups, on était sale, on ne mangeait pas, on croyait que c'était le comble, qu'au moins on garderait le sommeil. Maintenant, il y a les poux. La peau était tranquille, elle jaunissait, elle se plissait en paix, maintenant elle va être attaquée elle-même. C'est petit, ça s'écrase entre les ongles, c'est nul, mais ça se multiplie ; encore un, encore un, et il y a aussi des lentes, encore des lentes, et encore un pou, et encore un. Cauchemar, on sera vaincu.

Dans la nuit je suis allé aux chiottes ; il devait être deux heures du matin. La petite lumière verdâtre au-dessus du grand baquet faisait une lueur de caverne Deux types sous la lampe, la chemise entre les mains, cherchaient. Ils s'étaient endormis sans doute, puis avec la chaleur des couvertures les poux avaient commencé. D'abord c'est une démangeaison lente, on ne sent pas de piqûre, on ne distingue pas le pou de la peau, c'est la sensation de l'urticaire. Puis quelque chose se met à marcher sur la peau ; quelque chose d'étranger. Ce n'est plus un état du corps. Une vie d'autre espèce circule sur la peau, c'est intolérable, et la brûlure commence. Alors, on va aux chiottes pour les chercher.

Lucien nous traite de salauds. Nous, « les Français », nous devrions « donner l'exemple » et ne pas avoir de poux.

Les meister à l'usine commencent à les craindre et ils ne s'approchent pas de nous. Les copains se grattent et se tortillent dans leur chemise pour calmer la démangeaison. Mais on a aussi des poux entre les cuisses ; alors on déboutonne le pantalon et on se gratte. On attend que ce soit intolérable, puis, dans la rage on y va avec les ongles. Parfois un meister s'en aperçoit et il s'écarte, avec un geste de dégoût de la main, *Scheisse* ! On se boutonne rapidement. Quand on s'est gratté la brûlure devient encore plus vive.

Un jour un meister a vu un pou qui descendait le long de la nuque d'un copain qui travaillait sur une carlingue : *Ach* ! Il s'est éloigné de lui et il a appelé un autre meister.

Il a tendu le bras et il a montré du doigt à l'autre la nuque du détenu. Ils ont fait une grimace : *Scheisse* ! Le copain, qui s'était retourné, les bras ballants, se laissait regarder comme une chose.

En général, cependant, les Allemands ne voient pas les poux. Ils voient seulement les types qui se tortillent. Les femmes savent que nous en avons. D'abord elles riaient en voyant les copains se tortiller et se gratter. C'était déjà assez curieux de voir des types faire griller sur le poêle de l'usine des épluchures de patates pour les bouffer, et tous ces crânes rasés de Russes, de Français, etc., image de l'Europe pourrie, tous ces hommes qui n'auraient pas su leur parler, décharnés, et qui se bagarraient autour d'un seau de jus ; mais maintenant ils se grattent tous et ils ont l'air de danser. Elles avaient entendu parler des poux, mais elles ne savaient pas que ça pouvait être aussi marrant. Elles rigolent.

Un matin le meister Bortlick est venu regarder mon travail ; il ne s'est pas approché trop près. Ses mains étaient roses, ses cheveux bruns, partagés par une raie nette, luisaient ; il était rasé, il avait une veste, un pull-over, une chemise. Tout cela était propre. Ses yeux ont glissé sur mon cou ; il n'en a pas vu. J'essayais de ne pas me tortiller pendant qu'il était là. J'avais l'impression que je me trouvais à côté d'un homme vierge, d'une sorte de bambin géant. Cette peau rose était répugnante. Il n'était jamais sale, il pouvait se mettre nu et enfiler un pyjama. J'éprouvais à peu près le dégoût que peut éprouver une femme devant un homme vierge. Je ne sentais plus les poux. Cette peau intacte qui n'avait pas froid, cette peau rose et bien nourrie qui allait se coller le soir sur une peau de femme, cette peau était horrible ; elle ne savait rien. Il a regardé la pièce de dural que je travaillais ; elle était tordue, loupée. Il a rougi de fureur, il a gueulé mais il n'a pas osé me toucher à cause d'eux. J'ai haussé les épaules et il est parti. Impuissant.

Il y en a de plus en plus. Chaque nuit, aux chiottes, des types, le torse nu, écrasent.

Quand je suis sur le point de m'endormir, la brûlure commence, sous les bras et entre les cuisses. J'essaye de ne pas bouger, de ne pas me gratter, mais si je me contracte, je sens les poux marcher sur la peau. Alors je gratte pour ne plus sentir cette solitude tranquille du pou, cette indépendance, pour ne plus éprouver que la brûlure.

Il y en a dans la chemise, dans le caleçon. On écrase, on écrase. Les ongles des pouces sont rouges de sang. Le long des coutures dorment des grappes de lentes, il y en a encore, encore, c'est gras, immonde. Il y a du sang sur ma chemise, sur ma poitrine rouge de piqûres écorchées. Des croûtes commencent à se former, je les arrache et elles saignent. Je n'en peux plus, je vais crier. Je suis de la merde. C'est vrai, je suis de la merde.

J'ai enfilé mon caleçon de nouveau. Il doit en rester. Si les cuisses pouvaient rester nues... Je sens de nouveau le caleçon tiède entre elles. C'est là que se tiennent les lentes, elles collent à la peau. La chemise aussi, pleine de poux et de lentes écrasés, colle à la peau. Il faudrait tout brûler ; tout est pourri, bon pour la flamme. On rêve de brûler, de se tremper soi-même dans un bain brûlant, de feu, d'acide qui les tuerait, qui raclerait la peau, décaperait tout, et d'en sortir rouge, écorché, sanglant, délivré.

Au bout d'une quinzaine de jours, la direction de l'usine a décidé de faire passer nos vêtements à l'étuve de Gandersheim. On y est allé par fournées de trente.

Nous sommes partis de l'usine un matin vers dix heures ; c'était Lucien qui nous conduisait. D'un côté de la route vers le nord, il y avait une large prairie bordée d'un ruisseau ; de l'autre, la colline boisée. La route serpentait. Pour la première fois nous prenions une autre direction que celle de l'usine.

Qu'est-ce qu'il y avait derrière le tournant de la route que l'on voyait de l'usine ?

Deux fois par jour les civils disparaissaient derrière ce tournant. On savait bien que Gandersheim était là, derrière la colline, à deux kilomètres, mais après le tournant, qu'est-ce qu'il y avait ?

On est arrivé au tournant. Derrière, il y avait un bout de route et un autre tournant, pas autre chose.

On a croisé des civils ; ils regardaient stupéfaits les types courbés, rasés, sans visage, la couverture sur le dos, les capotes en lambeaux, le violet passé des zébrés.

Qu'est-ce que c'est que ces gens-là ? Des prisonniers, non, des spécimens du complot contre l'Allemagne... Ils ne parlent pas, ils regardent. Où vont-ils ?

Après le tournant on a vu la sortie du tunnel de l'autre côté de la colline ; on a vu la colline par-derrière ; on a vu un petit pont sur un ruisseau ; on a vu une maison avec des rideaux aux fenêtres ; puis on a vu une autre maison ; puis les maisons se sont rapprochées les unes des autres ; puis on a remarqué la sonnette à la porte d'une maison ; puis une femme à la fenêtre ; puis à travers une fenêtre on a vu des chaises dans une pièce, et quelqu'un qui se déplaçait dans la pièce.

Lucien marchait sur le côté de la colonne ; il avait un bon pardessus avec une petite croix au minium dans le dos. Quand une femme nous croisait, il regardait les seins, les jambes et il se retournait. Nous, on voyait une silhouette avec un sac au bras. Il devait y avoir du pain et du lait dans le sac. Lucien, qui mangeait, regardait la femme.

Comment pouvait-on coucher avec ça ? Je pensais cela de toutes les femmes que je voyais à l'usine. L'une d'elles était belle pourtant. Elle devait coucher avec un homme. Je voyais les plis que devait faire son corps, comment il devait devenir flasque, sa nudité. Je voyais mon meister dessus, ce mélange de peaux roses, ces figures qui devaient grimacer, s'affaisser, ce ventre gavé de la femme, ces culs pleins de chair. Nous avions des poux, mais nous n'avions pas cette chair, nous n'avions pas ces culs crémeux.

Nous marchions depuis un bon moment lorsque nous avons atteint la route pavée. Nous avons franchi une rivière et peu après nous sommes entrés dans Gandersheim. Lucien nous a fait retirer la couverture du dos et on l'a pliée sous le bras. On avait l'air de marcher au pas. Les maisons étaient basses, serrées les unes contre les autres, avec de petites fenêtres et des rideaux de couleur. On avançait dans la rue. On regardait de tous les côtés, on se remplissait les yeux. On avait vaguement l'impression de souiller. Les quelques personnes qui étaient dehors auraient dû rentrer chez elles et regarder passer la colonne à travers les persiennes. On aurait pu signaler l'heure de notre passage pour que personne ne soit dehors. On regardait : on souillait. Une boulangerie. Une charcuterie. Encore une boulangerie : une chapelle de pains bruns et luisants. Avant d'atteindre la boulangerie déjà on l'avait repérée ; en passant devant, les trente types l'ont regardée, et après ils ont tourné la tête pour essayer de la voir encore.

On est arrivé à l'extrémité du village, devant une cour de ferme. C'était là qu'était l'étuve. Devant l'entrée le SS s'impatientait déjà. C'était le nouveau lagerführer, un adjudant. Il venait d'Auschwitz et Lucien nous avait dit que là-bas, d'un coup de cravache il descendait un type. Il n'était pas très grand, il avait une figure épaisse, un peu rouge, un nez pointu. Il portait un ciré, des bottes, des gants de cuir.

Il s'emmerdait. Notre arrivée l'a excité.

— *Los, los !*

La colonne s'est divisée en deux fournées, j'étais dans la première fournée de quinze. On est entré dans une salle minuscule et humide dans laquelle se trouvait une baignoire. Un civil en blouse blanche nous a donné des portemanteaux de fer.

— *Los, los !*

On s'est vite déshabillé; on était malhabile, on s'embrouillait dans nos ficelles. Tout était par terre, en vrac. J'ai accroché ma chemise, ma veste, mon pantalon, les chiffons de mes pieds sur le portemanteau. J'étais nu, je suis allé porter le portemanteau dans la pièce voisine où se trouvait l'étuve, puis je suis revenu dans la pièce à la baignoire. Il y avait de la boue par terre. On a décidé de se laver d'abord la figure. Une pierre comme savon. On s'est mis à racler. Un jus noir coulait sur la poitrine couverte de croûtes. Très vite l'eau de la baignoire s'est noircie. La figure était en feu, elle n'était pas encore propre mais on n'osait plus la tremper dans l'eau noire.

— *Los, los !* gueulait le civil en blouse blanche.

On se bousculait ; il y avait encore le buste, les cuisses à gratter. J'ai pris de l'eau noire, je me suis mis à me racler les cuisses de toutes mes forces. Cuisses de vieillard, j'en faisais presque le tour avec ma main. La pierre, sèche, ne glissait pas sur la peau. Des rigoles d'eau noire couraient sur les plaies des jambes. On grattait. Il fallait en profiter, ça ne se renouvellerait pas. On ne s'arrêtait pas de gratter. Des zones de saleté restaient sur les bras et sur les cuisses. On refrottait avec l'eau sale, les pieds nus dans la boue. Les dos, les poitrines blêmes, criblés de croûtes des piqûres de poux, fumaient. Il restait encore des plaques de crasse sur les crânes.

Lucien regardait, écœuré. Comme il pouvait se changer quand il le voulait, se laver à l'eau chaude avec du savon, il n'avait pas de poux. Il se tenait le dos appuyé à la porte ; jamais il ne nous avait autant méprisés.

Le civil à blouse blanche est réapparu. Lui ne nous regardait pas, il criait seulement *Los, los !* en baissant la tête. Lucien a renchéri : « Démerdez-vous, nom de Dieu, démerdez-vous ! » Le civil a ouvert la porte et en sautillant ridiculement, nous sommes passés dans la pièce voisine où se trouvait l'étuve. On s'est collés autour de la chaudière ; les corps fumaient.

Le SS était près de la porte. Il nous regardait et nous, tout nus, le regardions aussi. Pourquoi ne nous tuait-il pas tout de suite ?

Il a demandé à un copain :

— *Was bist du ?*

— Français, a répondu le copain qui était nu.

— *Woraus bist du ?* lui a demandé le SS.

— De Paris.

— *Ich weiss,* a dit le SS en ricanant et en hochant la tête.

Le copain a répondu tranquillement : « de Paris ». Pourquoi le SS ne l'a-t-il pas tué ? On était nus, à un mètre cinquante de lui ; à grands coups de cravache il pouvait nous tuer, il n'avait qu'à y aller. Il s'emmerdait. La porte qui donnait sur la cour de la ferme était entrouverte. Il guettait une fille qui se montrait de temps à autre derrière une vitre de la maison d'en face. Son jeu était habile, elle venait à la fenêtre, elle souriait, puis elle disparaissait. Une idylle s'ébauchait entre le SS qui descendait un type d'un coup de cravache à Auschwitz et la petite jeune fille. Lucien qui s'était approché du SS observait le manège. Finalement le SS y est allé. Lucien l'a regardé partir avec un air entendu et l'autre en partant lui a jeté un coup d'œil qui acceptait qu'il ait compris. L'expression de Lucien a dit alors sa fierté d'être mis dans le coup.

On est resté un moment nus contre la chaudière à se passer les mains sur les cuisses, à se laisser apprécier par les gros yeux de Lucien. Il était vraiment dégoûté : on se défendait mal, on était des cons.

Le civil a sorti les vêtements de l'étuve, ils étaient brûlants et ils fumaient. Odeur plus forte que celle de la terre après l'orage. Il les a jetés par terre en vrac avec les couvertures. On s'est jeté dessus et on a fouillé. L'intérieur des chemises était noir de cadavres de poux. Elles étaient aussi sales qu'avant, épaissies par la crasse qui avait été cuite à l'intérieur. J'ai enfilé la mienne, puis le caleçon ; c'était chaud et lourd.

On est sorti. Il faisait frais. Très haut dans le ciel pur, il y avait des avions. Ils laissaient des sillages blancs derrière eux. Deux vieilles femmes à leur fenêtre les regardaient, anxieuses. L'alerte allait venir. C'était bon le temps d'une alerte, un temps qui nous appartenait. Toute la journée n'était pas contre nous.

L'alerte a sonné. Tout s'est immobilisé. Les vieilles femmes ont quitté leur fenêtre. On était tranquilles. On regardait dans le ciel.

*

Janvier. – Ce soir-là on devait quitter l'église. On allait s'installer dans les baraques, près de l'usine. Usines et baraques formaient un tout, entouré de barbelés. Les Polonais étaient partis les premiers dans la leur ; ils y logeaient avec les Allemands, les Tchèques et les Yougoslaves. Une autre baraque était partagée en deux : d'un côté les Russes, de l'autre les Italiens. La nôtre était la plus grande des trois. D'autres bâtiments de bois dans lesquels étaient installés la cuisine, le bureau du camp avec la chambre du lagerältester, le revier, encadraient avec notre baraque un grand espace où devaient se faire les appels et les rassemblements. Les bâtiments des SS, plus éloignés de l'usine que les nôtres, étaient situés sur une légère hauteur ; ils dominaient l'ensemble des baraques qui se trouvait en contrebas de la voie ferrée ; les chiottes étaient juste au pied du talus. Des miradors s'échelonnaient le long de la voie.

On avait nettoyé l'église. La paille puait. Puis on s'est mis à errer dans l'allée glaciale, la couverture sur le dos. Il y avait de la boue par terre, et on n'y voyait presque rien.

En attendant que l'on parte, je suis sorti dans la cour et j'ai rôdé autour de la cuisine pour voir s'il n'y avait pas quelques patates crues au fond d'un baquet. Les pavés de la cour étaient luisants de glace. Le ciel était bas et sombre sur les collines, et les pentes étaient couvertes de neige. Un gardien SS en bras de chemise cassait du bois devant la petite cabane. La cheminée de la cuisine fumait. Il y avait du monde dedans. Il devait y faire chaud. À côté de la porte, il y avait le baquet plein d'eau. J'ai rôdé autour en faisant semblant de regarder du côté des collines. Je surveillais si aucun kapo ne venait. Aucun ne venait. Celui de la cuisine devait être à l'intérieur. Je me suis approché du baquet, j'ai retroussé ma manche droite, j'ai plongé le bras dans l'eau et j'ai ramené quelques patates ; j'ai ensuite baissé ma manche en m'écartant lentement du baquet. Je suis rentré avec ce que j'avais ramassé. Je sentais peser ma poche gonflée. J'étais riche. L'avenir était plein de patates.

Quelques copains étaient assis sur le banc près du poêle au fond de l'église. J'ai sorti une patate, j'en ai coupé deux tranches, et je les ai collées contre le poêle. Les copains ont râlé.

— Tu es con de faire ça, tu vas nous faire piquer.

Eux avaient trouvé une marmite, ils avaient fauché aussi des patates, et ils les faisaient bouillir sur le poêle. Un type faisait le guet ; si le kapo venait, ils devaient camoufler la marmite. Mes tranches de patates, elles, laissaient des traces. Mais j'ai quand même laissé mes rondelles.

Le grand cuistot flamand rôdait dans l'allée, c'était un détenu comme nous. Il est venu nous voir, il a demandé comment ça allait, puis il a regardé le poêle. Les copains rigolaient pour lui inspirer confiance. Il ne pouvait quand même pas faire ça, faire sauter la marmite.

Il s'est approché du poêle et il a fixé ce qu'il y avait dessus.

— Qu'est-ce qu'il y a là-dedans ? a-t-il demandé.

Son ton avait changé.

— Des patates, ont répondu les types.

Ils étaient un peu inquiets, mais ils se forçaient à rigoler.

— D'où c'est qu'elles viennent, ces patates ?

Personne n'a répondu. Le cuistot a soulevé le couvercle.

— Salauds ! Vous les avez fauchées !

On ne disait rien. Il était en manches de chemise, il n'avait pas froid, il avait des muscles sur les bras. Il s'apprêtait à enlever la marmite.

— Allons, fais pas ça, quoi ! Qu'est-ce que ça peut te foutre ?

— Venez trouver avec moi le kapo...

Personne n'a bougé, et il est parti avec la marmite. Les copains étaient effondrés ; ils regardaient le couvercle du poêle nu. Le cuistot n'avait pas vu mes deux rondelles.

— C'est une ordure, un lèche-cul des chleuhs ! dit un type.

— Une ordure, a répété un autre.

Les autres fixaient le poêle sur lequel il n'y avait plus rien.

La nuit est venue. On avait hâte de quitter l'église. Quelques groupes de Français étaient déjà partis. Avant d'entrer dans les baraques, on devait passer par l'étuve qui avait été installée à côté de la cuisine. Les poux étaient revenus ; nous en avions encore plus qu'avant d'aller à Gandersheim.

— « Dans les baraques, ça ira mieux » disaient les types. — « Dans les baraques, on sera *entre Français* ! » — « Dans les baraques, il fera bon et la distribution se fera mieux ! » — « Dans les baraques, il n'y aura plus de poux ! » On allait voir. Les SS nous avaient dit que nous ne resterions pas plus de quinze jours dans l'église ; il y avait plus de trois mois que nous y étions.

Agglutinés contre le poêle, nous attendions que le kapo vienne nous chercher. Les autres étaient déjà sortis. L'église était presque vide, quelques types erraient dans l'allée par groupes de deux, la couverture sur le dos. Ils étaient courbés, les épaules rentrées, ils avaient de la barbe, leurs yeux étaient éteints.

Le kapo est arrivé ; il a demandé une vingtaine de types, on y est allé. Nous nous sommes rassemblés dans la cour, emmitouflés dans les couvertures. On ne parlait pas. Il faisait très froid, on contractait le corps. Le kapo tenait une lanterne à la main. Il nous a comptés, puis on s'est mis en marche.

La terre était gelée, et on marchait les pieds à plat comme les chevaux, nos jambes étaient maigres et maladroites. On n'entendait pas d'autre bruit que celui de nos pas. La nuit était noire. Il n'y avait pas d'autre lumière que celle de la lanterne jaunâtre qui se balançait à la main du kapo. Quel vieux sorcier en os était sous ces couvertures ? Celui-ci avait une jolie petite fille, et celui-là, pourri de plaies, était-ce celui qui trompait sa femme ? Quelle ronde conduisait cette lanterne ? Dans quel sommeil allait-on apparaître ? Douce épouvante. La langue était chaude sur les lèvres glacées. Les corps collés les uns contre les autres, on se donnait le bras pour ne pas tomber ; nos jambes de chevaux maigres nous portaient mal.

On a atteint les premiers barbelés du camp, et on a suivi un moment la route. On apercevait de là quelques lueurs qui filtraient à travers les persiennes des baraques. On a franchi la porte barbelée de l'entrée du camp. À une centaine de mètres de là, se trouvait notre baraque. On est entré dans une grande salle noire dont le sol était cimenté. Deux fenêtres donnaient sur la route. À une extrémité de cette salle, il y avait un filet de lumière sous la porte qui donnait sur la pièce d'étuvage. On attendait dans le noir. Le kapo était parti. On avait froid. On a trouvé, dans une grande cuve en fer, des morceaux de bois et du papier goudronné. On a allumé, le papier brûlait bien, et le bois a pris ; les grandes flammes jaunes brûlaient la figure ; dans le noir de la salle, toutes les têtes autour du foyer se sont illuminées. Le bois crépitait. Le dos dans le noir, nous étions fascinés par ces flammes. Le feu avait l'air ivre. Nous nous trouvions tous comme nous ne nous étions encore jamais vus, les figures anguleuses éclairées avaient des reliefs extraordinaires.

De la route, la lumière était visible. Une sentinelle a prévenu le kapo, qui est arrivé en gueulant ; il fallait éteindre le feu complètement. On a résisté, on a enlevé seulement quelques planches ; alors il s'est énervé ; il a enlevé le bois qui restait et l'a piétiné. Il y avait par terre quelques bouts de tison qui étaient encore rouges, puis de nouveau, ce fut le noir.

Alors on est allé se mettre contre la porte de la salle d'étuvage. Chacun à son tour a regardé par la fente. Il y avait de l'autre côté une lumière éblouissante, des types nus, de la vapeur. Ces types surpris nus, par un trou de porte, dans cette lumière, avaient l'air de cobayes soumis à une expérience de folie. On ne savait pas si l'on devait en attendre des éclats de rire ou des cris d'épouvante. Puis on les a vus s'agiter, former une grappe de corps blancs autour du tas de vêtements qui sortaient de l'étuve. Et progressivement, à mesure qu'ils s'habillaient, avec leur chemise, leur pantalon et leur veste, on les a reconnus.

À notre tour, nous sommes entrés. Il faisait une lumière aveuglante, une chaleur mouillée et lourde. Le corps se détendait douloureusement. Il y avait là Karl, le coiffeur allemand, qui rasait tous les poils avec sa tondeuse, le toubib russe, un immense Polonais qui, les manches retroussées, activait le foyer de la chaudière avec une sorte de longue lance.

On s'est déshabillés, puis on s'est mis en file pour se faire tondre. Devant moi, il y avait un petit type, les jambes tordues, couvertes de plaies, le dos piqué de noir. Un pou descendait le long de sa colonne vertébrale. Nus, on essayait de ne pas se toucher et lorsqu'on frôlait un bras ou un dos, on se retirait vivement. Karl, lui, était habillé. Il tondait depuis le début de l'après-midi et sa main droite était fatiguée. De temps en temps, il soupirait, il faisait jouer ses doigts, ses yeux chaviraient, il bâillait et montrait ses trois dents. Il m'a attaqué par la nuque. Il y avait à peine un mois que j'avais été rasé et je n'avais presque pas de cheveux. La tondeuse traçait de larges bandes de la nuque jusqu'au front. Karl marmonnait, il ronronnait en parlant, je ne comprenais rien. Un instant, il a arrêté la tondeuse et il m'a demandé, plus clairement, d'un air aimable, si je n'avais pas de mégot. Je n'avais pas de mégot. Il a repris sa tondeuse, il est allé plus vite, il m'arrachait les cheveux. J'ai râlé, mais il a continué de plus en plus vite et fort jusqu'à la fin. Quand il a eu fini avec la tête, j'ai passé la main sur mon crâne, qui me piquait un peu ; je ne me serais pas lassé de le caresser. Le crâne, la figure, la poitrine, c'était la même chose, de l'os recouvert de peau, de la pierre enveloppée de peau. J'imaginais que si l'on avait coupé ma tête on aurait pu la tenir dans la main sans répugnance. Maintenant Karl attaquait le sexe. Un pou était en équilibre sur les poils, Karl s'est écarté avec dégoût, le pou est tombé par terre avec la touffe de poils. Encore quelques coups de tondeuse sous les bras, sur les jambes et ç'a été fini. Je suis passé ensuite devant le toubib en blouse blanche qui était assis sur un banc. J'ai fait un tour sur moi-même devant lui, comme un mannequin. Je n'avais pas la gale.

Quand tous les types ont été tondus, on s'est lavé dans un long abreuvoir de bois et on est allé attendre contre la chaudière de l'étuve. Dans les chuintements de la vapeur, les crissements du charbon, le Polonais qui s'occupait du foyer chantait l'*Ave Maria* de Schubert. Les corps nus, blancs et violacés étaient comme dans un aquarium. Le toubib à demi allongé sur le banc les examinait pour rechercher la gale. Dehors, c'était le noir et la neige.

Un violent courant d'air froid : c'était Fritz qui entrait. On s'est ramassé un peu plus et on s'est rapproché de la chaudière, mais le Polonais nous en a écartés, sans brutalité avec sa barre de fer. Fritz ne nous avait pas encore vus nus ; c'étaient là les types qui voulaient le pendre ! Il se marrait. Il avait un gros manteau et un passe-montagne. Il était couvert de laine, épais et confortable. D'un coup de poing, il pouvait envoyer chacun de nous par terre. Il le savait. Il savait aussi que d'un seul coup de poing il pouvait régler ses conflits avec nous. On était dans un camp de concentration, lui était kapo, nous ne savions pas ce que c'était que la discipline, nous étions sales et maigres, nous portions le triangle rouge, nous étions des salauds, des ennemis de l'Allemagne. Lui était allemand, il avait le triangle vert, c'était un droit commun. Il n'était pas un salaud, il ne voulait pas que *l'Allemagne soit bolchevisée.* Les SS n'avaient pas tort selon lui. Et lui avait le droit de bouffer. Ce n'était pas la peine de faire des délicatesses avec des types qui étaient sales comme ça, et qui auraient bouffé de la merde.

Fritz se promenait en seigneur dans la salle, une cravache à la main. Les types nus le suivaient des yeux. Ils auraient voulu le pendre par les pieds, les fesses à l'air, le passe-montagne sur la tête ; ils auraient voulu cogner sur ses fesses rondes, cogner et l'entendre chialer. Faire chialer Fritz… Le miracle, l'éclatement de plaisir…

Quand on était dans l'église, Fritz avait été malade, il avait eu un phlegmon à la gorge. On ne le voyait plus devant la cabane à l'appel. Fritz absent, on pouvait traîner un peu aux rassemblements, n'être pas tout à fait alignés, même se planquer au travail, avoir un peu de tranquillité dans le dos. Il n'était pas là, il n'était nulle part. Nous étions obsédés : « allait-il crever ? » Il était couché, il ne pouvait plus gueuler ; il ne pouvait rien faire, et sa schlague reposait sur une chaise à côté de son assiette et de sa cuiller. Si on en avait eu le culot, on aurait pu aller prendre de ses nouvelles, on serait allé le regarder, on aurait été debout et lui couché. Deux jours étaient passés, il ne revenait pas. On avait de l'espoir, allait-il crever ? Quelle force pouvait résister à cette volonté de tous de le voir crever ? Mais Fritz avait imploré le toubib espagnol de faire quelque chose pour lui, et celui-ci en avait parlé aux SS. Fritz était détenu, mais il était kapo, il était allemand, et il n'était que droit commun. On l'a opéré dans une clinique de Gandersheim. Un matin, il est arrivé à l'appel, la gorge bandée, la schlague a la main.

Maintenant il était redevenu costaud. C'étaient les SS qui lui avaient sauvé la vie. Ils avaient été attentifs à la gorge du kapo Fritz et ils l'avaient confiée à un médecin aux mains fines qui enlevait les amygdales aux enfants des gens honnêtes et Fritz s'était assis sur les mêmes fauteuils qu'eux. Il en était revenu ennobli. Les autres kapos eux aussi en avaient été fiers, rassurés, et ils avaient du respect pour lui.

Nous avons attendu longtemps, nus près de la chaudière. C'était plus long qu'à Gandersheim. La température de l'étuve ne pouvait pas monter plus haut. Les poux mourraient peut-être, mais pas les lentes.

J'avais faim. Il fallait toujours ajouter la faim à tout. Il n'y avait plus rien jusqu'au lendemain. Le Roumain qui lavait le linge des SS bouffait une grosse gamelle de patates sautées. Il se foutait de notre gueule parce que nous étions maigres. Il avait un long nez et il souriait toujours. Devant les SS son sourire s'élargissait. À l'église, il avait commencé à venir rôder autour du poêle. Il était toujours seul. On voyait avancer son nez et son sourire, il regardait le poêle et faisait semblant de se chauffer. Un copain mettait dedans un chapelet de patates. Le Roumain ne quittait pas son sourire, attendait un instant puis s'en allait. Le kapo arrivait peu après. Le Roumain touchait plusieurs gamelles. Après deux ou trois répétitions de la scène, on avait compris. Chaque fois qu'il venait, on le traitait d'ordure, on lui montrait qu'on mourait d'envie de lui casser la gueule. Il comprenait mais il souriait toujours. Il était protégé.

Maintenant il était puissant, parfois même il se permettait de cogner. Plus tard il devait s'engager dans les Waffen SS.

Ils ont enfin sorti les vêtements de l'étuve. Comme à Gandersheim, on a regardé la chemise et on l'a secouée pour faire tomber les cadavres des poux. Il fallait remettre les mêmes saloperies fumantes et épaisses sur le dos. On s'est habillé rapidement et on est sorti. On marchait lentement dans la neige. Il faisait un vent froid, mais on ne sentait pas le froid, on baignait encore dans la vapeur de l'étuve. Aucun bruit ne venait du block, juste une lueur. Il était partagé en deux dortoirs séparés par une entrée où devait se faire la distribution de nourriture. On est entré, il faisait noir. Un bruit d'eau qui coule : c'était un copain qui pissait dans un baquet de fer qui avait été installé dans l'entrée. On ne le voyait pas.

J'ai ouvert la porte de la chambre, j'ai reçu une bouffée tiède : c'était un palais. C'était silencieux, la plupart des types dormaient. Il y avait un poêle à l'extrémité de la pièce ; à côté, assis sur un banc, un copain faisait le veilleur de nuit. Il avait l'air attentif et noble, presque intimidé par le silence, la propreté et la chaleur. Je suis allé lui dire bonsoir, on a parlé à voix basse ; nous étions pleins de réserve dans cet endroit, avec un plancher, une rangée de châlits de chaque côté d'une allée, des paillasses neuves. Un seul homme par lit ici. Je suis retourné sur la pointe des pieds vers ma paillasse. Je ne rêvais pas, c'était là maintenant que nous allions vivre. Je me suis déshabillé, la chaleur était bonne, les gestes pouvaient être lents. On pouvait prendre tout son temps pour enlever ses chaussures, on n'était même pas pressé de se coucher. Les crânes des copains étaient nus, ils n'avaient pas gardé leur calot sur la tête comme nous avions toujours fait à l'église. On jouissait pour eux de leur confort et de leur tranquillité.

On aurait voulu que dans le block il ne reste aucune trace de la misère de l'église, que chaque soir on n'ait que le désir de manger la soupe, de bavarder et de se coucher sans se bagarrer. Enfin que quelque chose qui aurait pu ressembler à une autre vie fût possible.

*

Il y avait chez nous comme dans tous les camps et kommandos d'Allemagne les politiques (résistants et otages) et les autres, détenus de droit commun, envoyés au camp en même temps que les politiques à chaque ponction opérée dans les camps des pays occupés et dans les prisons d'Allemagne et des pays occupés. C'étaient des trafiquants du marché noir, des escrocs de type varié. Il y avait aussi une véritable brute qui avait été enfermée, assurait-on, pour un « crime crapuleux » et qu'on appelait l'*assassin*, et même un ancien agent de la Gestapo, un type de l'Est, qui se faisait appeler Charlot, et qui était aussi un droit commun.

Lorsque nous sommes arrivés à Gandersheim, nous nous sommes trouvés en face des SS, du lagerältester[1] et des kapos, droit commun ; aucun ne parlait ni ne comprenait le français. La première question qui se posa fut celle du choix des interprètes. Il y avait dans ce convoi trois détenus qui parlaient bien l'allemand : un politique, Gilbert, et deux droit commun, Lucien – ce Polonais qui habitait en France – et Et...

Gilbert devint interprète à l'usine ; Lucien, au zaun-kommando et Et... devint stubendienst[2]. La nomination de ce stubendienst était grave, non seulement parce qu'elle plaçait entre les mains d'un droit commun le contrôle de la répartition de la nourriture, mais aussi parce que, pour une grande part, elle subordonnait toute l'organisation de notre vie dans l'église à son bon vouloir. Cette désignation fut faite par le lagerältester allemand Paul, qui portait cependant le triangle rouge des politiques. Gilbert avait essayé de s'opposer à cette nomination ; il avait fait valoir à Paul que lui-même, ou un autre politique français qui aurait rapidement appris le peu d'allemand nécessaire, pouvait tenir cet emploi. Mais Paul n'avait nullement le comportement d'un détenu politique. Il refusa. Et non seulement, grâce à cette nomination (Et... couchait avec Paul) les droit commun allaient être favorisés par lui, mais d'une façon générale jamais les politiques ne purent trouver le moindre appui auprès de cet auxiliaire zélé des SS.

Ainsi le lagerältester du kommando, c'est-à-dire le détenu

1. Voir note, p. 18.
2. *Id.*

qui était le supérieur hiérarchique des kapos et qui était responsable devant les SS de l'organisation et de la marche du kommando, était entre les mains d'un droit commun. Par ce premier acte, notre situation était gravement compromise.

En effet, Et... savait que par l'intermédiaire de Gilbert nous avions essayé de nous opposer à sa nomination. Il savait qu'il avait contre lui tous les politiques du kommando. Son travail auprès du lagerältester devait consister alors à nous discréditer auprès de lui, à nous combattre, à dénoncer même, pour ne s'occuper que de son propre confort et de celui de la clientèle qu'il avait groupée autour de lui. Toute action possible, toute discussion avec le lagerältester devenait stérile et si Gilbert arrivait à le prendre à part et à essayer de le convaincre – par les critiques qu'il portait contre la gestion du stubendienst – de nous laisser procéder à une meilleure organisation, nous savions que le soir même, le peu de travail qui avait été fait allait être réduit à rien par le stubendienst et que le lendemain Paul ne serait que plus indifférent et plus tard, plus hostile.

Si notre kommando a pris l'allure qui apparaît à travers ce récit, si ce qu'on y a connu a été tout différent de ce qui était à Buchenwald par exemple, la cause en fut d'abord dans ce premier acte du lageraltester. Mais il y eut d'autres raisons.

Être interprète, c'était évidemment la planque, parce qu'on ne travaillait pas. Mais il y avait deux manières d'être interprète. Pour Lucien, ça consistait à traduire les ordres des SS et des kapos, mais en les prenant progressivement à son propre compte. Lucien n'était pas seulement celui qui répétait en langue française ce que les autres disaient en allemand ; il était devenu avec habileté l'auxiliaire de langue française de ceux qui commandaient dans la langue allemande. Il ne fut que l'interprète des kapos et des SS, jamais celui des détenus. D'où les gamelles, le trafic, la fraternisation avec Fritz, l'estime du blockführer SS[1].

Gilbert, à l'usine comme à l'église, fut l'interprète des détenus, c'est-à-dire qu'il ne se servit de la langue allemande que pour tenter de neutraliser les SS, les kapos, les meister. Il fut assez habile d'ailleurs pour régler pas mal de conflits entre

1. Adjoint du commandant du camp (lagerführer).

nous et les meister et assez courageux pour justifier ou *excuser* certains camarades devant les SS. Il remplissait son rôle de détenu politique, il prévenait, il couvrait les copains, il leur servait de rempart. Alors, être interprète n'était plus simplement une planque, c'était aussi un risque supplémentaire. Car en agissant ainsi, Gilbert était devenu l'ennemi des kapos.

Lorsque nous sommes arrivés à Gandersheim, les kapos portaient encore le rayé. Ils étaient nos chefs mais ils ne s'étaient pas encore complètement dégagés de notre masse.

Pour ces droit commun allemands, la qualité de kapo – qui pour un politique devait surtout comporter des responsabilités à l'égard des camarades détenus, dans le même sens où pour Gilbert la qualité d'interprète en comportait – n'était que le moyen de quitter le rayé, de puiser à volonté dans les rations des détenus, de devenir eux-mêmes, au camp, des hommes d'une nature différente de celle des détenus, d'acquérir, grâce à la confiance absolue des SS, le pouvoir absolu. Il fallait pour cela qu'il y eût une cassure entre eux et nous. Les coups devaient faire cette cassure.

Mais il était plus facile, pour commencer, de cogner sur la masse que sur quelques types pris à part. La séance de distribution du pain devait fournir cette occasion aux kapos.

Chaque matin à cinq heures moins le quart, nous étions cinq cents à nous écraser dehors, dans la petite cour de l'église, en attendant la distribution du pain. Dans cet espace minuscule, Français, Russes, Italiens, nous nous bousculions, nous piétinions, et notre masse s'écrasait tantôt sur les barbelés, tantôt sur la cloison de la cuisine. Sous la neige ou sous la pluie, cela durait trois quarts d'heure dans une rumeur de foule qui tombait lorsque la sentinelle derrière le barbelé dirigeait vers nous sa mitraillette ou que le kapo arrivait avec sa matraque de caoutchouc durci.

Au lieu de cela, un camarade par groupe de dix, aurait très bien pu aller chercher le pain. Il y aurait eu cinquante types dehors au lieu de cinq cents. C'est ce que nous avions fait demander au lagerältester et aux kapos. Mais le lagerältester s'en désintéressait. Et à ces kapos, il leur fallait cela. Il fallait qu'il y eût du désordre, au besoin provoqué, pour que le kapo fût nécessaire. Et quand le kapo *rétablissait l'ordre* il se superposait à cette masse, il la dominait, il était un autre homme que chacun de ceux qu'il schlaguait. Il était juste alors qu'il mange différemment, qu'il soit habillé différemment, qu'il soit différemment considéré par les SS et lentement *réhabilité* par eux.

Ce n'était pas parce que la discipline était troublée que nos kapos frappaient. Nos kapos faisaient tout, au contraire, pour compromettre une discipline – que nous étions les premiers à vouloir imposer – qui aurait supprimé leur raison d'être, ou en tout cas ne leur aurait pas permis d'être les demi-dieux du kommando. Il fallait avant tout qu'ils frappent pour vivre et avoir la situation qu'ils voulaient occuper. Il fallait que nous soyons totalement méprisables. C'était vital pour eux. Ainsi toute proposition d'organisation avait été systématiquement repoussée par le lagerältester et eux, parce qu'il fallait réduire en nous toute volonté d'organisation collective, il fallait nous dégrader. Après cela, le mépris et les coups pouvaient régner.

Nous étions donc complètement isolés. Gilbert était le seul politique à pouvoir aider les copains, mais il ne pouvait le faire que dans le cadre de l'usine, dans les rapports avec les meister, et cela d'ailleurs ne devait pas durer.

Ainsi ce qui était possible dans les camps où l'appareil était tenu par les détenus politiques ne devait pas l'être ici.

Il allait être impossible de faire manger un peu plus les camarades qui faiblissaient trop vite. Impossible de planquer ceux qui étaient affectés à des travaux trop durs. Impossible d'user du revier[1] et des *Schonungen*[2] comme cela se faisait dans d'autres camps. Seule, entre nous, une organisation de la solidarité eût été possible qui toutefois n'eût permis de planquer personne sauf des exceptions très momentanées. Mais l'oppression et la misère étaient telles que la solidarité entre tous les politiques se trouvait elle-même compromise. Elle existait entre des groupes de trois, quatre copains. Mais, pour organiser, pour penser, il faut encore avoir de la force et du temps. Or là, tous nous travaillions de six heures du matin à six heures du soir. Dans ce kommando composé surtout de Français, de Russes, d'Italiens et de Polonais, l'organisation d'une solida-

1. Infirmerie militaire.
2. Repos au block en cas de maladie légère.

rité internationale n'eût été à plus forte raison possible, qu'appuyée sur un centre de quelques politiques disposant de pouvoirs dans le camp. Mais les politiques n'avaient pas de pouvoirs. Il en résultait un repli de chacun sur sa nationalité, les plus favorisés étant les Polonais qui parlaient presque tous l'allemand et avaient déjà une longue habitude des camps et qui, jusqu'à l'offensive russe du mois de février, recevaient des colis.

Les Français étaient les plus haïs, ceux qui recevaient le plus de coups et, avec les Italiens, les moins robustes. Mais ce n'était pas assez. Le groupe français comprenait une vingtaine de droit commun bien placés auprès de la direction du kommando. En effet, ce qui ne pouvait en aucun cas s'obtenir auprès des kapos ou du lagerältester par la revendication pouvait s'obtenir par le trafic, le léchage, le marchandage et par une sorte de solidarité entre *hommes*, qui pouvait d'ailleurs immédiatement se muer en haine féroce, puis de nouveau en complicité. C'était le domaine des droit commun.

En dépit de cet ensemble de conditions, nous avions essayé de nous grouper autour de Gilbert. Des noyaux avaient été formés : renseignements, liaisons, action. Seuls quelques responsables étaient informés du rôle qu'ils auraient à tenir. Ce regroupement avait un double but : d'abord tenter d'assurer la sécurité des politiques qui pouvaient, à l'occasion de bagarres, être menacés par les droit commun ; surtout, suivre de près la marche de la guerre et essayer de se préparer à une action au moment de l'approche des Alliés.

Mais cette tentative, elle aussi, devait échouer. L'opposition conjuguée du lagerältester et des kapos était trop forte, la misère du corps aussi.

Gilbert était repéré. Nous ne pouvions pas avoir de renseignements précis sur la guerre. Et surtout, plus tard, quand l'approche des Alliés allait poser la question de l'évacuation, nous ne devions obtenir aucune information sur les projets des SS et des kapos à notre égard. Traqués sans cesse, fouillés régulièrement, mouchardés du dedans par le stubendienst Et..., qui avait révélé au lagerältester l'existence parmi nous de cartes de l'Allemagne, nous ne *débouchions* sur rien.

Ceux qui s'évanouissaient de faiblesse à l'usine, ou dont les jambes se gonflaient d'œdème, ceux qui ne pouvaient même plus courir et qui rentraient le soir après douze heures de travail avec le morceau de pain du matin dans le ventre ne pouvaient pas exiger d'eux-mêmes beaucoup plus.

L'oppression totale, la misère totale risquent de rejeter chacun dans une quasi-solitude. La conscience de classe, l'esprit de solidarité sont encore l'expression d'une certaine santé qui reste aux opprimés. En dépit de quelques réveils, la conscience des détenus politiques avait bien des chances de devenir ici une conscience solitaire.

Mais quoique solitaire, la résistance de cette conscience se poursuivait. Privé du corps des autres, privé progressivement du sien, chacun avait encore de la vie à défendre et à vouloir.

*

Gilbert avait été nommé chef de block. Et... avait préféré conserver son poste de stubendienst. Il y tenait d'autant plus que le lagerältester avait spécifié que lui seul, stubendienst, était responsable de la nourriture. Gilbert ne devait d'ailleurs pas longtemps conserver son poste.

À peine étions-nous installés dans la baraque que les conflits éclatèrent. Le stubendienst avait sa clientèle. Ses copains voulaient bouffer, ils voulaient leur gamelle supplémentaire habituelle.

Un soir, après la distribution de la soupe (à midi on ne touchait plus que du jus et la distribution se faisait à l'usine), le stubendienst avait rentré dans sa cagna le seau qui contenait le rab et la part des *Nachtschichten* (travailleurs de nuit). C'était l'heure de la clientèle.

Les copains les ont vus passer avec leur gamelle.

— Ça recommence, encore les mêmes !

Alors ils se sont mis en faction ; de l'allée du block, à travers les interstices des parois, ils surveillaient l'intérieur de la cagna ; le seau était découvert.

— C'est pour qui cette soupe ? Tu ne crois pas qu'ils pourraient distribuer le rab ? demandait un type.

— Ils nous emmerdent avec la discipline, ils n'ont qu'à nous donner à bouffer.

Les types suivaient les allées et venues dans la cagna ; ils voyaient le stubendienst qui bouffait sa deuxième gamelle de soupe épaisse avec des morceaux de patates. Puis ils l'ont vu tendre une demi-gamelle à celui dont la vue plongeait du haut de sa paillasse dans la cagna. Gilbert était enfin sorti. L'autre pouvait y aller. La soupe circulait ; comme toujours il y avait ceux qui en avaient et ceux qui n'en avaient pas ; les yeux de ceux qui n'en avaient pas s'exorbitaient quand ils voyaient passer les gamelles. Le seau diminuait. Quelques-uns surveillaient toujours par les interstices. Eux n'auraient rien. Leur estomac se crispait quand ils voyaient passer une gamelle pleine. Puis, comme ils n'en pouvaient plus ils sont allés dans l'entrée du block ; il y avait un seau de soupe vide. Ils se sont accroupis et chacun le tenant par une main pour que l'autre ne l'enlève pas, ils ont raclé les parois et le fond et ils ont léché leurs doigts. L'intérieur du seau est devenu lisse et brillant.

Ils ont erré encore dans l'entrée. Ils attendaient le retour, que j'attendais aussi, de Dédé, un jeune politique français qui était cuistot et qui ramenait le soir des patates et du sel pour quelques camarades. On était trois ou quatre dans le noir de l'entrée ; on se croisait sans se parler. Chacun attendait la même chose. Quand un cuistot rentrait, on jaugeait ses poches du regard. Quand Dédé arrivait, on s'approchait de lui et on l'entourait. On essayait de lui demander calmement comment ça allait. Puis, angoissés, on attendait. Dans le noir, on ne voyait pas la main de Dédé. Dédé sans rien dire cherchait la place de la poche sur le pantalon de celui qui était en face de lui. À son tour, celui-ci cherchait la main de Dédé, l'attrapait. La main était pleine. Une patate, encore une patate, encore une patate. On les enfouissait une à une dans la poche.

On était délivré pour ce soir-là ; la poche pleine, la main contre les patates, un avenir était possible.

Parfois il n'y avait rien. On continuait à rôder dans l'entrée. On allait pisser. Quand on avait définitivement renoncé, on rentrait dans la chambre.

Autour du poêle, il y avait toujours un attroupement. Sur le couvercle, du pain conservé le matin grillait, des morceaux de rutabaga aussi, des rondelles de patates. Ceux à qui rien de cela n'appartenait regardaient poser et retirer ces choses à manger. Ils voyaient défiler des séries de rondelles, des tranches, des chapelets de patates; de tout cela ils ne mangeraient rien.

— Dis donc, elle est à moi cette rondelle.

Sous son nez un type venait de la faucher à celui qui protestait.

— Non, mais tu déconnes! a répondu le type en rigolant.

— Je te dis qu'elle est à moi.

— C'est moi qui l'ai posée il y a deux minutes.

Celui qui venait de faucher la rondelle, c'était l'*assassin.*

Il avait un visage sombre, des yeux noirs et enfoncés, des mains carrées, énormes.

L'autre, c'était André, un étudiant; il était déjà très faible. Ce n'était pas par hasard que *l'assassin* s'en prenait à lui.

— Tu vas me rendre cette rondelle, a essayé de dire André.

— Ça me ferait chier.

Les types autour du poêle ne disaient rien; toutes les rondelles se ressemblaient. L'*assassin* rigolait.

— C'est pas la première fois que tu fauches, dit André qui avait quelques rondelles dans la main, mais qui ne voulait pas quitter le poêle.

— De quoi tu parles, je te dis que c'est à moi, dit l'autre avec calme.

André a pris quelques types à témoins :

— Vous avez bien vu qu'elle était à moi...

Ils n'ont pas répondu.

— C'est dégueulasse d'être avec des types comme ça.

Alors on a entendu une voix méridionale :

— Monsieur veut dire que c'est déshonorant pour un type de la Résistance d'être avec des *hommes*?

Celui qui avait parlé était un petit Bordelais voûté, à l'œil noir.

— Je dis que c'est dégueulasse d'être avec des types qui volent, a répondu André.

— Et moi je te dis que tu n'es pas un *homme,* parce que, si tu étais un *homme,* tu lui serais rentré dedans.

L'*assassin* continuait tranquillement à faire griller d'autres rondelles. Il souriait, puissant, et attendait la réaction d'André. André tenait à peine debout, il était pâle et fixait l'*assassin* mais ne bougeait pas.

— On ne se bat pas avec des types comme ça, dit-il finalement.

— Dis donc, sois poli, sans ça, ça va aller mal, dit l'*assassin.*

À ce moment-là, d'autres sont intervenus.

— Ça va, vous commencez à nous emmerder avec vos rondelles. Si Fritz vient, il enlèvera le poêle, et tout sera dit.

Plusieurs types interpellaient l'*assassin.*

— Tu peux pas lui laisser sa rondelle ? disaient-ils, il a plus besoin de bouffer que toi. Toi, tu te défends.

— Il n'a qu'à se défendre, lui aussi, répondit l'autre, bourru. Il n'a qu'à risquer les vingt-cinq coups sur le cul et aller au silo.

André se taisait, il commençait à manger les rondelles qui lui restaient.

Alors le Bordelais a remis ça.

— Monsieur est de la Résistance, mais il ne veut pas se mouiller. Alors, il râle, parce qu'il y en a, des hommes, qui se défendent. La Résistance, ils ont tous peur des coups sur le cul.

Il rigolait, mais son ton était devenu provocant. L'*assassin* était bien tranquille, il mangeait. Une voix est partie alors d'une paillasse, s'adressant au Méridional. C'était Jean, un politique, ancien cuistot qui s'était fait virer des cuisines parce qu'il avait donné à manger à un copain.

— Dis donc, Félix, c'est pas parce que tu as travaillé à la Gestapo que tu vas venir nous faire chier. C'est quand même pas vous qui allez faire la loi ici !

Félix rougit. Il y eut un silence.

— Descends le dire ici, a crié Félix.

Jean a bondi de son lit. Ils étaient face à face. Le premier coup est parti. On a essayé de les séparer.

— Laissez-les faire, laissez-les faire, nom de Dieu, gueulait l'*assassin* en rigolant.

Jean et Félix restaient accrochés l'un à l'autre ; le cou de Félix était gonflé.

On les a séparés.

— J'ai jamais été de la Gestapo, hurlait Félix, je suis un homme, moi, jamais j'ai donné un type, je fais pas ce boulot, moi.

Il était rouge, il répétait en pleurant presque :

— J'ai jamais été de la Gestapo. J'ai jamais donné un homme. S'il y en a un qui le redit, je le crève.

— Alors tu n'as qu'à la fermer sur la Résistance, dit Jean qui s'était calmé.

— Ils n'ont qu'à pas être aussi cons, dit Félix.

— C'est ça, je suis un con parce que je râle, parce qu'on m'a fauché une rondelle, dit André.

— Oh ! il nous emmerde celui-là, dit l'*assassin*, placide. Tiens, elle est là-dedans, ta rondelle. Il se tapait sur le ventre en se marrant.

Le calme était revenu dans la chambrée. Ceux qui étaient venus au bord de leur paillasse pour assister à la bagarre se recouchaient.

Deux autres ont commencé à s'engueuler pour une place sur un banc près du poêle, mais ils se sont calmés rapidement. La bagarre entre Félix et Jean avait absorbé l'agressivité des types ce soir-là.

À l'église on évitait ces chocs, mais ici c'était impossible. Ici quelqu'un pouvait toujours être blessé par les mots qui dans l'église se perdaient. On ne pourrait plus parler des droit commun, ils ne pourraient plus parler de la Résistance, sans que la bagarre se déclenche. On devenait d'une susceptibilité extrême pour tout ce qui concernait l'origine de sa présence ici.

Félix qui était resté près du poêle, marmonnait *je ne suis pas un enculé, moi, j'ai toujours été régulier.* Personne ne lui répondait.

Enfin, il a quitté le poêle. Il a essayé de se calmer ; il a ouvert sa veste, mis les mains dans ses poches. L'épaule gauche plus haute que l'autre, il s'est dirigé vers la porte en se balançant. Il jetait un coup d'œil sur chaque lit en passant. Les types étaient couchés et ne faisaient pas attention à lui.

Il est passé devant le lit d'un camarade qui ne dormait pas. Il s'est approché de lui.

— T'as entendu ce con-là ? dit-il. Moi j'ai jamais donné un type, tu comprends, jamais. Parce que je suis un homme, moi.

Ses yeux interrogeaient, sa figure grimaçait.

— Je veux bien te croire, a répondu l'autre.

— Évidemment, là-bas je fais des affaires. Je fais pas le même boulot que toi. Ici je me défends, c'est normal, parce que si je ne me défends pas, je crève.

Il regardait autour de lui, encore sous le coup de la bagarre. Il a repris :

— Mais je me défends tout seul. Je fais pas comme ce petit

enculé de stubendienst. Il m'a balancé, il est allé dire au lagerältester que je m'étais maquillé le bras pour ne pas bosser, alors l'autre m'a fait supprimer le schonung.

— On sait que c'est un salaud, observa le camarade.

— T'en fais pas, si on se rencontre après, il y aura droit, fit Félix entre ses dents.

L'autre haussa les épaules. Il y avait longtemps déjà qu'on entendait ces menaces. Elles voulaient faire croire que la haine pouvait être chez certains autre chose qu'une fulguration des estomacs vides, qu'elle avait une chance d'être durable. Mais la menace était elle-même usée par la misère. C'était un état du corps qui proposait à ceux-là les mots les plus ignobles. *Enculé* était l'un des plus fréquents. Il voulait être définitif. C'était ainsi que Félix venait de traiter le petit stubendienst. Il le lui avait déjà dit en face d'ailleurs. Mais il pouvait le lui redire et, deux jours plus tard, rigoler avec lui.

Fange, mollesse du langage. Des bouches d'où ne sortait plus rien d'ordonné ni d'assez fort pour rester. C'était un tissu mou qui s'effilochait. Les phrases se suivaient, se contredisaient, exprimaient une certaine éructation de la misère ; une bile de mots. Tout y passait à la fois : le salaud, la femme abandonnée, la soupe, le pinard, les larmes de la vieille, l'enculé, etc. la même bouche disait tout à la suite. Ça sortait tout seul, le type se vidait. Ça ne cessait que la nuit. L'Enfer, ça doit être ça, le lieu où tout ce qui se dit, tout ce qui s'exprime est vomi à égalité comme dans un dégueulis d'ivrogne.

Mais il y avait le secteur des silencieux : Jacques, l'étudiant en médecine, Raymond Jaquet notamment, qui avait fait avec lui la révolte d'Eysse. Félix couchait près d'eux. Ils le laissaient brailler.

Félix était un gangster. Ce n'était pas lui l'agent de la Gestapo, c'était Charlot. Lui avait sans doute été arrêté pour marché noir. Un *homme*, comme il disait ; c'est-à-dire un type qui se foutait de la loi des autres. Jaquet, lui, gagnait sa vie en travaillant. Ils se méprisaient absolument. Pas de compromis possible, pas de lien de fait. Félix attendait parfois des autres un mouvement, mais rien ne pouvait venir. Alors Félix provoquait, les autres le rembarraient et chacun restait plus fortement sur ses positions.

Félix était courageux et ce n'était pas un mouchard. Je lui

ai souvent parlé. Il était certain que s'il rentrait il redeviendrait exactement ce qu'il était, un gangster. Mais il n'était pas vain que de temps en temps un cave parle avec un *homme.* On parlait de la guerre. L'homme, comme le cave, attendait la Libération. Alors, le cave expliquait à l'homme comment les choses pourraient se passer : avions, chars, parachutistes, etc. L'homme se faisait souvent répéter la même chose : « Combien d'Arnheim à ici ? Combien de Cologne à ici ? » Il réfléchissait comme un enfant devant un problème difficile et il s'égarait. Vraiment, c'était difficile. Ici, il perdait ses moyens et il râlait.

Il avait déjà été en cabane, mais ce n'était pas la même chose. Il s'emmerdait, il marchait dans sa cellule, il comptait les jours, les occasions ratées, mais il bouffait, il savait que tel jour, à telle heure, il serait dehors, devant la porte. Il n'avait pas disparu ; ses copains parlaient de lui avec le sérieux de ceux qui risquent pour celui des leurs qui paye : « Félix, il est en cabane. » L'affaire était simple. La prison n'en faisait pas un autre homme, au contraire, puisqu'il n'y rencontrait que des types comme lui. Ici, il y avait toutes sortes de types, des types *honnêtes.* La guerre, c'était une affaire dont il ne s'était pas occupé auparavant. C'était aussi les chiffres, la géographie, et il ne les connaissait pas. « Où c'est Cologne ? Où c'est Cracovie ? Combien il y a d'hommes dans une division blindée ? Combien ils ont d'avions, les Américains ? » Il voulait essayer de comprendre ce qui se passait et comment se faisait cette guerre, puisqu'il en était devenu indirectement une *victime.*

Quand il avait bouffé, Félix méditait là-dessus. Il restait le type qui avait été *fait,* mais il sentait quand même qu'il y avait quelque chose de nouveau, que c'était plus que ça. Il était dans une aventure dont la fin était imprévisible, avec des gens qui n'étaient pas comme lui. Il en était intimidé au fond, mais éprouvait aussi une certaine fierté d'être victime de cette guerre comme les autres. Il partageait la condition des *cinglés,* de ceux qui s'occupent de ce qui se passe dans le monde.

Quand il s'était longtemps cassé la tête à prévoir le moment possible de la libération, il soupirait et parlait du temps où il était roi. Il était connu, il avait des femmes ; il décrivait les gueuletons avec des gestes abondants, lui au milieu de la table, avec un cigare. Des honnêtes faisaient la moue, d'autres écoutaient et se taisaient ; il les compromettait en réveillant en eux quelque tentation ancienne. Il traînait sur les mots, ses yeux clignaient.

Il était déchu de cette royauté, mais les autres droit commun, sauf Charlot, l'agent de la Gestapo, gardaient pour lui une certaine considération.

*

Félix, habituellement, ne cessait pas de râler. Autour du poêle, il râlait sourdement contre Gilbert. Les types avaient faim. « Allez voir un peu ce que se mettent ces messieurs, disait-il. Si vous, vous êtes des caves, avec moi ça ne marche pas ! » Les types le laissaient dire, mais ça prenait toujours quand quelqu'un désignait précisément un type qui bouffait. Les copains étaient rongés par l'envie d'injurier et de calomnier. Si quelqu'un intervenait pour dire que c'était faux, que Gilbert ne s'en mettait pas plein la lampe et qu'à l'usine il avait défendu des types qui avaient des ennuis, il n'avait pas d'écho, cela tombait dans le silence. La calomnie était plus forte que la vérité, parce qu'ils préféraient qu'il en fût ainsi. Ils avaient l'estomac vide, et, à défaut d'autre chose, la haine occupait ce vide. Il n'y avait que la haine et l'injure qui pouvaient distraire de la faim. On mettait à en découvrir le sujet autant d'acharnement qu'à chercher un morceau de patate dans les épluchures. Nous étions possédés.

Près du poêle, il y avait ce soir-là ceux qui n'avaient mangé que leur soupe. La gamelle était vide, on pouvait la regarder, elle était vide. On pouvait aller chercher dans l'entrée, il n'y avait là non plus rien à manger, les seaux étaient vides, raclés. On pouvait aller dehors, par terre il n'y avait que de la neige. Près des barbelés qui bordaient la route, il y avait la cuisine. Là, il y avait à manger.

Elle était barricadée. Le soir, les cuistots s'y attardaient. Chaque fois que l'un d'eux en sortait, la porte, de l'intérieur, était refermée à clef. Dans la cuisine, il y avait Lucien ; il bouffait. Quand il revenait dans la chambre, il était un peu rouge. Lucien avait des joues, les cuistots aussi ; c'était normal. On regardait ces types qui n'avaient plus faim, qui allaient se coucher pleins. Quand on allait pisser, on s'attardait un instant, on regardait le ciel, puis, avant de rentrer, la baraque de la cuisine fermée à clef.

Ce soir, il faudra se coucher comme ça, demain aussi, avec cette poche au milieu du corps, qui pompe, qui pompe, jusqu'au regard. Les poings fermés, je ne serre que du vide, je sens les os de mes mains. Je ferme les mâchoires, rien que des os encore, rien à broyer, rien de mou, pas la moindre pellicule à placer entre elles. Je mâche, je mâche, mais soi, ça ne se mâche pas. Je suis celui qui mâche, mais ce qui se mâche, ce qui se mange, où cela existe-t-il ? Comment manger ? Quand il n'y a rien, il n'y a donc vraiment rien ? Il est possible qu'il n'y ait vraiment rien. Oui, c'est cela que veut dire : il n'y a rien. Il ne faut pas divaguer. Du calme. Demain matin, il y aura le pain, ce n'est pas pour toujours qu'il n'y a rien ; il faut se calmer. Mais maintenant, il est impossible qu'il en soit autrement, il n'y a rien, il faut l'admettre.

Je ne peux pas créer quelque chose qui se mange. C'est cela l'impuissance. Je suis seul, je ne peux pas me faire vivre moi-même. Sans rien faire, le corps déploie une prodigieuse activité rien qu'à s'user. Je sens que cela dégringole de moi, je ne peux pas m'arrêter, ma chair disparaît, je change d'enveloppe, mon corps m'échappe.

*

Un matin, à l'usine, le meister Bortlick m'a appelé. Deux autres meister étaient à côté de lui. L'un était grand, mince, avec un petit visage pâle et mou, une longue blouse vert sombre ; l'autre était court, gros, blond, avec un visage rouge et d'extraordinaires pieds plats. Son nom était Kruger, mais on l'appelait *Pieds-Plats*.

Bortlick en avait assez de moi. Il m'a fait comprendre que désormais je travaillerais avec les deux autres. Il les avait prévenus que je travaillais mal. Le meister à blouse hochait la tête en regardant le type à redresser, le type qui avait pu se faire remarquer. Ils parlaient entre eux. Je ne saisissais pas. Pieds-Plats aussi hochait la tête, on allait sans doute me faire comprendre.

Tous les trois observaient, intéressés, ma gueule d'abruti. Bortlick a dit quelque chose et ils ont éclaté de rire ensemble.

Ma figure ne devait rien signifier, ni que je ne voulais pas travailler, ni que je voulais travailler, ni que je comprenais ce qu'on voulait de moi.

Pourtant, j'étais l'objet de la préoccupation de ces trois hommes, l'objet. On m'avait appelé : *Du, komme! Du, komme! komme!* Je m'étais amené et je m'étais arrêté devant eux. Il s'agissait de moi. Tel que j'étais, je ne pensais pas qu'on pouvait venir me pêcher pour parler de moi. Je pensais que j'étais les cinq cents types du kommando, qu'il n'y avait pas une tête de ces meister dans laquelle je pouvais apparaître avec tant d'insistance que l'on en vienne à m'appeler. Les lunettes y avaient été pour quelque chose. J'étais repéré, je n'allais plus sortir de leur tête; la mienne y serait peut-être plus souvent que celle d'un de leurs copains allemands. Quand je les croiserais, ils me remarqueraient, quand je ne serais pas à l'atelier, ils iraient me chercher.

Bortlick avait donné ses explications. Il nous a quittés. *Komme,* m'a dit Pieds-Plats. *Komme,* c'est tout; et je les ai suivis. Un petit signe et, presque à voix basse, *Komme,* c'était pour moi, ça me déclenchait. Je traînais les pieds, je suivais très lentement Pieds-Plats et celui à la blouse verte. Peu de jours auparavant, j'avais essayé de faire quelques pas en courant et j'avais cru que mes genoux allaient se briser.

Arrivé à son atelier, Pieds-Plats m'a désigné une longue plaque de dural à river. Je n'avais jamais rivé, mais j'allais travailler avec un copain qui connaissait le métier. C'était un Français de l'Est. Il m'a conseillé pour le moment de chercher avec la lampe baladeuse les mauvais rivets qu'il faudrait faire sauter et remplacer.

Pieds-Plats l'a prévenu qu'il fallait me faire travailler et il est parti.

— Il nous emmerde, ce con-là, a dit le copain.

Je promenais la lampe sur la plaque. L'autre, courbé dessus, cherchait aussi les mauvais rivets. Il disait à voix basse :

— Pieds-Plats, c'est une grosse vache. Il est du parti nazi, et il doit être important. Moi, il me fout la paix parce que je connais le boulot mieux que lui.

Pieds-Plats se promenait autour de l'atelier pendant que nous cherchions les mauvais rivets. Le ventre en avant, il humait l'usine. Puis il est revenu vers nous. Nous nous sommes penchés davantage sur la plaque. Il est passé sans rien dire. Ça pouvait se justifier pendant un moment que je tienne seulement la lampe, mais ça ne pouvait pas durer longtemps. Je l'ai fait remarquer au copain qui m'a dit :

— T'as qu'à rien faire. Si tu fais une connerie, tu recevras des coups et ça m'emmerderait. Moi, il m'a jamais touché parce que je connais le boulot, mais il m'emmerde, il est toujours là.

Il continuait en me parlant à faire sauter les rivets avec son marteau et son poinçon. Puis, comme excédé tout d'un coup, il me dit :

— Fais semblant de bosser, je vais aux chiottes. Fais gaffe !

Pieds-Plats l'a vu partir. J'étais seul devant la plaque. Il est revenu lentement vers moi, balançant ses gros bras à l'écart du corps, cambré, le cul – ce cul à découper, à poinçonner, à écorcher, à botter, à botter, à botter, à botter – le cul en arrière.

Il était à côté de moi, ses mains rouges, velues, fortes, appuyées sur la plaque. Sa figure rouge, ses cheveux jaunes ; courbé sur la plaque, je sentais les os de ma figure, mon calot enfoncé jusqu'aux oreilles.

— *Was machen ?* m'a-t-il demandé.

Je lui ai montré la lampe.

— *Was ?*

Indigné, il faisait semblant de ne pas comprendre. Je lui ai de nouveau montré la plaque et la lampe.

Bang ! sur le crâne ; je ne l'avais pas vu venir. Un autre, toujours sur le crâne. La lampe est tombée sur la plaque. Un autre. Ça sonnait. Je me protégeais le crâne avec les mains mais ça tombait sur la nuque, comme des coups de masse. Il s'est arrêté. Il était rouge, puissant ; il hennissait :

— *Arbeit, mein lieber Mann, Arbeit !*

Ça commençait. J'étais repéré. C'était cela que ça signifiait. Rien à faire. Pieds-Plats était parti, mais je le sentais encore dans le dos. Le copain est revenu, il avait vu de loin.

— Tu as dérouillé ?

— Oui.

— Merde, la vache ! Comme je t'avais vu arriver, j'en étais sûr.

Courbé sur la plaque, je promenais la lampe. Le copain, qui avait repris ses outils, faisait sauter un rivet d'un coup de marteau sur le poinçon. Il s'est rapproché.

— Ils ne savent pas qui nous sommes, a-t-il dit à voix basse. S'ils savaient, ils trembleraient. Ils ne savent pas non plus ce qui va leur tomber sur la tête ; ils vont être écrasés, tu comprends, écrasés. Plus de Pieds-Plats.

Il s'était arrêté de frapper. Il appuyait ses coudes sur la plaque. Pieds-Plats était loin.

— Tu vois, quelquefois, a-t-il poursuivi, ça me prend dans la tête, on dirait qu'elle va éclater. Et on ne peut rien faire, mais il faut tenir ; je ne veux pas crever ici, ça, je ne veux pas, pas ici.

Il avait martelé ces derniers mots.

Des cris dominaient le bruit du compresseur. C'était un meister qui gueulait, un géant à chapeau marron. Ce n'était pas loin de nous. Un Français recevait des coups. Il avait du sang sur la figure, et le meister s'acharnait sur lui maintenant à coups de pied dans le dos. Puis il s'est arrêté, repu. Sa figure était semblable à celle de Pieds-Plats lorsqu'il venait de cogner ; la figure de l'homme qui s'est distingué. Il restait marqué un instant par ce qu'il venait de faire. Cet acte, qui lui donnait du plaisir, le sortait aussi de sa condition de petit contremaître. C'était un acte officiel de citoyen. En frappant, il s'était compromis pour ceux qui s'abstenaient. Ils étaient quelques-uns qui cognaient, c'étaient les *héros.* Et s'il y avait chez eux l'ombre d'une confusion, c'était de s'être ainsi distingués, mis en avant, parce qu'ils avaient eux aussi leur timidité, leur modestie.

Le meister au chapeau marron s'était rapproché des femmes qui travaillaient à leur atelier et d'une voix forte, leur expliquait le coup. Il leur a montré en rigolant le copain qui essuyait le sang sur sa figure et quelques femelles ont ri avec l'homme fort.

C'était apparemment une usine comme les autres. Un bruit terrible s'en élevait : la grêle des marteaux à river. Des hommes habillés de mauve travaillaient devant les établis. On aurait pu se laisser prendre par l'affairement paisible qu'ils mettaient dans le travail. Mais bientôt apparaissait l'énorme contradiction entre cet uniforme et l'application de ces mains qui fabriquaient. Courbé sur la pièce, chacun détenait un secret qui vouait cette pièce à la destruction, à la poussière. Tous travaillaient à une chose dont ils voulaient qu'elle ne fût pas. C'était du mime. Ils ressemblaient à des musiciens qui jouent derrière une vitre et dont on n'entend pas la musique. Et le meister leur tapait dessus pour leur faire entrer dans la tête que seule la pièce devait exister. Il avait des égards pour elle. Les poings de Pieds-Plats s'ouvraient pour la caresser, il voulait qu'elle fût belle, bien faite. Le meister n'était pas un fou furieux, c'était un bon citoyen.

Depuis que le kommando était arrivé, c'était la dixième carlingue qui s'achevait dans l'usine. Sur ces dix, une seule, la première, avait été envoyée chez Heinkel, à Rostock. Elle en était revenue parce qu'elle était loupée. Les autres avaient été mises dans un hangar, puis dans l'église que nous venions de quitter. Elles ne partiraient jamais. Nous le savions. Rostock, où se trouvait la maison mère Heinkel, était détruit et l'usine ne recevait plus le matériel nécessaire. Ce travail ne servait donc qu'à planquer la direction et les meister, presque tous nazis et qui ne tenaient pas à se battre.

Parfois, le directeur de l'usine réunissait les meister et leur tenait un discours. Quand ils sortaient en groupe de la réunion, quelques-uns avaient un air sombre et emprunté. D'autres, au contraire, semblaient confiants : c'étaient les *héros*; ils étaient justifiés, regonflés, allègres. Ils s'amenaient à leur atelier : *Los, los, Arbeit!* La parole leur chauffait encore le ventre. Ils avaient des fourmis dans les doigts et dans les pieds, ils piaffaient et dès que l'occasion se présentait, ils cognaient.

Les autres étaient raides. La parole du directeur les avait effrayés. Ils s'étaient aperçus qu'ils étaient en état de péché parce qu'ils s'étaient demandé si ça valait le coup de continuer à travailler pour cette guerre. En sortant, ils avaient mesuré à quel point, insensiblement, ils étaient entrés dans la faute, et maintenant, bien qu'elle fût restée secrète, ils avaient peur d'y retomber. À leur atelier, ils étaient plus attentifs au travail, ils surveillaient autour d'eux si le directeur ne venait pas. Ils avaient été infidèles, ils commençaient à se sentir traqués.

Ils observaient celui qui cognait. Il avait l'air heureux, épanoui; il était sûr, lui, et quand le directeur venait, il ne le surveillait pas.

Mais eux, on ne les avait pas vus cogner, ils ne s'étaient pas distingués. Entre les détenus et eux, les coups n'avaient pas fait la cassure définitive. Le directeur pouvait les soupçonner et même penser : « Ils parlent peut-être avec ces détenus. Et ces détenus sont dangereux parce qu'ils observent. Évidemment, nous sommes forts, l'Allemagne ne peut pas être battue, mais eux observent, ils attendent le temps qu'il faut et ils ne ratent pas le moment où un meister va devenir un traître. Cette promiscuité est mauvaise et puis il y a des meister qui peuvent être tentés de se dire que ce sont quand même des hommes, peut-être même de s'attendrir. Nous, Allemands, cherchons toujours l'occasion de nous attendrir. Mais eux, les salauds, ils observent, ils n'attendent que ça, ils sourient, les hypocrites ; le meister se laissera attendrir ; par pitié, il ne les poussera pas au travail, et eux qui ne peuvent pas savoir ce que c'est que la générosité, eux qui ne sont que *scheisse*, ils oseront penser quelque chose sur l'Allemagne, ils penseront que ça doit aller mal puisqu'on se relâche. »

*

Il était 10 heures du matin. Jusqu'au soir 6 heures nous serions là. J'ai laissé la lampe et le copain et je suis allé aux nouvelles chiottes qui avaient été aménagées depuis peu à une extrémité de l'usine. Là, il y avait toujours du monde, les types s'y planquaient. Quand on était suffisamment abruti par le bruit du compresseur et des marteaux, on allait aux chiottes et on ne faisait rien. Il y avait plusieurs boxes avec une cuvette dans chacun. Quand un kapo venait, on s'asseyait sur une cuvette, et on faisait semblant.

Le mur du couloir des chiottes était percé de trois lucarnes qui donnaient sur l'extérieur vers le sud. De là, on voyait l'église un peu surélevée, et, à l'intérieur de l'enceinte de l'usine, la cantine des SS, celle des meister et le silo de patates où elles se ravitaillaient. Contre la cantine des SS, il y avait un grand coffre à épluchures que l'on surveillait des lucarnes. On surveillait aussi le silo de patates, mais on ne pouvait pas essayer d'y aller à ce moment-là parce qu'on voyait le werkschutz[1] qui y montait la garde. Rien n'était encore sorti de la cantine SS, rien n'avait encore été jeté dans le coffre, ni carottes pourries, ni feuilles de choux rouges, comme l'autre jour.

Un Italien s'était posté à la lucarne voisine de la mienne. Il

1. Gardien d'usine.

était très maigre, avec une courte barbe noire. Tendu, il surveillait aussi le silo et le coffre. Dehors, déjà, sur la pente qui descendait vers la route, deux types, camouflés derrière une bétonnière, attendaient eux aussi.

Le werkschutz s'est éloigné du silo et il est entré dans une baraque. Il n'y avait plus de gardien. Les deux qui étaient derrière la bétonnière sont sortis ; ils marchaient vite, sans courir, en surveillant de tous les côtés. L'Italien qui était à côté de moi est parti aussi.

On surveillait l'opération de la lucarne. Les deux premiers avaient quitté la pente ; ils longeaient une baraque qui se trouvait juste en face et à quelques mètres du silo de patates. L'Italien, lui, venait d'arriver sur la pente ; pour se camoufler, il portait sur la tête une caisse dans laquelle il avait mis quelques morceaux de fer. C'était calme. Toujours personne.

Un SS est sorti de la cantine. Les deux premiers se sont baissés et ont fait semblant de chercher par terre. Le SS est rentré presque aussitôt, il n'avait rien vu.

Ils étaient donc en face du silo, toujours contre la baraque. Maintenant il fallait se découvrir. L'Italien, resté un peu en arrière, surveillait.

Les deux premiers ont foncé en courant, ne fixant plus rien que le silo. L'Italien les a rejoints. De la lucarne, on voyait trois taches mauves accroupies. Ils grattaient la terre pour atteindre les patates. Ils s'attardaient, ils ne surveillaient plus, tout le monde pouvait les voir. L'Italien jetait des patates dans sa caisse, les autres remplissaient leurs poches ; ils s'attardaient trop, c'était de la folie, trois cibles.

Fritz. Ils ne l'avaient pas vu. De la lucarne, on voyait tout, mais on ne pouvait pas crier pour les faire partir. Fritz descendait lentement vers le silo ; ils ne l'avaient toujours pas vu ; il les laissait s'enfoncer davantage. Puis, brusquement, il a foncé sur eux. Ils étaient encore accroupis quand ils l'ont vu. Ils ont à peine eu le temps de se relever. Il était là et ça tombait déjà : la schlague, les coups de pied, les coups de poing. Fritz a montré du doigt à l'Italien la caisse à demi pleine de patates. Un coup de poing dans la figure, l'Italien est tombé.

De la lucarne, on voyait les taches mauves se balancer, s'accroupir sous les coups de Fritz.

— Ça dérouille ! dit un type, d'une voix tranquille.

Au fond du couloir des chiottes, deux Russes fumaient un mégot.

Fritz revenait avec les trois types. L'Italien saignait.

— Attention !

Ernst, le gros kapo, est entré en trombe dans les chiottes.

— *Alles heraus!* Les Russes se sont enfuis, ainsi que ceux qui étaient aux lucarnes. Je me suis assis sur une cuvette dans un box ; il est passé près de moi ; il a hésité en me voyant, mais il n'a rien dit.

Quand Ernst est parti, je suis revenu à mon atelier. Pieds-Plats était là, à quelques pas du copain. Le copain m'a vu venir, il avait l'air emmerdé. Je n'ai pas regardé Pieds-Plats, j'ai repris la lampe et je me suis penché sur la plaque de dural. Pieds-Plats est venu tout contre moi. Le copain s'est penché davantage sur la plaque, il tapait sur le poinçon.

— *Wo waren sie ?* m'a demandé calmement Pieds-Plats.

— *Abort,* ai-je répondu en me relevant.

Il a hoché la tête en souriant et il a regardé sa montre : il y avait bien un quart d'heure que j'étais parti. Il a rougi, comme réveillé d'un coup, il a henni et bang ! sur la tête, encore sur la tête. Pieds-Plats cognait de toutes ses forces, j'essayais de me protéger, mais je n'y voyais plus, je ne voyais plus ni le copain ni l'usine. Quand il a cessé, il m'a semblé qu'il frappait encore ; je me protégeais encore la tête. Puis j'ai compris qu'il s'était arrêté. Mes bras sont retombés. Il n'était plus là. Le copain me regardait, je l'ai revu, il était là comme avant. Les yeux me brûlaient, nom de Dieu de nom de Dieu de nom de Dieu, mes ongles se sont enfoncés dans mes mains. Ils ne savent pas, ces cons-là, ils sont la connerie, la connerie à rendre fou, ils ne savent pas ce qui va leur tomber sur le crâne. Ils ne se rendent pas compte qu'ils sont foutus, moins que rien, écrasés, de la poussière. Se faire foutre des coups par Pieds-Plats et ne rien pouvoir dire, non, il y a de quoi se marrer, mais regarde, regarde ça, nom de Dieu, il ne sait rien, il y croit.

J'avais envie de taper sur l'épaule du copain, de rigoler fort, de crier. Tous ces hommes silencieux en rayé auraient pu rigoler, ça aurait rempli toute l'usine, ça aurait couvert le bruit du compresseur, les filles se seraient enfuies dans l'épouvante. Ainsi, à ce que l'on pouvait considérer comme la folie des coups, une autre folie aurait pu répondre : le rire. Mais personne n'était fou. Leur fureur était leur lucidité ; notre horreur, notre stupeur étaient la nôtre.

*

Fin janvier, un dimanche matin. Nous sommes alignés sur cinq rangs à l'appel dans la cour : Français et Belges, Polonais et Tchèques, Yougoslaves, Allemands, Russes et Italiens. On encadre la place du camp couverte de neige. Un vent glacé passe dessus. Nous sommes courbés, les épaules rentrées. On tape des pieds. On attend le SS.

Le SS est arrivé en fumant une cigarette : il a mis son bel uniforme vert du dimanche. Les jambes écartées, les jarrets tendus, il s'est d'abord campé au milieu de la place. Avec sa badine, il tape des petits coups secs sur son pantalon. Le lagerältester vient vers lui et se découvre. C'est la mimique habituelle. Ensuite, le SS passe le long du rectangle des Polonais, des Russes, pour compter les files de cinq. Il arrive vers nous ; on s'immobilise. Le regard du SS passe sur les premières files. Légère contraction. On ne sent plus le froid, on ne regarde rien. Il est là, il ne regarde personne. Une silhouette ciselée avec une casquette à tête de mort. Il est passé et on ne l'a pas senti. Le corps est un peu plus ramassé en même temps que plus absent. Il a balayé du regard deux cents types qui s'étaient déjà vidés au moment où il est passé. Quand il est arrivé devant ma file, il n'avait plus rien devant lui que des raies mauves et grises et il a compté jusqu'à cinq. Il est passé. Détente. Mais aussitôt l'angoisse : est-ce qu'on rentrera dans le block ? On sent de nouveau le froid. Le vent fait flotter le zébré, la peau des cuisses est hérissée. Et les poumons. Toujours la peur pour eux. On bombe le dos. La mâchoire inférieure se paralyse. Les mains sont enflées, on ne voit plus la jointure à la base des phalanges. Je tremble. Un morceau de bois avec des loques mauves qui flottent autour. Un épouvantail.

Les Polonais rentrent dans leur block. Nous restons dehors. Le lagerältester a donné l'ordre aux Français d'enlever les longs panneaux de bois qui sont encore au pied du talus de la voie ferrée. Il y en a beaucoup, ils sont couverts de neige glacée. On essaie de se planquer, de rentrer dans le block, mais Fritz est à l'entrée : *Arbeit, alles, alles!* Il montre du doigt la pile de panneaux.

Il fait un soleil très léger, un vent terrible. La neige glisse sur la glace. On va lentement, la tête baissée, vers les panneaux. Quatre par panneau. Ils sont collés entre eux par la glace ; il faut les séparer les uns des autres avec une barre de fer. On est paralysé. Les bras restent ballants, accrochés on ne sait comment aux épaules. Il faut se baisser, prendre du bout des doigts l'extrémité du panneau. Un type a lâché à côté de moi, mes doigts sont écrasés entre deux panneaux. La vague de détresse. C'est trop. Dans tout le corps, la ruine. L'envie de tout laisser là, de rentrer, n'importe où, la schlague je m'en fous, je flotte dans le froid. Me laisser couler. Pas d'abri, *aucun* abri.

Et de nouveau on arrache le panneau à quatre. Le panneau est sur l'épaule. La neige tombe dans le cou. On a mis les mains dans les poches. Il y a de la glace par terre, on marche, les pieds à plat, très doucement. Le panneau est bien calé sur l'épaule, toujours la même pour moi, la gauche : elle commence à s'y faire. On ne flotte plus, on n'est plus trop léger dans le vent. L'essentiel est d'avoir les mains dans les poches, ne rien faire avec les mains, aucun geste. Le panneau sur l'épaule, c'est tout. Arrivés sur la place, un coup de vent ralentit notre cadence, on vacille un instant, et on repart en baissant la tête, en relevant l'autre épaule. Les yeux pleurent. Je glisse sur la glace ; en me remettant d'aplomb, je reçois le panneau sur le côté gauche de la mâchoire. Brûlure de la glace, de la neige dans le cou. J'appuie le menton contre le chiffon que j'ai autour du cou. Le copain qui est devant moi tombe. On s'arrête. Il s'est fait mal et il se relève difficilement. On repart. Quatre autres types nous doublent. On a contourné le block, il faut mettre les planches derrière, il y en a déjà un tas important. Le passage est étroit entre le barbelé qui entoure le block et les tas de panneaux. On piétine. On ne parle pas.

— *Los, los!* gueule un contremaître allemand civil.

On n'avance pas plus vite.

— *Los!*

Fritz, qui est venu surveiller le travail, a foutu un coup de pied à un Italien qui porte devant nous avec une autre équipe. L'Italien est tombé. Sa grimace fait de petits plis sur la peau tendue de sa figure, autour de ses yeux qui clignent. On dirait qu'il chiale. Et il chiale vraiment, à sec. On s'est arrêté. Il se relève. Encore un coup de vent. On baisse la tête. Les jambes pliées, on repart à tout petits pas. Embouteillage. Quatre groupes vont décharger. On attend. Notre tour vient, il faut sortir les mains des poches. On prend le panneau dans les mains, un signal, on l'a balancé.

Il y a beaucoup de panneaux. Jusqu'à midi, il faudra transporter. On revient lentement, on passe devant le block. Fritz est revenu devant la porte. On ne peut toujours pas rentrer. On ne peut aller nulle part. Il faut rester dehors.

Sur la route qui longe le camp, des hommes passent, coiffés de passe-montagnes. Parfois, ils tournent la tête, ils voient derrière les barbelés, sur la neige, par petits essaims, ces formes qui se traînent. Eux marchent vite sur la route, ils ont la jambe nerveuse, l'œil vif. Ici, derrière le barbelé, chaque pas compte. Sortir la main de sa poche est une dépense. Chaque mouvement tend à nous ruiner. On voit sur la route l'homme qui marche dégagé malgré le froid, qui fait une série de pas rapides, qui se mouche, balance les bras, tourne la tête par saccades pour rien, qui fait une foule de gestes inutiles, d'une générosité merveilleuse, atroce. Pour nous, le trajet d'un tas de planches à l'autre est un total d'efforts dont chacun à lui seul est une histoire complète, depuis la prévision des risques, du danger, de la dépense sans retour, le refus, jusqu'à l'exécution dans la frayeur et la haine.

L'homme de la route ne sait toujours rien ; il n'a vu que le barbelé et, de ce qui est derrière, tout au plus des *prisonniers.*

*

Ce matin, lundi, nous sommes arrivés à l'usine plus tard que d'habitude. On nous a dit qu'il n'y avait pas d'électricité. Lorsque nous sommes entrés dans le hall, le compresseur ne fonctionnait pas, et les meister discutaient entre eux par petits groupes. Nous sommes allés chacun devant notre atelier, et, pendant un long moment, les meister ne se sont pas occupés de nous. Ils allaient d'un groupe à l'autre, parfois en courant, et entouraient le directeur quand il passait ; les femmes devant leur atelier parlaient discrètement. L'absence du bruit du compresseur rendait encore plus sensible cet affairement sans travail. Comme nous, ils n'avaient leur place dans l'usine qu'en fonction du travail à commander ou à accomplir. Ce matin-là, ils avaient déserté leurs ateliers, autre chose les absorbait que la carlingue à achever, et nous étions déjà prêts à tout croire. On n'avait jamais cessé de les observer et, d'une remarque ambiguë, on faisait des déductions mirobolantes sur la fin de la guerre. Ils nous intéressaient plus que nous ne les intéressions. La chose la plus stable dans leur vie quotidienne c'était bien leur assurance de nous retrouver identiques chaque matin. Notre comportement ne pouvait rien leur apprendre ; ils n'avaient naturellement pas à savoir si nous étions impatients ou résignés, optimistes ou découragés. La question de notre humeur ne se posait pas. Nous n'avions rien à leur apprendre sur la guerre. Ils retrouvaient chaque matin à leur atelier quelques zébrés alignés qui frappaient avec la masse de bois sur la pièce de dural ou manœuvraient le marteau à river. Ceux-ci ne pouvaient rien savoir, ils n'avaient qu'à frapper avec leur marteau et, s'ils avaient su quelque chose, ç'aurait été comme s'ils n'avaient rien su.

Nous circulions nous aussi dans l'usine. Nous voulions savoir ce qui se passait. Car il y avait quelque chose, quelque chose de nouveau dans la tête molle du meister à blouse verte, de Bortlick, de tous ces types désemparés, qu'il fallait connaître.

On ne rêvait pas. Ce matin-là, l'usine était dans l'anarchie. D'un coup, les carlingues d'avions, les pièces sur lesquelles on avait travaillé, comme dans un rêve, étaient moins que jamais véritables. Le rêve se confirmait en se dissipant brutalement. Il avait suffi que nous supposions *qu'il se passait quelque chose* pour que le décor s'effondre ; cette simple supposition devenait une réalité infiniment plus forte que celle de l'usine. Cette espèce de scaphandrier qui jusqu'ici au-dessous de soi avait accompli le rite du travail était remonté. Restait un homme prêt à être libre, aussitôt.

Pour la première fois depuis que nous étions en Allemagne, un événement grave était arrivé.

Les Russes étaient devant Breslau.

À partir de ce moment, nous n'allions pas cesser de veiller l'offensive, de chercher les recoupements, de tirer parti des moindres indices. Nous avions repris le contact avec la guerre. Il devenait impossible de se freiner. On allait du hall au grand magasin où Jacques travaillait avec un Polonais qui avait le journal allemand et qui, de plus, était en contact avec des civils allemands, réfugiés d'Aix-la-Chapelle, qui n'étaient pas nazis et qui travaillaient au magasin. On voyait les Yougoslaves qui étaient en liaison avec le Rhénan. Mais les Allemands du magasin eux-mêmes se contredisaient. Certains étaient trop optimistes à notre gré. De nouveau comme à Buchenwald, nous allions nager en pleins bobards, dopés, et bientôt il nous faudrait simplement revenir au communiqué allemand.

Tard dans la matinée, le compresseur a recommencé à fonctionner. Les groupes se sont dispersés. Les meister sont revenus à leur service, et chacun de nous à son atelier.

Mais il y a des copains qui ont continué à circuler. Ils tenaient dans la main une pièce, des rivets, faisaient semblant de parler du travail et se transmettaient les questions, les nouvelles. Le bruit des marteaux semblait lui-même être complice de cette curiosité clandestine. Il était moins insolite d'errer ainsi d'un atelier à un autre, dans le chahut des marteaux, que dans le silence. Les Allemands savaient maintenant que nous étions informés.

Eux aussi semblaient se relâcher dans ce début d'année. Jusque-là, les Alliés avaient stoppé la contre-offensive allemande, mais le Rhin n'était toujours pas franchi. L'événement de guerre quotidien n'avait pas encore absolument forcé à voir ceux qui s'y refusaient et vivaient au jour le jour. Mais tout le monde maintenant était sorti du sommeil.

Ils savaient que, dans nos groupes, nous ne parlions pas d'autre chose. Lorsque nous passions près d'eux, ils baissaient un peu la voix. Certains examinaient des cartes qu'ils essayaient de dissimuler à nos yeux. Ils savaient bien que nous les savions anxieux.

Ils allaient mieux nous voir maintenant, et notre passivité d'esclaves, notre *neutralité* leur paraîtraient haineuses, agressives. Agressifs, le regard de côté vers un groupe de meister, la conversation silencieuse de deux détenus. Et le moindre rire. Savoir en même temps qu'eux une chose qui les accablait était un scandale. Mais, plus clairement que jamais, ils ne pouvaient l'étouffer qu'en nous tuant. *Les Russes devant Breslau.* La victoire et la défaite reprenaient leur sens. La victoire associée à nous, sous leurs yeux. Leur propre défaite vue à travers la victoire de ceux qu'ils appelaient *alles Scheisse*, c'était insoutenable.

Mais nous ne leur crierions pas : « Vous êtes écrasés ! » Ils ne nous diraient pas : « Vous mourrez parce que nous perdons la guerre. » Rien ne serait jamais dit. Les coups allaient tomber en silence.

*

Il était six heures moins cinq, le travail finissait à six heures. Je suis allé me laver les mains. Quand je suis revenu, le meister à la blouse verte, patron de Pieds-Plats, m'attendait devant ma plaque de dural. Il m'a demandé de lui montrer mes mains. Je les ai tendues, elles étaient propres.

Un coup de poing dans la figure. J'ai été ébranlé. J'ai porté les mains aux yeux, j'y voyais ; j'ai regardé mes mains, il n'y avait pas de sang.

Il est parti un peu plus loin, il semblait attendre que je le regarde, ce que j'ai fait ; il a tourné la tête. Je suis resté ainsi immobile un petit moment. La carlingue devant moi était floue. Un camarade a ramassé mes lunettes, il ne restait plus de verres, et la monture était cassée ; je l'ai mise dans ma poche. Tout était cotonneux autour de moi. La corne de la fin du travail a sonné, j'ai quitté la plaque de dural devant laquelle j'étais resté. Comme j'y voyais mal, je relevais la tête, je regardais le meister à blouse verte. Avant de l'atteindre, j'ai fortement cligné des yeux pour mieux le voir en passant près de lui. Je voulais le voir *après*. Il avait ouvert son armoire, il s'apprêtait à partir et mangeait une tartine.

*

Hier soir, en rentrant au block, un camarade m'a donné un des verres de mes lunettes, qu'il avait trouvé ; il était intact. Je n'ai pas pu l'adapter à la monture, qui était cassée. Je n'ai pas insisté, parce que je voulais en profiter pour ne pas travailler.

En arrivant à l'usine, je suis allé trouver le kapo Ernst ; je lui ai dit que je n'y voyais pas et que je ne pouvais rien faire. Il était installé près de la chaudière et mangeait un gros mor-

ceau de saucisson qu'il a caché quand je me suis approché c
lui. Il n'a rien répondu. Je suis allé me cacher aux chiottes. Le meister à blouse verte m'a vu mais il ne m'a pas appelé. En allant vers les chiottes, je marchais en levant la tête et en clignant des yeux comme un homme qui n'y voit pas. Aux chiottes, j'ai pris dans ma poche le verre intact et je l'ai ajusté sur mon œil droit, en monocle. Par la lucarne, j'ai surveillé la cantine des SS. C'était l'heure où l'on jetait les feuilles de choux et les épluchures de carottes dans le coffre en bois. Il n'y avait pas de kapo aux environs. Un type était déjà là-bas, penché sur le coffre; il plongeait dedans. J'ai enlevé le monocle et j'y suis allé.

Sorti de l'enceinte de l'usine, je suis allé vite. Tous les vingt mètres, j'ajustais le verre pour observer si aucun kapo ne venait. J'avais pris sous le bras une boîte dans laquelle j'avais mis deux ou trois pièces de fonte comme maquillage. Avant de m'engager sur la bande de terrain découvert qui me séparait du coffre, j'ai observé encore avec le monocle : personne. J'ai foncé. Il ne restait au fond du coffre que quelques feuilles de choux rouges couvertes de boue ; à pleines mains j'ai rempli la boîte en bois. En revenant, j'ai ajusté encore plusieurs fois le monocle. J'ai mis les pièces de fonte sur les feuilles, et je suis allé les laver au robinet de l'usine. J'en ai coupé quelques morceaux, que j'ai mangés, puis je suis allé cacher le reste dans les travées du magasin, sous des plaques de dural.

Un Italien m'a vu lorsque j'ai mis la caisse de bois sous les plaques. L'*assassin*, qui rôdait par là, m'a vu aussi. J'ai regardé l'Italien, qui a fait l'indifférent et s'est faufilé dans d'autres travées puis a disparu. L'*assassin* aussi s'est éloigné. J'ai voulu changer la caisse de place, mais des civils sont arrivés, et j'ai été obligé de quitter le magasin. J'ai erré dans le sous-sol de l'usine, puis je me suis caché dans les chiottes, le monocle sans cesse prêt. On pouvait quelquefois rester assis longtemps sur une cuvette des chiottes ; même s'il revenait plusieurs fois, le kapo pouvait supposer qu'on était malade. Mais cette planque aussi devenait vite une prison, comme l'atelier. Je ne suis donc pas resté aux chiottes. J'ai circulé un peu partout. Fritz m'est tombé dessus au moment où je causais avec un copain à l'atelier de soudure.

— *Was machen sie ? Arbeit, los !*

Je n'avais pas envie de bouger. Je l'ai regardé, et je lui ai demandé :

— *Warum Arbeit ?*

Un coup de poing dans la figure. Je n'avais pas pu répondre autrement. Fritz n'avait pas été dérouté, ni indigné d'ailleurs. Il avait réagi à sa manière, sans colère, comme il fallait. J'ai quitté le copain, et je suis allé me cacher ailleurs.

Plus tard, je suis revenu au sous-sol de l'usine pour chercher mes feuilles de choux. Je me suis faufilé dans la travée du magasin, j'ai soulevé la plaque de dural : la boîte était vide.

Merde. Je ne pouvais pas me décider à quitter la travée. J'ai cherché à côté sous d'autres plaques, il n'y avait rien. C'était sinistre. Le vol devenait vraiment un jeu. Évidemment, c'était l'Italien ou l'*assassin* qui les avait volées. En sortant de la travée, j'ai rencontré l'Italien. C'était un type petit, jaune, sec ; il avait une avitaminose terrible.

— C'est toi qui as pris les choux ? lui ai-je demandé.

Il a juré que non, puis il s'est indigné ; il avait un métier, il n'était pas un voleur. Il m'a montré sa photo – qu'il avait pu garder – en civil : il était à côté de sa femme qui tenait un bébé sur les bras. J'étais une brute.

L'*assassin* aussi rôdait dans le magasin. L'Italien me l'a désigné et m'a affirmé que c'était lui. Je suis allé le trouver. Ses yeux noirs se sont indignés. Il m'a juré aussi que ce n'était pas lui et que d'ailleurs « il s'en foutait bien, des épluchures de choux ». Puis, me montrant l'Italien : « C'est le rital ! » m'a-t-il dit. C'était l'un ou l'autre. Ils ne m'engueulaient pas. Ils ne se défendaient pas auprès de moi d'avoir volé, mais, comme si je n'étais pas là, ils s'en accusaient maintenant mutuellement. Les deux avaient peut-être envisagé de prendre les choux, l'un était arrivé avant l'autre. Ils avaient peut-être partagé.

Je les ai laissés, et de nouveau je suis allé regarder la boîte. C'était bien cette boîte-là que j'avais mise à cet endroit-là avec les feuilles violettes dedans. Elle était bien vide. Les feuilles avaient été ou allaient être mangées, pas par moi. L'estomac s'est vidé un peu plus, comme si, jusqu'à ce moment-là, à elle seule, l'idée que j'allais manger les feuilles le soir l'avait rempli. Un échec de plus. Le coup des feuilles de choux avait raté *in extremis*, juste avant que je les mange. Ce n'était pas du pain, mais ça se mangeait, et la boîte pleine de feuilles, de loin remplissait déjà la soirée. Encore une fois, il allait falloir regarder griller les rondelles sur le poêle ; encore une fois, attendre Dédé, qui ramènerait peut-être quelques patates de la cuisine, ou bien se coucher vide.

Gilbert avait eu des difficultés avec les SS et les kapos. Ils avaient pris le prétexte que les Français se rassemblaient trop lentement pour l'appel, qu'il n'y avait pas de discipline ; ils l'en avaient rendu responsable.

En réalité, ils lui reprochaient de ne pas cogner et de ne pas se prêter à leurs trafics.

Ils l'ont relevé de ses fonctions de chef de block et l'ont remplacé par un Espagnol qui parlait le français. Il habitait depuis longtemps la France. Ce n'était pas un politique.

*

Sept heures du soir. Les récipients pleins de patates sont arrivés de la cuisine ainsi que quelques seaux d'une sauce liquide qui tenait lieu de soupe. On nous a fait rentrer dans nos dortoirs respectifs. Les premiers temps que nous étions dans les baraques, les distributions de patates se faisaient à vue ; un stubendienst en prenait une poignée et la mettait au passage dans la gamelle de chacun. Les uns en avaient six, les autres quatre. Sur six, trois parfois étaient pourries ; il y avait d'interminables discussions.

Les stubendienst français, espagnol ou belge ont décidé de préparer les gamelles à l'avance pour essayer d'établir une égalité dans les parts. Cette préparation, qui était justifiée, a pris un caractère solennel, et il a été décidé que nous devions tous attendre dans les dortoirs qu'elle soit terminée avant de pénétrer dans l'antichambre.

Depuis que cette règle avait été instaurée, les parts étaient toutes plus faibles. Aussi, dans chaque *Stube*, les camarades se collaient contre la porte vitrée qui donnait dans l'antichambre et surveillaient la répartition. Cela n'a pas plu aux stubendienst, et les vitres ont été peintes en gris. Les types ont gratté la peinture, et, l'œil sur le coin de vitre transparent, ils ont continué à regarder.

Ils voyaient remplir une gamelle à ras bord, puis une autre, une autre encore : elles passaient à côté, dans la chambre des fonctionnaires. De même pour la sauce. Les types suivaient des yeux les gamelles pleines qui s'en allaient. Puis un jour ils ont vu partir une marmite entière. Il y en a un qui a ouvert la porte et qui a crié : « Bande de salauds ! » Un fonctionnaire de l'antichambre s'est précipité : « Si vous faites du bruit, on ne distribuera pas ! » il a refermé la porte, et il s'est appuyé dessus pour la maintenir. Il fallait de l'ordre. Les autres suivaient toujours la répartition. On s'occupait maintenant de leurs propres gamelles ; quatre patates, cinq patates ; on ne les voyait plus quand elles étaient au fond.

— Tu as vu ce qui est parti... Regarde ce qui reste, maintenant ! disait un type.

Les gamelles étaient alignées dans un ordre parfait. Lucien était là. Il tenait à la main un petit seau couvert qui était plein de patates ; condescendant et ennuyé, il regardait nos portions.

Enfin, on a fait sortir les cons de leur chambre. Ils faisaient du bruit ; ils avaient vu les portions, et ils râlaient. Les fonctionnaires, derrière les tables, étaient hermétiques et cérémonieux. Ils ont ordonné aux types de se taire et d'enlever leur calot. « Voilà, avaient-ils l'air de vouloir dire, notre fonction est de répartir équitablement la nourriture, nous l'avons remplie, soyez vous-mêmes disciplinés, ne criez pas comme des bêtes, n'oubliez pas que vous êtes français... »

À force de regarder les gamelles, même presque vides, même en pensant à celles des fonctionnaires, qui étaient pleines à ras bord, même en pensant à la marmite cachée, on les regardait avec envie. C'était le stubendienst qui prenait la gamelle et la tendait à chacun. En principe, il les prenait dans l'ordre, de sorte que, de loin, on savait à peu près à laquelle on aurait droit. Il la tendait gravement, feignant d'être si sûr qu'il donnait à chacun ce qui lui était dû qu'à la fin, lorsque les deux cents types étaient passés, il le croyait. Sur les quatre patates, un autre versait un quart ou un demi-litre de sauce, selon les jours, et on rentrait dans la chambre.

Lorsque la distribution a été terminée, des types sont allés dans l'antichambre et se sont pressés devant la porte des fonctionnaires. Ils ont réclamé la marmite disparue. Les fonctionnaires ont réagi. Ils ont répondu d'abord que c'était la ration des travailleurs de nuit, puis ils ont engueulé les types, ils leur ont dit qu'ils ne méritaient pas d'avoir des camarades pour les servir, qu'ils ne méritaient qu'un kapo ou même un SS. Mais, lorsque les fonctionnaires ont ouvert la porte pour se retirer dans la cagna, des copains ont aperçu la marmite pleine posée sur le plancher. Un des stubendienst, un méridional, remplissait deux grosses gamelles, et, sur la table de la chambre, il y en avait d'autres. Les copains avaient au bout de leurs doigts leur gamelle vide qui pendait, ils avaient déjà mangé leurs patates avec les épluchures et ils ne se déplaçaient qu'avec leur récipient, parce qu'on ne savait jamais... Pour les calmer et comme ils n'étaient pas très nombreux, les fonctionnaires ont jeté quelques patates dans les gamelles qui se sont tendues aussitôt. Ceux qui étaient servis n'ont pas insisté. Les fonctionnaires ont été rassurés, et ils ont refermé leur porte.

La majorité des types qui savaient bien qu'une marmite avait disparu n'étaient pas sortis dans l'antichambre, parce qu'ils étaient las. Lorsqu'ils ont vu les autres revenir avec leurs patates, ils sont allés réclamer à leur tour, mais on les a chassés; on leur a dit que tout avait été donné et que ce qui restait était pour les travailleurs de nuit.

Lorsque la porte des fonctionnaires s'est ouverte pour la seconde fois, ils ont vu Lucien assis qui mangeait une énorme soupe avec de gros morceaux de patates épluchées et qui avait un petit seau sur les genoux. Il était rouge, et il riait avec un autre. Il a dit aux types qu'il n'y avait plus rien et que, s'ils n'étaient pas contents, ils n'avaient qu'à se plaindre aux SS. Il leur a dit qu'ils semblaient oublier qu'ils étaient dans un camp de concentration, qu'ils feraient mieux d'aller se laver. Il leur a dit aussi qu'il n'était pas digne d'un Français de s'abaisser ainsi pour manger. Les copains en écoutant Lucien ne cessaient pas de regarder sa soupe et les gamelles de patates sur la table. Ils ne lui ont pas répondu; à l'un d'eux qui le regardait fixement, Lucien a dit :

— Qu'est-ce que tu as, toi? Fous-moi le camp!

Il s'est levé brusquement, et il a fermé la porte.

Les copains ont erré un moment dans l'antichambre. Certains sont allés pisser puis tout le monde est revenu à sa paillasse.

Plus tard, Lucien est rentré dans la chambre avant que la lumière s'éteigne. Il couchait au milieu de nous. Il tenait toujours son petit seau de patates ; il l'a mis sous son oreiller de paillasse. Il s'est assis sur son lit, et il a sorti de sa poche un sachet rempli de tabac. Il a roulé une grosse cigarette. Autour de lui, des copains regardaient ; il les a laissés suspendus un moment. Puis il a pris une pincée de tabac. Une main s'est tendue. « Merci, Lucien ! » a dit le type. Lucien ne l'a pas regardé, et il a rentré son sac de tabac. Le type est allé chercher du feu au poêle et en a donné à Lucien. Les autres les ont regardés fumer tous les deux. Lucien a sorti son seau de patates ; il a enlevé le couvercle, et il a regardé le contenu un moment. Les copains regardaient aussi ; elles étaient belles. Il a remis le couvercle, rangé le seau, et il s'est couché.

*

Lucien est l'un des personnages importants du camp. Il a avec les SS des relations aussi sûres que celles du lagerältester ou des kapos. Nous l'avons vu débuter, il était interprète ; devenu vorarbeiter[1], avec zèle il *poussait* le travail. Ainsi, il est passé du côté des kapos et s'est fait remarquer par les SS. Le jeu de Lucien consistait à crier lorsque le SS approchait, puis à bousculer les copains lorsque le SS était tout près, à sourire lorsque le SS lui-même criait ou frappait. Ainsi Lucien s'est-il fait une réputation de sérieux, de bon fonctionnaire. Les kapos ne pouvaient plus douter qu'il était des leurs. Cela se passait à l'église ; mais, là-bas pas plus qu'ici, Lucien ne couchait chez les kapos. Il dormait à côté de nous. Il ne travaillait pas, ne mangeait pas comme nous, mais, le soir, il revenait et affectait d'être des nôtres. Il avait essayé de gagner une demi-complicité de son entourage immédiat, auquel il faisait espérer quelque chose à manger.

Dans la chambre même, il s'était assuré une garde solide en trafiquant avec quelques droit commun, l'*assassin* notamment. Lorsque Lucien manquait de tabac, le type lui en procurait moyennant de la nourriture. Puis le trafic s'était étendu.

1. Voir la note p. 74.

Insensiblement, Lucien est devenu un personnage. Très à l'aise avec Fritz, presque fraternel, il faisait décidément partie de l'aristocratie. Fritz, qui frappait, pourchassait les copains et qui devait plus tard les assassiner, riait avec Lucien. Le lagerältester qui traitait les Français de cochons et faisait cogner sur eux recevait Lucien dans l'intimité. Mais ces liens n'étaient pas absolument gratuits. Ce n'était pas non plus une simple solidarité de classe qui les justifiait. Lucien trafiquait activement de l'or. Ce trafic qui partait de la base remontait jusqu'aux SS. Des Italiens venus de Dachau avaient réussi à sauver quelques médailles ou des alliances, qu'ils échangeaient avec Lucien contre de la nourriture. On surveillait aussi la bouche des copains, et, s'il y avait de l'or, Lucien proposait l'extraction contre du pain. Au Revier, les morts étaient également dépouillés de leur or. À un camarade qui avait été pressenti comme infirmier, on avait posé la condition qu'il participerait à ce travail; il refusa et ne fut pas infirmier. Les lunettes qui portaient la moindre parcelle d'or disparaissaient. Par ce trafic, Lucien était parvenu à entrer personnellement en liaison avec le lagerführer SS; le lagerältester le savait et n'en avait que plus de considération pour Lucien. Sur le circuit de l'or, on mangeait. Au sommet : de la viande, du lard, des œufs; à la base : du pain.

Il y avait dans la chambre un vieux Corse qui s'affaiblissait très vite. Il avait une canine couronnée d'or, mais, comme il lui restait peu de dents, il se demandait s'il devait sacrifier l'une de ses dernières pour avoir de la nourriture qu'il aurait ensuite du mal à mâcher. Il hésita beaucoup et finalement se fit arracher sa dent. Quelques jours après, à la pause du travail, à l'usine, on le voyait manger une soupe qu'il avait fait cuire la veille sur le poêle de la baraque. Il pensait pouvoir manger ainsi son supplément pendant une quinzaine de jours. Mais, quelques jours plus tard déjà, il ne recevait plus rien. Il allait se plaindre à Lucien ou à Charlot, qui ne l'écoutaient pas. Il insistait, et, comme il était sourd, il se faisait répéter les réponses qu'on lui faisait; il tendait l'oreille, gardait la bouche ouverte – on voyait la place vide de sa dent arrachée – et il entendait : « Tu nous emmerdes ! »

Paul, le lagerältester (c'était une coutume du camp de s'appeler par son prénom. On appelait aussi Fritz uniquement par son prénom. On ne connaissait d'ailleurs pas son nom. Je n'ai jamais échappé à la honte d'appeler un type comme Fritz par son prénom. C'était comme si je me chargeais d'une requête de sympathie, comme si je témoignais ainsi d'un souci et presque d'une obligation naturelle que j'aurais eu à le connaître intimement, fraternellement. Appeler ainsi celui qui n'avait pour fonction que de schlaguer et, plus tard, de tuer, donnait le ton de l'hypocrisie substantielle des rapports qui existaient entre ces kapos et nous. *Alle Kameraden,* disaient nos kapos. *Nous sommes tous des sujets du camp de concentration, tous des camarades.* Celui qui me tue est mon *camarade*), Paul s'était fait aménager dans les nouvelles baraques un véritable studio, avec un divan, la radio, des livres. Il mangeait somptueusement. Il était servi par un détenu polonais. Il était très élégant et changeait souvent de vêtements. C'était le seigneur du kommando. Il recevait l'aristocratie dans son studio et notamment le stubendienst français droit commun.

Celui-ci, qui mangeait à sa faim, se promenait parfois le torse nu dans le block et faisait admirer qu'il ne maigrissait pas. À chaque incident, il proposait de se battre. D'ailleurs, il n'était pas seul à montrer cette fierté d'avoir encore de la chair sur les os. Il pouvait considérer cela comme une réussite et, dans un mouvement naturel, mépriser ceux qu'il dominait comme des médiocres puis, appliquant ainsi la logique SS, comme des salauds. Quand il se promenait demi-nu, il savait qu'il était beau. Plus que son brassard de stubendienst, qu'on aurait pu lui arracher facilement, il savait que son buste régnait et qu'il n'était pas à la merci d'une intrigue ; il savait que Paul avait besoin de lui. Lorsqu'il trouvait un pou sur lui, il le disait en riant comme une femme qui se plaint d'une impureté passagère du visage, pour mieux marquer sa beauté. Il était coquet devant les types sales, pleins de poux et sans formes qui l'observaient.

Le stubendienst eut par la suite des ennuis avec Fritz puis avec les SS. Paul arrangea les choses plusieurs fois, mais il fut obligé finalement de s'en séparer. Le stubendienst connaissait trop de choses sur le trafic entre Paul et les SS, et il fut peut-être trop bavard. Il devait être fusillé pendant l'évacuation.

Les kapos, Fritz surtout, furent au début jaloux de Paul parce qu'il était riche, qu'il recevait beaucoup de colis et qu'il était magnifiquement installé.

Fritz avait même essayé de le devancer dans la considération des SS en nous frappant ostensiblement, en faisant preuve de zèle à nous compter aux appels, à nous fouiller, à nous poursuivre au travail, en étant toujours là quand le SS était là.

Paul était indolent, mais il maintenait sa situation grâce aux cadeaux qu'il faisait aux SS sur les colis qu'il recevait de chez lui. Il lui arrivait souvent de faire rôtir un poulet à la cuisine et de l'offrir, entouré de champignons, au lagerführer. Les kapos aussi profitaient des colis. Paul était trop riche, ils ne pouvaient pas lutter contre lui.

Paul, allant plus loin, avec beaucoup de patience, fit miroiter au lagerführer, qui n'était qu'un très médiocre sous-officier SS, la possibilité de l'associer plus tard à ses affaires. Et, insensiblement, il abandonna aux kapos et à Fritz notamment la besogne de répression.

Paul ne se rendait même plus à l'appel ; c'était son adjoint, un politique allemand, qui y allait à sa place, et les SS, qui ne pouvaient plus rien contre lui, se vengeaient sur l'adjoint en lui foutant parfois des coups.

Le dimanche, cependant, Paul venait au rassemblement du matin, parce qu'il avait lieu plus tard et qu'il n'était pas suivi du travail à l'usine. Il arrivait botté, vêtu d'un beau manteau et, cérémonieux, il allait saluer le SS. Puis, à propos d'une vétille (un type avait chié trop près d'un block parce qu'il était pressé, ou autre chose), il se déchaînait, de préférence contre les Français. À plusieurs reprises, il avait déclaré qu'il ne voulait plus entendre parler de nous et que nous ne méritions que des coups. Il parlait fort, au garde-à-vous, et ses phrases saccadées impressionnaient les SS, surpris, chaque fois, qu'un détenu eût pu acquérir une telle intuition de leur mépris pour nous.

Un court silence suivait l'apostrophe, qu'un interprète nous traduisait inutilement.

Paul renvoyait ensuite les Polonais à leur block, puis les Russes, parfois même les Italiens. Les Français restaient chaque fois dehors. Fritz ou un autre kapo montait la garde devant l'entrée du block pour nous empêcher de rentrer. Et c'était la corvée de *nettoyage du camp*.

L'après-midi, Paul allait le plus souvent à la chasse avec le lagerführer. Comme il mangeait et que le stubendienst français n'était plus à son service, il sortait la nuit et allait voir des femmes. Il était devenu une sorte de détenu d'honneur.

Grâce à lui, le jour de Noël, les kapos eurent la permission des SS d'aller librement à Gandersheim. Ils partirent au début de l'après-midi, accompagnés d'une sentinelle qui ne leur servait pas de gardien mais de chaperon. Ils partirent comme des enfants sages, le Fritz et les autres ; la sentinelle et eux se regardaient en souriant ; ils étaient en confiance. Ils allaient vraiment en promenade, et le SS parlait la même langue qu'eux. Le Fritz qui, disait-on, était au camp pour assassinat, avait ce jour-là un visage d'enfant. Cette sortie avait couronné la trahison des kapos. Mais elle ne nous avait pas surpris.

*

Sans lunettes, j'y voyais très mal. J'étais cependant obligé de travailler à l'usine. Les coups de Pieds-Plats m'arrivaient dessus, je ne pouvais rien parer. Je me suis décidé à aller au bureau du lageraltester pour demander si je ne pourrais pas avoir une paire de lunettes.

Il y avait là Lucien, un secrétaire tchèque, Paul et un interprète belge.

Je me suis adressé au Tchèque. Il faisait frire des patates ; il y avait une odeur terrible, mais, ici, personne n'y prenait garde, ne regardait le poêle. Quand je me suis approché, le Tchèque a relevé la tête, et je lui ai raconté mon histoire de lunettes. Il l'a consignée par écrit et m'a fait signer. Le gros kapo Ernst est arrivé à ce moment-là, et, me voyant, il a demandé à lire le papier. Il y était indiqué que mes lunettes avaient été cassées par un coup de poing du meister ; il a ri et a dit au Tchèque que c'était ennuyeux d'écrire cela, parce que ce meister était au contraire très doux en général. Le Tchèque lui a répondu que, puisque je demandais des lunettes, il fallait bien indiquer comment j'avais perdu les miennes. Le kapo n'a pas insisté. Là-dessus, Paul est arrivé et, ennuyé, m'a demandé ce que je voulais ; le Tchèque le lui a expliqué. Il m'a demandé si j'avais de l'argent. Puisque je n'en avais pas, je ne pourrais pas avoir de lunettes, à moins que le lagerführer SS ne veuille bien me les offrir.

Pendant toute cette conversation, j'ai été surpris que l'on

ne me mette pas dehors. J'étais appuyé contre la table du Tchèque. Je n'étais pas malade. En arrivant, Paul a demandé tout de suite ce que je faisais là, mais, quand on lui a dit que c'était parce que je n'avais plus de lunettes, il a accepté ma présence. Un SS est arrivé, on lui a raconté l'affaire, et il n'a pas semblé penser à me donner un deuxième coup de poing. Lui aussi a été sensible à cette affaire de lunettes. Je suis resté comme un intouchable, attendant qu'on voulût bien trouver une solution, mais il n'y en avait pas. On m'a laissé partir sans m'insulter.

Un camarade a réparé la monture de mes anciennes lunettes et ajusté le verre intact. Je suis revenu à mon atelier. Le jour même j'ai eu à détacher un tuyau à air comprimé du robinet; je n'avais pas fermé la pression, le tuyau m'a sauté dans la figure; cette fois, les lunettes ont été pulvérisées. J'étais sur une échelle. Encore une fois, j'ai passé la main sur mes yeux, puis je suis descendu lentement de l'échelle. Le meister me regardait, j'ai remis mon calot, qui était tombé par terre, et je suis parti. Il n'a rien dit.

Je suis d'abord allé aux chiottes, je pensais à essayer de faire l'aveugle. Un moment après, je suis rentré dans l'usine, j'ai marché en levant la tête comme un somnambule, et j'ai croisé le meister, qui m'a regardé et n'a rien dit. Sans lunettes, je pouvais mimer celui que je m'étais senti être en réalité dès le premier jour de mon entrée dans cette usine. J'ai traversé l'usine très lentement en levant la tête, je ne me suis arrêté à aucun atelier, personne ne m'a touché.

J'ai mené ce jeu deux jours.

Le troisième jour, dans l'après-midi, je me trouvais devant un atelier du hall, et je bavardais avec un copain. Je me croyais camouflé. Un coup de poing sur la tête. Je me suis retourné. C'était Pieds-Plats.

— *Was machst du ?*

— *Kein Brille!* ai-je répondu, en montrant mes yeux.

Encore un coup de poing sur la tête.

Il n'y avait rien à faire. Ça tombait comme un marteau. Il pouvait continuer longtemps ainsi. J'ai esquivé le quatrième coup, et ça l'a fait râler davantage. Pieds-Plats jouait.

Le soir, je suis allé au revier, dont Gilbert était devenu le secrétaire. Le toubib espagnol était malade; un médecin russe le remplaçait. J'ai demandé de la schonung parce que je n'y voyais pas; le médecin m'a dit qu'il ne pouvait rien faire si je n'avais pas de fièvre. Gilbert lui a dit que j'étais un ami; il a signé un billet de trois jours de schonung. D'autres sont passés, des Italiens surtout, plus épuisés que moi; ils n'ont pas eu de schonung.

Je suis rentré au block dans la nuit, en pataugeant dans la boue neigeuse. Il y avait de la lune. Le vent qui venait de l'ouest arrivait sur nous après avoir contourné la corne du bois; il apportait avec lui les voix des sentinelles, détachées, paisibles. On ne connaissait pas d'autre paix que celle de la lune sur la place déserte. Là-haut les SS s'endormaient, ils nous oubliaient.

Dans le block la lumière était éteinte. Francis est venu me voir à ma paillasse. C'était un Niçois, petit, brun et maigre. Il avait passé le plus froid de l'hiver dehors, au zaun-kommando. De sept heures du matin à cinq heures du soir, il avait piqué la terre gelée.

Il parlait à voix basse. Les nouvelles? Bien sûr elles étaient bonnes, les nouvelles. Oui, les Russes avançaient au Nord, et les Alliés avaient lancé la *grande offensive*. Cette fois, c'était peut-être vrai.

Oui, il fallait que ça finisse vite, on ne pourrait plus tenir longtemps. On dégringolait, on s'enfonçait. La veille, un camarade avait planqué une gamelle de soupe pour la manger le lendemain matin. La soupe refroidie s'était figée. Dans la nuit, un type avait vu quelqu'un tendre la main vers la gamelle et prendre une poignée de soupe. Le lendemain, dans la gamelle, il y avait la trace de la main. Il fallait que ça finisse. Jamais depuis que nous étions en Allemagne il n'y avait eu un colis, jamais un morceau de sucre, jamais de vraie nourriture. Les plaies pourrissaient; à l'usine, des copains s'évanouissaient. Le corps s'en allait, la voix aussi. Francis parlait très lentement, sa figure avait perdu sa mobilité à force de rester dans le froid. – 20° dehors tout l'hiver avec un quart ou un cinquième de boule de pain le matin et rien d'autre jusqu'au soir qu'un quart de jus à midi. Tout cela, la peau de la figure et sa voix en témoignaient.

La porte s'est ouverte, un kapo faisait sa ronde, une lanterne à la main. Francis s'est couché. Le kapo s'est approché des lits, la lanterne est passée, la chambrée était silencieuse, il est reparti.

Francis est revenu près de ma paillasse. Les autres dormaient. Une petite veilleuse qu'on avait posée sur un montant du lit faisait une tache jaunâtre dans le noir. Francis avait envie de parler de la mer. J'ai résisté. Le langage était une sorcellerie. La *mer*, l'*eau*, le *soleil*, quand le corps pourrissait, vous faisaient suffoquer. C'était avec ces mots-là comme avec le nom de M... qu'on risquait de ne plus vouloir faire un pas ni se lever. Et on reculait le moment d'en parler, on le réservait toujours comme une ultime provision. Je savais que Francis, maigre et laid comme moi, pouvait s'halluciner et m'halluciner avec quelques mots. Il fallait garder ça. Pouvoir être son propre sorcier plus tard encore, quand on ne pourrait plus rien attendre du corps ni de la volonté, quand on serait sûr qu'on ne reverrait jamais la mer. Mais tant que l'avenir était possible il fallait se taire.

Je suais. Les coups sur la tête avaient porté. La bonne fièvre venait. Si elle avait tenu, je serais peut-être allé dormir au revier, où c'était calme ; mais cette fièvre-là, mon corps n'avait plus la force de l'entretenir.

*

On venait de passer à la distribution et je venais de rentrer dans la chambre.

— Mon pain ! On m'a volé mon pain ! a crié un type.

Il était affolé, il se lamentait. « Mon pain ! mon pain ! » Il restait debout, les bras ballants. « Il était là, je l'avais mis sur la paillasse. » Il répétait cela et il restait devant son lit. Il y a eu un chœur d'indignation : « C'est dégueulasse, il faudrait les pendre, les types qui volent le pain ! », etc.

On a fouillé et on a trouvé un morceau intact sous une paillasse ; celui qui avait volé n'avait pas eu le temps de le planquer ailleurs, et il tenait son propre morceau entamé dans sa main. C'était un paysan d'une vingtaine d'années ; il avait une grosse tête et les oreilles décollées. Avant qu'on le questionne, affolé, il a tendu le pain et il a répété plusieurs fois :

— C'est la première fois que je vole, c'est la première fois !

Il rendait le pain. Qu'on le reprenne ! C'était la première fois, ce n'était pas sérieux.

Alerté par les cris, le chef de block espagnol est arrivé.

— Qui est-ce qui lui fout les vingt-cinq coups? a-t-il demandé.

Personne n'a répondu. Le paysan attendait; il n'avait pas peur des coups, il était égaré.

— Alors, personne ne veut? a répété le chef de block.

Félix râlait doucement: «Si c'était un homme, qu'est-ce qu'il aurait pris déjà!»

Autour de lui, on protestait:

— C'est un gosse, laissez tomber.

— Moi, je vais les lui foutre! a répondu P..., un droit commun qui trafiquait avec l'*assassin*.

Le droit commun allait officiellement schlaguer, sous l'œil approbateur du chef de block qui n'était pas davantage un politique et qui bouffait tous les jours de la viande et plusieurs rations de pain.

— Ceux qui veulent voir, qu'ils viennent! a dit le chef de block.

Et il est allé dans l'antichambre, suivi de P... et du paysan. Quelques types les ont suivis.

Quelques instants plus tard, on a entendu de petits claquements mais pas de cris. On y a à peine fait attention. P... est revenu en riant, suivi du paysan, qui avait la figure rouge et qui se forçait à sourire. Pour justifier sa contenance, il a dit en passant que P... n'avait pas frappé fort.

L'appel avait hâté la fin de la scène. Les types sont partis à l'usine, et ceux qui avaient un billet de schonung sont rentrés dans le block.

Plus tard, la cuisine a demandé des hommes pour une corvée. Il ne fallait jamais rater une corvée à la cuisine. Il s'agissait de trier des pois secs.

On a ouvert la grande porte de la cuisine, et, quand on est entré, on a été intimidé. Sur la gauche, il y avait un tas de patates. On nous a empêchés d'en approcher. Le chef cuistot polonais nous a aussi empêchés d'approcher des marmites. Lucien était derrière une grande table sur laquelle se trouvaient de la viande et du pain; auprès de lui, un aide-cuistot découpait la viande. On nous a aussi empêché d'approcher. On est allé remplir une gamelle de pois dans un tonneau et on nous a parqués autour d'une petite table. On a vidé les gamelles sur la table et on a commencé à trier. Nous étions assis de chaque côté de la table. Des Italiens, des Russes sont venus. Il y avait aussi l'évangéliste allemand.

Derrière nous, le *Lagerpolitzei*[1] et Lucien surveillaient en marchant. On triait. Quand ils étaient passés, on s'envoyait très vite des grains dans la bouche. Mais on risquait de mâcher encore quand ils revenaient, et ils surveillaient les mâchoires. Un coup de poing du politzei sur la tête de mon voisin : sa mâchoire remuait. Le politzei ne s'était pas arrêté ; il avait frappé en marchant. On a recommencé à piquer dans le tas de pois et à mâcher. On avait convenu que ceux qui étaient de l'autre côté de la table et leur faisaient face nous préviendraient lorsqu'ils repasseraient. Ainsi les mâchoires s'immobilisaient et reprenaient, s'immobilisaient et reprenaient mécaniquement.

L'évangéliste, lui, ne mâchait pas.

Lorsque le tri a été terminé, j'ai réussi à camoufler quelques poignées de pois dans une gamelle, sur laquelle j'ai empilé d'autres gamelles vides. Ils nous ont fouillés en sortant mais n'ont pas pensé à détacher chaque gamelle de la pile. Un autre avait fait comme moi. Mais il était trop pressé de faire sa soupe. Arrivé au block, il a rempli une grande cuvette d'eau, il y a jeté les pois puis les a mis à cuire sur le poêle. L'odeur s'est répandue, elle était trop forte. Fritz, qui se doutait qu'on avait réussi à sortir des pois, a ouvert la porte de la chambre. Il a senti aussitôt l'odeur et il est allé droit au poêle. Il a demandé à qui était la soupe. Personne n'a répondu. Il a menacé de priver tous les Français de soupe le lendemain dimanche. Mais finalement il s'est contenté d'emporter la cuvette. La soupe de pois commençait juste à épaissir, c'étaient les kapos qui allaient la manger.

J'ai caché mes pois dans ma gamelle sous la paillasse, et je les ai gardés pour le dimanche.

Dimanche. La matinée s'est passée en corvées ; il faisait moins froid, mars avançait. Nous avions eu la soupe à midi : liquide, avec les pois que nous avions triés la veille. Mais Francis en faisait cuire une autre sur le poêle avec ceux que j'avais

1. Kapo plus spécialement chargé de la discipline à l'extérieur des blocks. On l'appelait le *Politzei*.

fauchés à la cuisine. Il avait emprunté pour cela une grosse gamelle à un camarade. On allait la manger vers le soir.

Francis ne quittait pas le poêle où certains faisaient cuire des soupes aux épluchures de rutabagas et où d'autres faisaient griller des épluchures.

Ceux qui n'avaient même pas d'épluchures s'étaient couchés.

Terribles après-midi de dimanche, vides, après la soupe ordinaire. Regards de ceux qui n'avaient rien sur les gamelles de ceux qui s'étaient démerdés pour ne pas passer le dimanche sans rien. Comment fuir cette prison ? Plutôt l'usine que cette marche dans l'allée de la chambre, que de devenir ce possédé qui raclait sa faim contre son lit, contre le banc puis baissait la tête, avec les odeurs de cuisson qui lui rentraient dans le nez.

Notre soupe était épaisse à point, elle sentait bon ; Francis l'avait ramenée et cachée sous mon lit. Puis il était allé aux chiottes. Assis sur le banc en face du lit, je la gardais.

Avant que Francis revienne, j'étais allé me chauffer les mains au poêle. J'y étais resté un moment, puis j'avais repris la place sur le banc d'où je voyais la paroi de la gamelle. Puis Francis était revenu.

Elle était belle, on avait de la veine. On aurait voulu attendre encore avant de la manger.

Le jour baissait. On irait s'asseoir sur le lit et on la mangerait lentement, puis on bavarderait et on se coucherait. On avait de la veine. Il fallait se défendre et essayer de recommencer dimanche prochain ; si on arrivait à se défendre comme ça, peut-être qu'on pourrait tenir jusqu'au bout. D'ailleurs, il n'y en avait plus pour longtemps. L'offensive alliée marchait bien, et les Russes avançaient sur Berlin. On surveillait la paroi de la gamelle. Encore un mois, ils étaient foutus. Mon schonung expirait le lendemain, mais j'allais tâcher de le faire prolonger. Si on pouvait avoir une soupe comme ça tous les jours, on n'entendrait pas constamment parler de bouffer. Oui, j'irais à Nice en rentrant ; on mangerait un « pan-bagnat ». On surveillait la paroi de la gamelle. D'abord, on irait prendre l'apéritif, un Cinzano, assis devant la mer, puis on mangerait le « pan-bagnat », la mère le faisait bien ; on viendrait me chercher à la gare ; d'abord on prendrait un café crème avec des croissants, on dirait : « Ils sont bons, les croissants, on peut en avoir encore si on veut. » On se marrait. On prendrait des vacances. Il viendrait à Paris, j'irais le chercher à la gare, un crème au comptoir avec des croissants.

Ah ! maintenant il fallait la manger.

Francis est allé vers le lit, il s'est baissé. Il a mis la main sur la gamelle ; il l'a tirée, elle était légère ; sa figure est devenue hagarde.

J'ai bondi. Elle était vide. Le nez dedans, encore vide.

— Qu'est-ce que tu as fait ? Tu ne l'as pas surveillée ? criait Francis. Que tu es con, que tu es con, nom de Dieu, de nom de Dieu de merde, que tu es con !

Il tapait des pieds, il tournait sur lui-même.

— Quel est le salaud, quel est le salaud qui a fait ça ?

Il tournait. Mes poings se serraient. Quel était le salaud ? Celui-là, il nous avait visés, comme avec un fusil, visés ; il nous avait repérés avec notre soupe, il l'avait laissée épaissir, fumer, il nous avait vus la planquer, et, quand j'étais allé au poêle, il l'avait versée dans sa gamelle. Où était-elle, la soupe, maintenant ? Il l'avait mangée, même si on le trouvait on ne l'aurait pas, il faudrait la lui faire vomir, elle n'existait plus nulle part. On regardait la gamelle ; il restait de la purée sur la paroi à l'intérieur ; on reniflait, on voyait le fond, on se la passait, chacun à son tour la regardait.

On devait observer les copains avec des yeux terribles. Les copains avaient les têtes de bienheureux des tapisseries.

Je me suis assis sur le lit, la tête entre les mains. Comment faire pour que ça passe ? C'était long. Il y avait rarement eu de mur plus haut à franchir.

Gilbert est venu. On a raconté. On s'est vidé. Les mots grignotaient le mur. On a raconté plusieurs fois. On s'excitait, ça allait recommencer ? Non, enfin on a rigolé.

— Tire-moi les cartes ! dit Gilbert à Francis.

Francis avait un jeu et savait les tirer. Il ne pouvait pas encore se distraire.

Puis brusquement il s'est levé, comme s'il venait de trouver la solution miraculeuse.

— Dis donc, on n'y pense plus ?

Je devais avoir l'air de réfléchir. Il fallait une réponse. Elle a fini par tomber :

— On n'y pense plus.

*

Au revier.

— Au souivant ! dit le toubib espagnol.

Il est plutôt de petite taille, il a des joues roses ; il porte une blouse blanche, il est propre.

La porte s'ouvre, un type sort de l'antichambre noire. C'est un Italien, d'une cinquantaine d'années, voûté ; la lumière l'éblouit.

— Qu'est-ce qué tou as ? demande le toubib en français.

L'Italien touche son dos. Le stubendienst italien est dans la pièce, souriant ; c'est un hôtelier de Milan. Il demande à son compatriote ce qu'il a, l'autre touche son dos.

— Déshabille-toi, dit l'Espagnol.

Le vieux enlève sa veste et sa chemise, son squelette apparaît. Il a un gros anthrax. Il s'assied sur un tabouret.

L'Espagnol prend son bistouri, appuie violemment sur l'anthrax, le vieux crie.

— Pourquoi cries-tou ? dit l'Espagnol en rigolant. Ils né savent pas souffrir.

Le stubendienst italien sourit au toubib, tandis que celui-ci serre violemment l'anthrax dans une pince.

Le vieux geint « *Madonna ! Madonna !* »

L'Espagnol singe le vieux en riant.

— *Madonna ! Madonna !* Mussolini, hein ? Mussolini ? et il secoue le vieux qui répond en pleurnichant :

— No, no, Mussolini, no Mussolini.

Le stubendienst italien s'arrête de rire quand le toubib a le dos tourné, puis il sourit de nouveau quand le toubib le regarde.

Le pus coule, la chair a été arrachée, il y a un gros trou dans le dos ; chaque fois que la main appuie sur la plaie, le vieux se courbe et geint.

— Vas-tou té rélever ?

Le stubendienst italien intervient en italien :

— Veux-tu obéir au docteur ?

L'autre se relève.

— Macaroni, Mussolini, rélévé-toi, nom de dieu, ils sont tous commé ça, dit l'Espagnol qui s'énerve.

Le stubendienst est figé dans son sourire.

— Ils mangent de la merde et puis ils se plaignent d'avoir des abcès, ajoute le toubib.

Le stubendienst, gras, approuve de la tête (il est dans le circuit de l'or).

Le toubib met une gaze sur le trou et entoure le dos d'une bande de papier. Le vieux se laisse faire, les bras pendants.

Le stubendienst satisfait observe le bandage.

— Tou peux té rhabiller.

Le vieux enfile sa chemise et sa veste.

Il est prêt, il attend.

— Qu'est-ce qué tou attends? demande le toubib.

Il se risque :

— *Schonung?*

— *Schonung?* Allez, allez, *lavorare*, Mussolini, *lavorare.*

Le vieux quête du regard une intervention du stubendienst italien qui continue à sourire et ne dit rien.

Il s'en va.

— Au souivant!

Un Français entre, petit, maigre, les yeux éteints.

— Qu'est-ce qué tou as?

— Mal à la gorge.

Le toubib lui tend le thermomètre.

— Ils sont tous malades. Ils né veulent pas travailler. Vous né savez pas qué vous êtes dans oun camp dé concentration?

— Je le sais, répond le Français faiblement. J'ai mal à la gorge.

— Mal à la gorge! Jé souis plus malade qué vous et jé travaille.

Le Français ne répond rien. S'il veut un schonung, il ne faut pas qu'il irrite l'autre.

— Tou crois à la Sainte Vierge? demande brusquement l'Espagnol.

— Ça me regarde, dit le Français.

Le stubendienst italien est dans le coin de la pièce, il sourit toujours quand le toubib le prend à témoin.

— Alors, tou n'as qu'à prier la Sainte Vierge, si tou es malade.

Il rigole. Le Français ne répond pas.

Il a le thermomètre sous le bras et ne bouge pas.

— Tou es ici pour marché noir ? dit l'Espagnol provocant.

— Non, répond sèchement le Français.

— Ils veulent tous faire croire qu'ils sont des politiques, ricane le toubib.

Le stubendienst italien hoche la tête.

— Je suis un politique, répond le Français sans bouger la tête, comme à lui-même.

— Oun politique, avec cette tête-là ? se moque l'Espagnol.

— J'ai la tête que j'ai, répond le Français, qui enlève le thermomètre.

Il a une forte fièvre.

— Tou as dé la veine, dit le toubib en regardant le thermomètre.

Il ira coucher au revier.

Derrière cette cloison, c'est la chambrée du revier. Il y a trois rangées de lits. Un poêle ronfle, il y fait chaud et il n'y a pas de bruit. Entre les deux portes du revier, la vie du kommando s'amortit.

Quelquefois un SS vient dans la chambrée. Il passe devant les têtes et quand un malade est d'une maigreur remarquable, il demande au toubib ce qu'il a. En général, celui-ci ne le sait pas bien. Le SS et le toubib considèrent alors le type *trop* maigre et il semble que le toubib le voit pour la première fois. Le SS dit tristement, à voix basse cette fois : *Scheisse.* Le toubib hoche gravement la tête.

Le malade de son lit les regarde avec cette fixité sans angoisse des moribonds.

Le toubib ne pense rien du malade. Quand le SS est dans la chambrée, il est annihilé et ses yeux deviennent d'une terrible mobilité. Il a peur. Surtout, que le regard du SS ne se heurte à rien, qu'il n'y ait aucune aspérité. Qu'ils soient maigres, simplement. Il ne faut pas non plus que la liste des schonung soit trop importante. « Jé souis plous malade qu'eux, dit le toubib, ils n'ont qu'à travailler. »

Il arrive que le SS plaisante avec le toubib et qu'il rigole avec lui. Pourtant, avant d'être à ce poste, il a reçu des coups des SS. Mais maintenant il a une blouse blanche, il dort dans une petite chambre au chaud, il ne va pas à l'appel, il mange et il est rose.

Il est trop facile dans ces conditions d'oublier que l'on a

été le même homme que ceux qui viennent demander un schonung et qui sont couverts de poux.

Le toubib espagnol est devenu rapidement un type assez parfait de l'aristocratie du kommando. Le critère de cette aristocratie – comme de toute d'ailleurs –, c'est le mépris. Et nous l'avons vue sous nos yeux se constituer, avec la chaleur, le confort, la nourriture. Mépriser – puis haïr quand ils revendiquent – ceux qui sont maigres et traînent un corps au sang pourri, ceux que l'on a contraints à offrir de l'homme une image telle qu'elle soit une source inépuisable de dégoût et de haine.

Le mépris de l'aristocratie pour les détenus est un phénomène de classe à l'état d'ébauche, au sens où une classe se forme et se manifeste à travers une communauté de situations à défendre ; mais ce mépris ne peut pas être aussi souverain que celui des SS, car cette aristocratie doit combattre pour se maintenir. Combattre, c'est faire travailler les autres, c'est moucharder, c'est refuser aussi les schonung. Le mépris n'intervient que pour justifier le combat et après coup ; il ne tend à s'imposer, à se substituer à la haine envers le concurrent ou le gêneur possible que dans la mesure où la bataille a été gagnée, où la situation s'est définitivement consolidée. C'est par exemple le cas de Paul, le lagerältester.

Le toubib, lui, n'est pas parvenu à la tranquillité définitive du mépris. Il est terrorisé par les SS ; sa situation de médecin lui est un abri, mais aussi il lui arrive, ce qui n'arrive à aucun autre détenu ordinaire, d'être en contact personnel avec le SS. Il est dans l'appareil, personnellement engagé, repéré, et cela le terrorise. Sa planque est aussi un traquenard dont il ne peut se dégager qu'en refusant les schonung, en maltraitant les copains, ce qui l'enferme dans le cercle de la haine, puis du mépris.

Il est fasciné par le mécanisme et la logique SS. Il n'imagine même plus maintenant d'essayer de biaiser. Mais ce qui le terrorise rassure aussi sa conscience : il se sent dans un énorme appareil de destruction, au cœur d'une fatalité qu'il aurait selon lui la charge accablante d'aggraver. C'est ainsi qu'il ne cesse de répéter : « Vous ne savez pas ce que c'est qu'un camp de concentration ! » Ce n'est pas une hypocrisie banale. Il sait qu'il exprime la morale des camps, qui le terrorise, et à laquelle il participe, en victime toujours possible. « Victime » quand il envoie le vieil Italien au travail, « victime » quand il menace Jacques de le renvoyer à Buchenwald.

Mais le copain qu'il a chassé le soir à la visite ne veut pas savoir si le toubib est ou n'est pas une victime et il râle. Alors le toubib engueule le copain et en l'engueulant il découvre que le type est maigre et sale et cette découverte confirme sa hargne.

Mais il ne croira pas tout à fait à sa propre colère, il ne croira pas que c'est lui qui parle, mais l'homme du camp – le terrorisé-oppresseur. Et cette nature qu'il croit empruntée lui cache sa peur et sa médiocrité ; elle lui est peut-être odieuse (mais il pense que ce n'est pas lui), mais elle est séduisante (il est puissant).

Il y a encore autre chose, et peut-être est-ce le plus important. Sa terreur l'hallucine. Comme certains Allemands à Buchenwald étaient pris d'une frénésie magique en parlant du crématoire, le toubib révèle sa psychose lorsqu'il parle du sang. Il dit « chang » ; ses yeux deviennent mobiles, s'exorbitent légèrement, et il sourit en montrant ses dents.

« K... va mourir », m'avait-on dit. Il était au revier depuis une huitaine de jours.

K... était instituteur. Il y avait au camp un de ses amis qui l'avait bien connu en France. Il ne le reconnaissait plus depuis qu'il était ici. « K..., c'était un militant solide », m'avait-il dit. Je n'avais vu qu'un homme voûté, dont la voix était très faible, qui essayait de suivre.

Je suis allé au revier voir K... Il faisait nuit. J'ai traversé la place déserte, je suis passé devant la baraque du lagerältester ; un bruit de radio en sortait. J'ai longé la baraque. À droite, sur la hauteur, on distinguait la masse de la forêt. La baraque des Russes, celle des Polonais étaient, sur la terre boueuse, comme de grosses ruches noires ; sur la hauteur, une autre ruche, celle des SS.

À cette heure, tout le monde était rentré. Seules les sentinelles veillaient. Les SS passaient leur soirée de SS, les détenus la leur. Les quatre hommes en capote sur le talus, et qui parfois disaient quelques mots, entretenaient la captivité. L'ensemble SS-détenus, grâce à eux, restait cohérent et, la nuit, c'étaient ces silhouettes veilleuses qui empêchaient le sommeil des SS et celui des détenus de se confondre.

J'ai longé la baraque du revier; je suis passé devant les petites persiennes closes. Par terre la boue était épaisse et par endroits il y avait des flaques. J'étais seul dehors.

Arrivé au bout de la baraque, j'ai ouvert la porte. La chambrée était peu éclairée ; une odeur tiède et lourde l'emplissait. Ils étaient dans leur lit; des têtes immobiles posées sur l'oreiller, avec des ombres dans les trous du visage. Sur le poêle, au milieu de l'allée entre les lits, l'infirmier faisait griller des tranches de pain. D'autres, comme moi, étaient venus voir un copain. Ils parlaient à voix basse. On entendait parfois les cris de l'Espagnol dans la pièce voisine.

Je cherchais K... dans les lits. J'ai reconnu des têtes, on s'est fait un signe. Je marchais sans faire de bruit le long des lits. Je cherchais K...

J'ai demandé à l'infirmier qui était près du poêle :

— Où est K... ?

Il m'a répondu surpris :

— Ben quoi, tu es passé devant. Il est là.

Et il me désignait, vers la porte, un des lits devant lesquels j'étais en effet passé. Je suis revenu sur mes pas et, dans les lits proches de la porte, j'ai regardé chaque tête sur son oreiller. Je n'ai pas vu K... Arrivé près de la porte, je me suis retourné et j'ai vu un type qui était couché lorsque j'étais passé la première fois et qui venait de se relever et se tenait appuyé sur ses coudes. Il avait un long nez, des creux à la place des joues, des yeux bleus à peu près éteints et un pli de la bouche qui pouvait être un sourire.

Je me suis approché de lui, je croyais qu'il me regardait ; je me suis approché très près, puis j'ai déplacé ma tête sur le côté ; la sienne n'a pas bougé et sa bouche a gardé le même pli.

Je suis allé alors vers le lit voisin et j'ai demandé à celui qui était couché :

— Où est K... ?

Il a tourné la tête et m'a désigné celui qui était appuyé sur ses coudes.

J'ai regardé celui qui était K... J'ai eu peur, peur de moi. Pour me rassurer, j'ai regardé d'autres têtes, je les reconnaissais bien, je ne me trompais pas, je savais encore qui ils étaient. L'autre était toujours appuyé sur ses bras, la tête pendante, la bouche entrouverte. Je me suis approché de nouveau, j'ai penché la tête au-dessus de lui, j'ai longtemps regardé les yeux bleus, puis je me suis écarté : les yeux n'ont pas bougé.

Je regardais les autres. Ils étaient calmes, je les reconnaissais toujours, et, sûr que je les reconnaissais toujours, je suis revenu aussitôt vers lui.

Je l'ai regardé alors par-dessous, je l'ai examiné, je l'ai tellement regardé que j'ai fini par lui dire, pour voir, à voix très basse, de tout près :

— Bonsoir, mon vieux.

Il n'a pas bougé. Je ne pouvais pas me montrer davantage. Il gardait cette espèce de sourire sur la bouche.

Je ne reconnaissais rien.

J'ai fixé alors le nez, on devait pouvoir reconnaître un nez. Je me suis accroché à ce nez, mais il n'indiquait rien. Je ne pouvais rien trouver. J'étais impuissant.

Je me suis éloigné de son lit. Plusieurs fois, je me suis retourné, j'espérais chaque fois que la figure que je connaissais m'apparaîtrait, mais je ne retrouvais même pas le nez. Toujours rien que la tête pendante et la bouche entrouverte de personne. Je suis sorti du revier.

Cela était arrivé en huit jours.

Celui que sa femme avait vu partir était devenu l'un de nous, un inconnu pour elle. Mais à ce moment-là il y avait encore possibilité pour un autre double de K..., que nous-mêmes nous ne connaissions pas, ne reconnaîtrions pas. Cependant, quelques-uns le reconnaissaient encore. Cela n'était donc pas arrivé sans témoin. Ceux qui étaient couchés à côté de lui le reconnaissaient encore. Aucune chance de jamais vraiment devenir personne pour tous. Quand j'avais demandé à son voisin : « Où est K... ? », il me l'avait désigné aussitôt; K... était bien encore celui-là pour lui.

Maintenant ce nom restait, K... Il flottait sur celui que je revoyais à l'usine. Mais en le regardant au revier, je n'avais pas pu dire : « C'est K... » La mort ne recèle pas tant de mystère.

K... allait mourir cette nuit. Cela voulait dire qu'il n'était pas encore mort; qu'il fallait attendre pour déclarer mort celui que j'avais connu et dont j'avais encore l'image dans la tête et dont son ami avait une autre image encore plus ancienne, il fallait attendre que celui qui était là et que nous ne connaissions ni l'un ni l'autre soit mort.

Cela était arrivé pendant la vie de K... C'était en K... vivant que je n'avais trouvé personne. Parce que je ne retrouvais plus celui que je connaissais, parce qu'il ne me reconnaissait pas, j'avais douté de moi un instant. Et c'était pour m'assurer que j'étais bien encore moi que j'avais regardé les autres, comme pour reprendre respiration.

Comme les figures stables des autres m'avaient rassuré, la mort, le mort K... allait rassurer, refaire l'unité de cet homme. Cependant ceci resterait, qu'entre celui que j'avais connu et le mort K... que nous connaîtrions tous, il y avait eu ce néant.

*

Fin mars. Le vent souffle souvent. La boue de neige fondue sèche dans le camp. Le soleil ne se dégage pas encore, mais il y a dans le ciel un prodigieux travail de nuages, le plafond de l'hiver se désagrège, montre parfois des morceaux de bleu. Les jours s'allongent. Avec les craquements dans le ciel, un étirement se fait dans les bois. Le camp et les baraques sortent de la neige, de la boue et du brouillard.

Nous ne sommes plus traqués. On ne tremble plus, on peut se parler dehors sans frissonner, on peut articuler les mots, on a même le temps de s'arrêter entre les phrases, on ne se presse plus en parlant, on peut rester dehors pour rien ; on peut redresser les épaules, respirer à fond, décoller les bras du corps, regarder le ciel, marcher calmement. On peut ne plus retarder d'un ou deux jours le moment d'aller aux chiottes dehors. On peut y aller, se déculotter sans trembler et s'attarder dans le vent tiède qui court sur la peau.

On ne dit pas « c'est le printemps », on ne dit rien. On pense que puisqu'il ne fait plus froid on a peut-être moins de chances de mourir. On est surpris de cette tiédeur qui est venue d'un coup, comme si l'air avait renoncé à mordre, s'était lassé. Comme si une vraie nature s'était autorisée à renaître, comme si les SS s'étaient mis à bâiller devant nous puis s'étaient endormis, nous avaient oubliés. Car l'hiver était SS, le vent, la neige étaient SS. Une prison s'est ouverte.

Le premier jour qu'il a fait tiède et qu'on a senti que de ce côté-là il n'y avait plus à craindre, j'ai cru qu'on allait manger. Ce fut très passager, mais puisque le corps n'était plus martyrisé par le froid, puisqu'il était tranquille quand on ne lui tapait pas dessus, c'était que quelque chose arrivait, quelque chose d'extraordinaire, c'était peut-être qu'on allait manger.

Mais le printemps nous trahira bien plus que l'hiver. On aura faim avec la lumière, avec la tiédeur de l'air dans la bouche. On maigrira, on séchera avec les parfums des bois dans le nez. Des oiseaux chanteront au rassemblement du matin. Les anthrax grossiront. Les bois seront verts sous les yeux des moribonds.

Les Russes sont toujours autour de Breslau, mais des colonnes avancent dans le Nord, vers Berlin. Les Américains ont franchi le Rhin.

À l'usine, on achève la construction d'une carlingue mais on n'en prépare pas d'autres. Les pièces n'arrivent plus. Le plan de construction est arrêté.

Pendant quelques jours, les copains ont erré autour de leurs établis, en faisant semblant de travailler. Par la suite, on en a groupé beaucoup dans la *Transportkolonne*[1] : ils font des corvées (déménagements de bureaux d'abord, démontage des formes des carlingues).

Le directeur se promène souvent dans l'usine et quand il arrive les meister font semblant de s'affairer à leur atelier. Le directeur voudrait que ce soit encore une usine, mais ce n'est plus une usine. Les meister Pieds-Plats, Bortlick et les autres voudraient encore commander du travail, mais il n'y a plus de travail. Le compresseur fonctionne encore pour river la dernière carlingue, mais le bruit reste creux, il ne prend pas ; le compresseur vibre dans le désert.

Le directeur cependant observe de près la carlingue et pose des questions au meister responsable qui semble se réveiller. Deux autres dans un coin regardent une petite carte.

Le directeur engueule des copains qui restent les bras ballants devant un établi : *Arbeit ! Arbeit !* Mais, comme le bruit du compresseur, *Arbeit !* sonne dans le désert.

Les copains, pour ne pas recevoir de coups, voudraient

1. Kommando de travail.

bien trouver du travail, ne pas rester les bras ballants. Mais il n'y a de travail pour personne. Ce n'est plus une usine. La défaite y est entrée. C'est comme si les Russes étaient derrière la colline. Pourtant, il faut que ça reste une usine.

Il faut que tous ici soient occupés à faire quelque chose. Alors le directeur convoque les meister dans son bureau. Quand ils en reviennent, ils ne font aucune déclaration, mais quelques-uns se mettent aussitôt à gueuler : *Arbeit, Arbeit, los !* Ils tombent à trois sur un type qui avait les mains dans les poches. C'est lui qui prend le premier, *parce qu'il n'y a pas de travail.*

Ceux-là ont été dopés. Le directeur leur a sans doute dit que la guerre n'était pas perdue, qu'il y avait des lignes de résistance. Et les armes secrètes. Les mots qui commençaient à s'user se sont relevés, ont encore ronflé dans leur tête. Et *arbeit* ronfle aussi à nouveau. Mais il n'y a rien à faire. Il n'y a pas plus de travail pour eux qu'il n'y a de pain pour nous. Ils ne peuvent pas davantage créer la chose à travailler que nous ne pouvons créer celle à manger.

Maintenant nous devons être tout à fait intolérables. Jusque-là, dans l'usine, nous avions été mobilisés, mangés par la carlingue. Jamais indépendants du dural, choses à travailler le dural, nous ne formions jamais que le couple häftling-compresseur, couple häftling-marteau, couple muet. Notre voix, nos bruits permis, c'était celui du compresseur, celui du marteau de bois. On nous parlait parfois, seulement en raison de la carlingue. Elle nous protégeait, au fond, nous camouflait.

Il n'y a plus de carlingue, on est à découvert, dans l'usine comme dans un *no man's land,* on est égarés. Il faut s'accrocher à quelque chose, faire semblant, trouver un nouveau camouflage. Si nous ne travaillons plus, nous devons être à tuer. Nous ne pouvons pas continuer d'exister comme ça, les bras ballants. Nous sommes servants des pierres, épaules à poutres, mains à marteaux, et si les pierres, les poutres et les marteaux se dérobent, le scandale éclate, nous sommes sans raison d'être, sans excuse, nous empoisonnons l'usine.

Mais cette peste sans excuse que nous sommes, à leur tour les a contaminés. Ils ne peuvent plus nous trouver de travail. Ils ne peuvent même plus s'en trouver. Notre victoire approche et elle est affreuse. Eux-mêmes ils ont contracté notre mal.

Leurs cris, leur colère, ne peuvent pas étouffer ce scandale qui ressurgit chaque fois qu'un meister s'approche d'un camarade. Meister et détenu ont un instant l'air aussi désœuvré l'un que l'autre. Et ces civils ne peuvent pas nous tuer. Ce sont les SS qui disposent de nous. Ils ne peuvent rien faire ; ils sont dépassés.

Pieds-Plats vit un drame. Il a gardé sa figure rouge. Il marche à travers l'usine, imposant, le ventre en avant. Ce matin-là, il est resté un long moment à rêver devant la carlingue qui s'achève, puis il a rôdé autour d'elle. Il a fini par s'en détacher et il est allé à son établi. Je n'étais pas loin de lui. Pour faire quelque chose, je nivelais à la lime ma masse de bois. Je n'ai pas cessé de le regarder. C'était à mon tour de le guetter.

Il est encore resté un moment immobile devant son établi, puis il a desserré son étau. Le compresseur s'était interrompu. Les autres meister causaient par groupes de deux ou trois. Pieds-Plats les a regardés les uns après les autres puis s'est retourné vers son établi comme s'il se sentait surveillé. Je le regardais de biais, sans tourner la tête. Il a ouvert le tiroir de l'établi et en a sorti un morceau de fer, un déchet. Son morceau de fer dans la main, il a regardé de nouveau les autres meister qui bavardaient ; sa figure était sombre, plus dure que quand il frappait. Il a mis le morceau de fer dans l'étau. Il a ensuite resserré l'étau. Les autres bavardaient toujours. Il a pris une lime et s'est mis à gratter le morceau de fer comme moi. Aucun doute : il avait entrepris de vaincre l'impossible. Il voulait qu'il y eût encore une usine, du travail ; et encore avoir à crier *Arbeit, Arbeit !*

Je me suis arrêté de limer et je me suis tourné vers lui. Penché sur l'étau, Pieds-Plats grattait le fer lourdement. Sa figure restait butée. Il limait. Il travaillait.

Pas de bruit de travail dans l'usine. Des types erraient. Seul de tous les civils, Pieds-Plats acharné à son étau travaillait.

Mais ce dopage ne lui suffisait pas encore. J'ai posé ma lime, j'ai pris une caisse pour ne pas avoir les mains libres et j'ai quitté mon établi ; je suis passé derrière Pieds-Plats, assez près de lui. En limant, il fredonnait, déformé par le rythme de ses gestes, le *Deutchland über alles*.

*

Le Rhénan se promène lui aussi dans l'usine; le chapeau mou légèrement rejeté en arrière, il marche lentement. Parfois il s'arrête, met les mains aux hanches et regarde le hall. Il n'a pas une allure différente de celle qu'on lui a connue la première fois qu'on l'a vu.

Quelques copains sont penchés sur leur étau. Ils martèlent, liment n'importe quoi, bavardent tout en surveillant.

Le Rhénan s'est approché d'un établi. Les deux copains de l'établi ne savent rien de lui. Un civil entre les civils. Ils cessent de parler, ne font plus que limer. Le Rhénan est tout près d'eux, immobile. Les copains l'observent en dessous, comme les autres. Lui les regarde comme il nous regardait au magasin : les mains sur l'étau, le zébré; ses yeux descendent le long du vêtement mauve jusqu'aux pieds. Les deux copains attendent une parole. Ils sont le mal comme d'habitude et sont en faute comme d'habitude. Ils ne peuvent pas se retourner, lui faire face. Ils ont dans le dos un civil dont le regard est une menace qui grandit à mesure qu'il se prolonge. Il faudrait qu'il leur dise à voix basse *egal* ou *langsam*. Ils se retourneraient alors et ils le verraient. Mais le Rhénan n'y pense pas, il ne dit rien, il regarde. Il semble avoir oublié aujourd'hui qu'on ne peut pas deviner ce qu'il est, qu'il ne peut qu'apparaître menaçant. Il continue sa promenade. À sa façon de s'en aller, à cette lenteur dans la marche, les deux copains pourraient saisir qu'entre lui et eux une chose n'est pas claire. Le danger a fondu étrangement. Les dos rassurés se détendent plus librement que lorsque c'est Pieds-Plats ou le directeur qui sont passés, comme s'ils s'apercevaient que la peur qu'ils viennent d'avoir avait été à demi sans raison. Mais cela reste très vague. Ici, le veston, le chapeau sont depuis longtemps des signes redoutables.

L'autre jour, je surveillais de loin le coffre d'épluchures qui est à côté de la cantine SS. J'allais m'y risquer quand j'ai aperçu un homme en veste noire qui rôdait près de la baraque. Je le distinguais mal. Peut-être était-ce un civil, peut-être un de ces détenus polonais qui ne sont pas en zébré. J'ai fini par repérer dans le dos de la veste une croix au minium. Alors j'y suis allé.

On ne peut rien attendre d'un homme en veste qui ne

porte pas la tache rouge. Ou bien il faut qu'il se déclare. Ici, ce qu'il y a d'humain ne peut être tacite.

*

Il y a quelques Polonais qui craignent manifestement l'avance russe. Ils aimeraient que les armées qui viennent de l'Ouest aillent un peu plus vite. Quand les copains leur demandent s'il est vrai que l'Armée rouge a dépassé Francfort-sur-l'Oder, ils haussent les épaules et sourient. Ils disent qu'il y en a encore pour six mois au moins. Ils se font engueuler et traiter de Boches par les copains.

Les Russes au contraire répondent comme on le souhaite à toutes les questions. Alors on tape sur l'épaule des Russes. *Gut, Rusky ! Gut, Rusky !* Les Russes répondent : *Ja, ja !* en rigolant, et les copains les quittent rassurés.

Je suis passé près d'un copain qui est à son établi. Sans se retourner, penché sur l'étau, il demande entre les dents : « Quoi de nouveau ? » Peu importe que les nouvelles que l'on a à donner soient anciennes. Il veut l'entendre répéter. « C'est sûr qu'ils sont à 60 kilomètres de Berlin ? »

— Oui, c'est sûr.

— Qui te l'a dit ? demande le copain.

Il ne faut jamais demander les sources des nouvelles.

— Quoi, tout le monde le sait !

Il n'est pas plus avancé. Il répète :

— Alors, c'est sûr ?

— C'est sûr.

Et il fait *oui* lui aussi de la tête. Il s'assure, il fait rentrer la nouvelle ou le bobard en lui, lentement il l'avale.

Là-dessus un autre arrive. Groupe de trois. Au milieu, le type devant son étau et de chaque côté un type, un morceau de fer à la main. On se montre le fer, on prend le marteau, on baisse la tête et on parle entre les dents. Celui qui est à sa place sent qu'on est trois. Ça devient dangereux ; il surveille rapidement, il ne sait que choisir.

— Ne restez pas là, vous allez dérouiller ! dit-il.

Mais quand même il veut encore savoir :

— C'est vrai qu'ils sont à 60 kilomètres de Berlin ? demande-t-il à celui qui vient d'arriver.

— Non... enfin ce n'est pas sûr.

Je lui demande :

— Pourquoi ?

— Je viens d'avoir le communiqué allemand.

Celui de l'établi, qui doutait quand je suis arrivé, le rembarre :

— Il est en retard de 36 heures, ton communiqué !

— Je ne crois plus que le communiqué allemand ! répond l'autre.

Le type à l'étau ne répond pas. Il réfléchit puis, s'adressant à moi :

— Qui t'a dit, toi, qu'ils étaient à 60 kilomètres de Berlin ?

— Je te l'ai dit : tout le monde le sait. C'est sûr.

Le type au communiqué hausse les épaules ; l'homme à l'étau est désemparé.

— Merde, je ne veux plus rien croire ! dit-il.

Il y a un silence. On ne peut rien prouver.

Un quatrième passe très vite, il a l'air excité ; il lâche au passage :

— Ils sont à 60 kilomètres de Berlin !

Le type à l'étau immédiatement réveillé lui demande au vol :

— Qui te l'a dit ?

Mais l'autre est passé.

— C'est moi, dis-je.

Le copain à l'étau ne dit plus rien. La nouvelle ou le bobard tourne en rond. On ne peut pas crever le cercle. « Qui te l'a dit ? Qui te l'a dit ? » Si je lui dis que c'est un Polonais ou un Russe, il me demandera : « Comment le sait-il ? » et, si je lui dis que c'est un civil du magasin qui le leur a dit, il demandera : « Est-ce bien lui qui écoute la radio ? » ou « Mais est-ce que l'autre comprend seulement l'allemand ? » Et, si je le rassure, il y aura le copain au communiqué, à côté, qui niera. Le copain à l'étau voudrait lire, entendre, voir. Il voudrait que, dans la langue allemande, en caractères gothiques, sur un journal, un bon copain, qu'il croirait, en lui montrant la ligne et les mots, lui traduise : « Nous sommes foutus, la guerre est finie. »

Le copain à l'étau, hier c'était moi, ce sera moi tout à l'heure.

*

Dans la chambre, ce soir, on vient de manger les patates. La lumière éclaire mal ; je suis assis sur le lit de Francis, à côté de lui. Les coudes appuyés sur les genoux, je tiens encore entre les mains la gamelle vide ; Francis aussi. Francis a un petit bonnet sur le crâne, il ne le quitte pas. Il a une barbe noire de quelques jours. Sa figure ne fait que des angles. Il a faim, mais c'est toujours la même chose le soir : les patates diminuent, on coupe des tranches de plus en plus petites, il y en a moins, puis encore moins, puis, c'est la dernière tranche.

Des odeurs de pommes sautées viennent de la cagna du chef de block et des stubendienst ; l'odeur et les rires passent par-dessus la cloison et descendent dans la chambre aux gamelles vides. On saisit des mots ; ils parlent de femmes, de soupe : « Elle était belle... », « gamelle pleine... », « on est allés dans une chambre... », « elle était chaude... » Les mots, les rires tombent dans les gamelles vides, sur les têtes à angles, ils glissent entre les cuisses décharnées, silencieuses.

La voix de Lucien, grasse ; paroles d'une bouche pleine qui ne respecte plus la nourriture.

La chambrée est pleine de l'odeur lourde des patates, dense comme un gaz.

— Vous sentez, messieurs ? dit Félix, d'une voix forte.

Personne ne répond.

Derrière la cloison, les rires se sont modérés. Il reste l'odeur et encore un bruit de friture.

— Ils se remplissent le ventre, les enculés ! reprend Félix à voix plus basse.

On réagit derrière la cloison.

— Fais attention à toi, Félix !

— Quand tu voudras ! crie Félix, qui se promène dans l'allée et cherche une approbation des copains.

Il faudrait se boucher le nez, se murer. On ne bouge pas, on ne casse rien, on ne gueule pas. Si on entrait dans la cagna, si on prenait tout ce qu'il y a, il n'y en aurait pas pour tout le monde. La part qui est là ne peut être que celle de quelques-uns. Ceux qui sont derrière la cloison ont fait ce qu'il fallait pour être ces quelques-uns. La chair, la graisse qu'ils ont sur les os oblige le chef de block espagnol à foutre des coups aux copains qui ne sont pas au garde-à-vous à l'appel quand le SS passe ; Lucien, à trafiquer l'or de la bouche des copains morts, à dénoncer les copains qui ne travaillent pas, à rire quand Fritz cogne.

J'ai posé ma gamelle vide sur le lit, et je suis sorti de la chambre. Francis, lui, s'est allongé sur la paillasse.

La porte qui donne de l'antichambre sur la place est ouverte ; il fait presque nuit. Un copain s'approche, il pisse dans le seau qui est installé pour la nuit près de la porte. On entend le jet qui tombe dans le seau.

— Ça va ? demande le copain qui pisse.

— Ça va.

C'est la question qu'on pose en général en pissant. Quand il a eu fini de pisser, il s'est approché de moi. Je lui demande le premier :

— Tu crois qu'il y en a pour longtemps ?

— Je ne sais pas.

J'ai posé la question sans y penser. S'il avait répondu « non », ou s'il avait questionné et moi répondu, question et réponse n'auraient pas eu plus d'intérêt que son « Ça va ? » quand il pissait.

Il regarde la place déserte. Il est grand, ce copain, il s'arrange comme il peut avec sa faim. Il écoute, il répond, il questionne et répète ce qui se dit. Il souffre. Il est simple. Il dit : « Ce sont tous des salauds ! » Il ne sait pas qu'on ne veut pas qu'il soit un homme.

Il demande à son tour, la tête penchée en avant :

— Il paraît qu'ils avancent. Tu n'as pas de tuyau ?

— Non, mais je crois que ça va.

Alors, il reprend :

— Tu crois qu'il y en a pour longtemps ?

Pourquoi me demande-t-il cela à moi ? Je ne crois pas qu'il y en a pour longtemps, mais je lui posais la question il y a une minute, et j'ai l'odeur de ces patates dans le nez, et ce soir il n'y aura rien de nouveau, et demain non plus.

Le copain est parti. Tout est silencieux. On n'entend plus dans la nuit que la voix des sentinelles. Je n'ai pas à me cacher, personne maintenant ne me voit, ne me cherche, ne me poursuit. Ils ont à manger, puis à dormir. Pourquoi ne pas rester là ? On est moins pressé qu'autrefois, à l'église. Il fait tiède, on peut s'appuyer contre la porte et ne pas bouger. On regarde la cuisine, le mince trait de lumière dans le bas de la porte ; ils se sont enfermés pour manger

Une ombre sort de la baraque du lagerältester, une lanterne à la main. C'est le kapo polonais. Il longe la baraque. Il frappe à la porte de la cuisine. Elle s'ouvre. On ne le chasse pas. Il va aussi manger dans la cuisine : une gamelle de patates. Il a encore faim : une autre gamelle. Il choisit les patates. Un litre de sauce. Il les pèle ; elles sont propres. Il mélange les patates coupées en tranches avec la sauce. Il mange. Puis il s'arrête, parce qu'il n'a plus faim. Il en restait encore, mais il n'a plus faim. C'est cela que signifie le trait de lumière au bas de la porte.

On n'est pas pressé, sans doute, mais on ne peut pas rester là. Seul, dans le noir, tout ressurgit encore. La voie ferrée, le bois vers l'ouest, puis la route, le désert de la place, la nuit qui nous ferait rentrer dans le monde. Il faut retourner dans la chambrée où ça sent les patates sautées. Il ne faut pas rentrer dans le monde des maisons et des routes. Il ne faut pas non plus trop sentir les parfums du vent.

Le monde des maisons se cache ; il ne faut pas le chercher.

*

Sept heures du soir. Il fait encore jour à l'appel. Le carré des détenus est sur la place. Le blockführer SS est au milieu, grand, blond, la casquette à tête de mort sur les yeux. Les jambes écartées et tendues, il se tapote la cuisse avec sa cravache. Paul, le lagerältester, se tient à distance. Les quatre kapos allemands sont alignés, dans un coin de la place, séparés des détenus. La règle veut qu'à l'appel ils soient alignés eux aussi ; mais on ne les appelle pas.

À côté du SS, au milieu de la place, il y a un petit tabouret.

Le SS tapote sa cuisse et regarde autour de lui. Le carré est silencieux. On fixe le tabouret.

— *Das klein Franzose !* appelle le SS.

Les Russes, les Italiens, les Polonais regardent vers nous. Personne ne bouge.

— *Das klein Franzose !* répète le SS plus fortement.

— *Los ?* crie Paul, le lagerältester.

Lucien intervient :

— Le petit Français, nom de Dieu !

X... sort du rang. Il est petit; il a à peine vingt ans; il est brun, il porte un chiffon gris autour du cou; sa tête semble paralysée.

— *Los !* crie le SS immobile.

— Grouille-toi, nom de Dieu ! reprend Lucien.

X... avance vers le SS. Quand il arrive près de lui, il enlève son calot. Le crâne est gris. X... est minuscule devant le blockführer. Le SS lui montre le tabouret. X... s'approche du tabouret. Le SS le prend par la nuque, dégoûté, et le fait plier la tête en bas.

X... est maintenant couché, le ventre sur le tabouret, la tête pendante. Le SS a pris sa cravache dans la main droite. On ne voit que le petit cul de X... relevé, tache mauve. Le SS est immense.

— *Zaehlen !* crie le SS.

— Compte ! gueule Lucien.

Le SS prend son élan ; ça tombe.

— Un ! crie X... Deueux...

Il ne peut pas arrêter son cri. Son cul saute sous les coups. Le SS reprend son élan.

— Troââ...

Elle retombe.

— Quaaatre !

Il hurle maintenant. Il ne tiendra pas jusqu'à 25. Le carré ne bouge pas, Fritz et le gros kapo Ernst sourient quand X... crie.

Le cinquième est tombé. Le sixième, X... ne l'a pas compté.

— *Zaehlen !* crie le SS, la cravache en l'air.

Le corps de X... s'est affaissé. La cravache retombe. X... ne bouge plus. Le SS frappe encore ; ça fait un claquement dans le silence. X... ne réagit plus, il reste suspendu, le ventre sur le tabouret, immobile.

Le SS s'arrête, il fait un signe vers nous. Deux copains vont ramasser X... évanoui.

Ils le prennent sous les bras et le ramènent. Ses pieds traînent, sa figure renversée en arrière est blanche et ballotte. On le rentre dans le block.

X... était très faible. Félix avait fait passer au SS de la cuisine l'or qu'il avait dans la bouche. En échange, il avait touché du pain et des patates en plus. Félix avait pu manger ainsi pendant un mois. Il avait grossi.

Félix ne couchait pas loin du poêle. Le soir, en se couchant, il restait étendu sur sa paillasse, couvert simplement de sa chemise. Il avait des cuisses presque normales et propres. Il ramenait sa chemise autour de son sexe, qu'il enfermait avec soin. Il restait parfois ainsi, les cuisses à l'air, un bon moment, il s'étirait, il enfermait un peu plus soigneusement son sexe, il caressait ses cuisses. Quelquefois, il passait ses deux mains sur son sexe et il observait autour de lui.

Le petit X... ne couchait pas loin de Félix.

Quand il étalait ainsi ses cuisses à l'air et se les caressait, c'était surtout vers X... qu'il tournait ses regards. Parfois il bâillait. Depuis longtemps, personne ne bâillait plus.

La nuit, quand on allait pisser, on le rencontrait quelquefois en chemise et on voyait ses cuisses et son sexe. Le matin, en se réveillant, il lui arrivait de rigoler en disant :

— Merde, qu'est-ce que je me suis mis en dormant... J'en suis plein !

Les copains avaient regardé Félix d'abord avec étonnement, puis avec haine à cause de ces cuisses, à cause des patates qu'il planquait entre la paillasse et le montant de son lit.

X..., qui avait très faim et était devenu très faible, avait repéré le pain et les patates de Félix. Félix, de son côté, avait repéré X...

Un soir, Félix mangeait son rab de pain et des patates. X..., qui avait fini les siennes, le regardait manger. Il s'est approché de sa paillasse. Il n'a rien demandé. Félix l'a regardé et lui a donné une patate. Il lui a dit qu'il fallait qu'il se défende pour bouffer. Le petit mangeait sa patate et approuvait de la tête. Félix parlait entre les dents. Il était tard, la plupart des copains dormaient.

Félix a donné une autre patate au petit puis il a caressé son cou sale. Le petit s'est cabré, mais Félix a maintenu sa main sur le cou et, de l'autre, lui a donné encore une patate. Le petit l'a prise et n'a pas bougé. Félix a répété au petit qu'il fallait qu'il bouffe s'il voulait s'en tirer et que, lui, il le ferait bouffer. Le petit sentait mauvais, il avait des poux. Il avait aussi des furoncles sur le cou. Il continuait à manger.

Félix a abandonné le cou du petit et a coupé un morceau de pain qu'il a tendu. L'autre l'a pris. Félix s'est légèrement déplacé sur sa paillasse et il a dit au petit de s'asseoir. X... s'est assis et Félix lui a dit que quand il avait faim il n'avait qu'à le lui dire.

Le petit a commencé à couper son pain avec le couteau. Il ne répondait pas à ce que disait Félix ; simplement il hochait la tête. Puis Félix a posé sa main sur le crâne du petit qui achevait son pain.

Félix l'a tiré vers lui ; le petit résistait. Félix lui a dit entre les dents : « Je te ferai bouffer ! » Le petit ne voulait pas, et Félix répétait : « Tu ne veux pas bouffer ? Tu ne veux pas bouffer ? »

Le petit ne répondait pas. Félix le tenait contre lui.

Dans la nuit le bruit a réveillé les types.

Le matin, Félix, et X... ont été dénoncés à Paul par un Français droit commun. Et Paul, qui couchait lui-même avec l'ancien stubendienst français, l'a dit aux SS.

Le soir, X... recevait les coups sur le tabouret. Le matin, quelques heures après la dénonciation, Félix lui-même avait été pris en main par Fritz et le lagerpolitzei. Ils l'ont emmené à la salle d'étuvage à côté de la cuisine, et ils ont commencé à taper dessus.

Ils l'ont fait ensuite se déshabiller. Pendant un quart d'heure, Fritz a dirigé un jet d'eau glacée sur le cœur de Félix. Fritz le traitait de *Bandit, Schwein Franzose*. De temps en temps, il écartait le jet, et le politzei y allait à coups de pied dans les tibias. Puis Fritz recommençait avec le jet. Félix ne bougeait pas, mais il gueulait : « Vous l'avez dans le cul, salauds, enculés ! » Alors, le politzei relayait Fritz à grands coups de poings dans la figure et dans les côtes.

Félix ne pouvait pas frapper. Il ne voulait pas être pendu. Il gueulait : « Bande de vaches ! Assassins ! Je vous emmerde, je vous emmerde, nom de Dieu, je vous emmerde ! » Il hurlait. Contre le jet et les coups, il n'avait que le génie de sa langue. « Bande de salauds, vous serez baisés ! » Félix draguait tout ce qu'il savait d'injures ; toutes les combinaisons de mots pour fabriquer l'injure la plus lourde pour répondre au jet d'eau, il les tentait. Il ne pouvait résister qu'en injuriant. Fritz et le lagerpolitzei aussi gueulaient.

Le laveur roumain qui s'était engagé dans les Waffen SS mais qui ne devait d'ailleurs pas avoir le temps de partir était dans un coin de la salle d'étuvage et faisait sauter des patates avec de la margarine. Il s'était assis sur un tabouret, il souriait, du même sourire que lorsqu'il se préparait à dénoncer les copains qui avaient volé des patates au silo et les faisaient cuire dans le poêle. Il regardait. Maintenant qu'il était passé chez les SS, il admirait encore plus la force de Fritz et du politzei. Il avait définitivement abandonné le côté des types qui étaient assez minables pour se faire matraquer ainsi. Il était content d'avoir choisi. Il n'avait plus à encourir la méfiance des maîtres. Il était du côté du bien. Les coups que recevaient les types durcissaient définitivement cette conscience d'être dans le bien. On ne peut pas recevoir des coups et avoir raison, être sale, bouffer des épluchures et avoir raison.

Fritz et le politzei voulaient tuer Félix. C'est pour cela qu'ils avaient choisi le jet d'eau sur le cœur. Ils auraient pu choisir la pendaison ou le coup de matraque décisif, mais les SS n'avaient pas décidé d'une exécution solennelle. Ils avaient simplement dit aux kapos de s'occuper de Félix.

Cela faisait plusieurs fois que Félix avait été repéré, mais Fritz n'avait pas encore pu le coincer pour de bon.

Félix avait mangé, il ne mourrait pas sous le jet. Nu, ce n'était pas un squelette. Il avait violé le petit, il en avait eu la force. Cela lui valait maintenant la douche. La même force le suivait; grâce à elle, il résistait au jet. Il se courbait, essayait de l'éviter, pendant que les deux autres le bourraient de coups. Cependant il n'a pas tenu jusqu'au bout, il s'est évanoui.

Fritz et le politzei ont tapé dedans avec les pieds, et, au bout d'un moment, Félix a remué. Ils ont redoublé les coups et il s'est levé. Ils l'ont fait se rhabiller puis ils l'ont emmené dehors. Sur le chemin qui va de la place du camp à l'usine, il y avait des pierres à charrier.

Félix n'était pas mort, et l'affaire ne pouvait pas se terminer ainsi. On pouvait encore frapper, faire beaucoup de choses avec lui. Par exemple, il y avait les pierres. Ils le faisaient marcher devant eux. Lui balançait le corps, comme ivre, la tête pendante. C'était le politzei qui gueulait le plus, par bordées d'une colère toute faite et chronique. Fritz, lui, cognait. Il ne se lassait pas. Il pouvait toujours frapper un coup de plus. On ne connaissait pas ses limites, parce qu'on ne lui connaissait pas de colère.

Devant un tas de pierres, ils se sont arrêtés et ont obligé Félix à soulever la plus grosse. Félix s'est penché, a pris la pierre et l'a soulevée difficilement jusqu'à la ceinture. Il restait immobile avec son bloc suspendu dans les bras ; il ne disait rien, il ne les insultait plus. Alors Fritz lui a ordonné de soulever la pierre à bout de bras au-dessus de la tête.

Félix a hésité, mais le politzei est passé derrière lui et lui a foutu un coup de pied dans les reins. Félix est parti en avant, mais il a gardé le bloc dans les mains.

— Soulève, dit Fritz, *los !*

Et il lui tapait sur le crâne avec la baguette.

Félix a essayé de soulever le bloc. Lorsqu'il l'eut élevé à la hauteur de la figure, Fritz l'a violemment poussé en arrière. Félix est tombé, mais la pierre ne l'a pas écrasé. Il est resté par terre. Les deux se sont précipités et ont recommencé à le bourrer de coups. Il se protégeait la tête mais il n'avait plus la force de se relever et de fuir.

Ils avaient pris Félix en main, et la matinée s'écoulait.

Ils rendaient la *justice.* Et on ne cessait pas d'être sous le coup de cette justice en course. Là où était le kapo, elle était. Si on le croisait, simplement, on l'encourait. Quand il ne frappait pas ou ne gueulait pas, on bénéficiait d'un certain sommeil, on le trompait.

Félix s'est relevé, et ils l'ont obligé à charrier des pierres. Ils ne l'ont quitté qu'à la nuit tombée. Le soir, pendant que nous étions à l'appel, Félix continuait à charrier. Il est rentré tard après la soupe. La lumière était encore allumée dans le block.

Le matin, on avait dit que Félix était un salaud parce qu'il avait profité du petit qui crevait de faim. C'était dégueulasse. C'était immonde.

Puis on avait vu Fritz et le politzei l'emmener. On savait que les SS étaient dans l'affaire. On savait ce que Fritz avait fait, comment Félix lui avait répondu, qu'il ne s'était pas dégonflé. On savait que c'était surtout parce qu'il était Français que ces kapos avaient voulu le tuer.

Quand il est rentré, un copain qui était déjà couché l'a appelé ; c'était un politique. Félix est venu près de son lit. Ses paupières tombaient, sa figure était grise et décomposée, sa veste était pleine de terre, il traînait les pieds.

— Qu'est-ce que tu veux? a demandé Félix, d'une voix faible, en le regardant.

Le copain s'est soulevé sur son coude et a répondu :

— Rien.

Et il lui a tendu la main.

*

Vendredi saint. Vers 7 heures, en rentrant de l'usine, quelques copains se sont réunis, ils se sont assis sur les bords de deux lits voisins. Certains parmi eux sont croyants, d'autres non.

Mais c'est le Vendredi saint. Un homme avait accepté la torture et la mort. Un frère. On a parlé de lui.

Un copain avait réussi à récupérer une vieille bible à Buchenwald. Il lit un extrait de l'Évangile.

L'histoire d'un homme, rien que d'un homme, la croix pour un homme, l'histoire d'un seul homme. Il peut parler, et les femmes qui l'aiment sont là. Il n'est pas déguisé, il est beau, en tout cas il a de la chair fraîche sur les os, il n'a pas de poux, il peut dire des choses nouvelles et, si on le nargue, c'est qu'on est tenté du moins de le considérer comme quelqu'un.

Une histoire. Une passion. Au loin, une croix. Faible croix, très loin. Belle histoire.

K... est mort, lui, et on ne l'a pas reconnu.

Des copains sont morts en disant : « Les vaches, les fumiers... »

Les petits Tziganes de Buchenwald asphyxiés comme des rats.

M.-L. A... morte, squelette, rasée.

Toutes les cendres sur la terre d'Auschwitz.

La voix du copain passe. Faible histoire, fluette, belle histoire dérisoire.

Un autre copain – il ne croit pas – parle de la liberté de cet homme. Il avait accepté, dit-il. Jeanneton aussi dans sa cellule à Fresnes avait accepté. Il nous avait dit : « J'ai l'honneur de vous annoncer que je suis condamné à mort. »

Et ici peut-être aussi quelques-uns acceptent, comprennent, trouvent tout ça *régulier*.

Belle histoire du surhomme, ensevelie sous les tonnes de cendres d'Auschwitz. On lui avait permis d'avoir une histoire. Il parlait d'amour, et on l'aimait. Les cheveux sur les pieds, les parfums, le disciple qu'il aimait, la face essuyée...

On ne donne pas les morts à leur mère ici, on tue la mère avec, on mange leur pain, on arrache l'or de leur bouche pour manger plus de pain, on fait du savon avec leur corps. Ou bien on met leur peau sur les abat-jour des femelles SS. Pas de traces de clous sur les abat-jour, seulement des tatouages artistiques.

« Mon Père, pourquoi m'avez-vous... »

Hurlements des enfants que l'on étouffe. Silence des cendres épandues sur une plaine.

*

C'est un dimanche. Il pleut. La place du camp est gluante de boue. La plupart des Français ont travaillé toute la matinée, les uns dans l'usine à démonter des formes de carlingues, d'autres à sortir ces formes aux alentours de la fabrique, d'autres à démonter dehors, sous la pluie, d'autres pièces déjà sorties.

Durant toute la matinée, un civil était là, derrière nous. Il portait un costume sombre ; à son gilet pendait une chaîne de montre en or ; il était coiffé d'un chapeau mou, gris sombre également. Sa figure était grasse, à peine un peu rosâtre comme peut l'être celle d'un homme d'une cinquantaine d'années. Il portait des lunettes cerclées d'or. Il sentait la maison toute proche, la maison du dimanche matin. Il sortait de ce coffret qui contenait sans doute quatre ou cinq coffrets plus petits remplis d'objets doux et d'immenses glaces dans lesquelles il pouvait se regarder de la tête aux pieds et dont il s'était justement servi pour ajuster sa cravate. Il sortait de la peluche, de la laine, du duvet. Enfin, il ne venait pas de changer de vie ; il n'était sous le coup d'aucune révélation sur lui ou sur les autres – on l'avait vu serrer la main fraternellement et en souriant à l'un de ses collègues en arrivant à l'usine. Il n'était même pas furieux d'avoir été obligé de venir à l'usine alors que c'était dimanche – le fait qu'il était venu était le signe qu'il avait des responsabilités importantes et qu'on avait besoin de lui, que même un dimanche matin il n'était pas inutile, que sa vie en somme était bien remplie, et sa conscience devait être satisfaite ; le fait qu'il était venu ce dimanche matin justifierait mieux le repos qu'il allait prendre l'après-midi et lui ferait mieux goûter encore le repas que lui préparait sa femme ; sa venue évitait toute brisure du rythme de sa vie quotidienne, et il appréciait mieux que ce travail qu'il accomplissait durant toute la semaine n'était pas forcément une obligation mais aussi l'objet d'un désir. Enfin, on pouvait sans risquer trop de se tromper penser que cet homme grave était satisfait.

Nous étions dans le hall de l'usine, par groupes de six ou de huit et nous transportions dehors des formes de carlingue. Ces formes étaient constituées par de longues poutres creuses en fer ; elles étaient très lourdes. On les mettait sur l'épaule en trois mouvements que l'on essayait d'exécuter ensemble.

Le civil avait l'aspect d'un homme de bureau. Au début, il était calme. Il nous désignait simplement du doigt la forme à transporter. Pendant les deux premières heures, de huit à dix, il avait commandé le travail et il en avait suivi l'exécution attentivement. On avait donc été obligé de travailler sans arrêt. Sa présence était plus intimidante que menaçante. Nous ne pouvions pas affirmer que nous avions une brute en face de nous ; nous avions un fonctionnaire qui semblait tenir à ce que le travail fût exécuté sans aucun retard par les machines qu'il avait à sa disposition. Il semblait s'intéresser plus au travail qui se faisait qu'à notre travail. Nous pouvions penser que cet homme qui ne criait pas mais ne nous laissait pas de répit était en quelque sorte possédé par le travail qu'il était nécessaire de faire et ne nous voyait pas ; il était préférable pour nous de ne pas le réveiller.

Or, vers le milieu de la matinée, comme nous nous apprêtions à soulever une poutre en fer, pas plus lentement que nous ne l'avions fait jusque-là, il se précipita brusquement sur le camarade qui était le plus près de lui et lui flanqua deux grands coups de pied qui arrivèrent dans les reins du copain, et il se mit à gueuler en rougissant. Le copain se releva et s'écarta. Le civil ne le poursuivit pas. Ses lunettes avaient légèrement glissé, son visage était écarlate. Il était grotesque. Il n'était pas habitué à donner des coups de pied, il était grotesque comme il peut arriver à un civil de l'être lorsqu'il enfreint la limite des gestes que lui assigne son costume ; grotesque comme un homme habillé de noir avec un col cassé qui jouerait au ballon sur une plage au milieu de corps nus ; grotesque comme un civil qui voudrait jouer à l'athlète. Il avait voulu jouer au SS avec nous. On ne peut pas savoir si ses deux premiers coups de pied lui coûtèrent, mais ce qui est sûr c'est qu'il y prit goût. Si l'on marchait un peu trop lentement en revenant de poser la poutre dehors, il se précipitait en sautillant, prenait son élan et nous tapait dans le cul ou dans les reins en gueulant. Mais il tapait si maladroitement qu'il semblait surmonter une peur. Il se sentait sans doute lui aussi un héros, mais pas simplement comme bon citoyen ; un héros d'avoir franchi la barrière de son corps, de s'être exhibé, d'avoir exercé personnellement sa puissance.

À côté de la haine – des bouffées terribles et comme des aiguilles qui vous piquaient le corps – que l'on s'était mis à éprouver contre lui, il nous semblait que celle que nous avions des SS était devenue momentanément abstraite. Parce qu'il était, lui, apparemment le contraire d'un SS. Parce qu'il n'était pas apparemment de cette espèce qui devait exclure la nôtre, il n'était pas SS. Parce qu'il ne recevait pas les ordres que recevaient les SS. C'était un amateur, un timide aussi, qui, après deux heures de macération silencieuse, avait fini pas oser y goûter. C'était un nazi puceau. Les SS du moins étaient obligés de vivre avec nous ; ils ne portaient pas ce vêtement de chapelain, ils portaient la tête de mort.

Lui, tout à l'heure, allait se mettre à table avec sa femme, ses enfants, et il raconterait peut-être sa sortie, son fait d'homme. Nous lui avions servi à se dépuceler de cette espèce de forme inoffensive à lunettes d'or.

Maintenant, le maquillage apparent de toutes les choses dans la campagne, qui nous avait été si sensible au cours du transport de Buchenwald, devenait provocant. Le mensonge de l'honorabilité de cet homme, le mensonge de sa face pateline et de sa civile maison étaient horribles. La révélation de la fureur des SS qui se déployait en toute tranquillité ne soulevait peut-être pas autant de haine que le mensonge de cette bourgeoisie nazie qui entretenait cette fureur, la calfeutrait, la nourrissait de son sang, de ses « valeurs ».

Nous sommes rentrés au block à midi, et, comme chaque dimanche, nous avons touché la soupe vers midi et demi. La place du camp était couverte d'une épaisse couche de boue. Devant notre block, il y avait de larges flaques d'eau jaunâtre. Pour aller aux chiottes qui se trouvaient au pied du talus de la voie ferrée, on pataugeait jusqu'à mi-chevilles et on glissait. Il en était de même pour aller à la cuisine. Ce qui restait de nos chaussures était tellement mal ajusté à la cheville – parfois simplement grâce à des morceaux de fil de fer qu'on faisait passer sous la semelle – qu'en essayant de les décoller la base du soulier restait parfois dans la boue.

Il ne faisait donc pas froid, mais nous ne pouvions pas rester dehors. Nous étions une fois de plus embarqués dans l'après-midi du dimanche. On y voyait mal dans le block tant le ciel était sombre. Autour du poêle que l'on n'allumait plus que le dimanche, il y avait comme chaque semaine ceux qui faisaient griller ou bouillir les épluchures. D'autres étaient étendus sur leur paillasse, enroulés dans une couverture. D'autres allaient et venaient dans l'allée du block dont le plancher était recouvert d'une mince couche de boue noirâtre. Ainsi, cet après-midi aurait pu s'enfoncer lentement dans la nuit, aussi lourd que la plupart des après-midi de dimanche, aussi long à passer et aussi passager.

Chacun aurait pu essayer, seul, de remplir les heures grâce au sommeil. Ou bien on aurait pu se risquer – comme on l'avait fait bien des fois – à poser un pied dans le passé. Des images d'une richesse insondable nous auraient une fois de plus fascinés et précipités sur d'autres images à la vue aussi insoutenable, comme dans une galerie de miroirs flamboyants. Ayant cédé à ce vice de croire tout possible, chacun aurait pu se risquer à sombrer, à cause d'un mot quelconque du passé, qui aurait grossi, grossi et serait devenu lourd comme une pierre au cou. Puis les yeux se seraient ouverts sur cet après-midi ici, dans ce carré d'espace, dans ce block posé dans ce carré d'espace. Les copains se seraient de nouveau découpés en rayé dans cet espace. Le temps de la guerre se serait figé brutalement dans cet après-midi qui lui-même ne cessait pas de fondre et de noircir. Et l'on aurait retrouvé la faim, la vraie. Et l'on aurait pu penser que c'était eux, là-bas, qui étaient séparés de la faim par une distance, la même, notre distance, et que leurs yeux aussi devaient s'ouvrir sur un carré d'espace figé.

Penser enfin que c'était bien le chemin de notre vie, cet après-midi. Ce qu'il pouvait y avoir de plus sérieux, de plus vrai dans notre vie et qui à ce moment-là ne pouvait être échangé contre rien et ne cessait pourtant pas de fuir, de glisser, de se muer. Ce que l'on appelait de haut la guerre ; ce qui pouvait s'appeler la patience. Le courage. La faiblesse. L'amour.

On aurait donc pu, ce dimanche-là, se forcer ou s'abandonner à être seul. Provoquer ou consentir à cette hémorragie pour remplir cette distance de soi à une autre sorte de soi – le même homme – à cette sorte de petit dieu souriant ou luxueusement triste, écouté, capricieux, adoré ou haï, mais haï ridiculement par d'autres petits dieux ne sachant pas haïr, ou mal aimé mais consolé. Et l'on se serait retrouvé, comme chaque fois, pantelant, avec ses propres genoux déjà énormes, avec la poche vide dans le corps. De là on aurait commencé à remonter le chemin. On se serait affirmé une fois de plus que la vérité passait par ici, que c'était bien là la seule voie qui s'offrait de la vie possible et ceux qui croyaient devaient eux aussi reconnaître que leur Providence empruntait cette voie. On n'aurait plus senti alors l'autre petit dieu que comme falsifié, ridicule. Et l'on aurait enfin retrouvé les copains qui sont ici, comme les plus vrais hommes de notre moment, pour finalement bien croire que l'on ne pouvait puiser de vraie force hors de la fraternité avec les autres d'ici.

C'est ce chemin que l'on aurait pu faire seul, comme souvent, avec plus ou moins de vigueur ou de faiblesse.

Mais précisément, cet après-midi-là, on ne l'a pas fait seul.

Gaston avait envisagé la veille d'organiser pour ce dimanche une *séance récréative.*

C'était le nom anodin que l'on donnait à des petites réunions que l'on avait réussi à tenir, trois ou quatre fois déjà, le dimanche après-midi, dans l'une ou l'autre chambre du block. On avait donné ce nom à ces réunions parce qu'effectivement elles pouvaient être l'occasion de rire, ou en tout cas de se distraire – des camarades chantaient ou racontaient des histoires –, mais surtout parce que les kapos venaient rôder parfois dans le block, et il était préférable que ce qui pouvait être dit ou proclamé entre les chansons et les histoires soit couvert par ce vocable qui n'attirait pas l'attention.

Gaston Riby était un homme qui approchait de la trentaine. C'était un professeur. Il avait une figure massive avec des mâchoires larges. Il était passé lui aussi par le zaun-kommando puis par l'usine. À ce moment-là, il travaillait avec quelques autres dans ce qu'ils appelaient la mine. C'était un tunnel-abri que les SS faisaient creuser dans la colline au pied de laquelle se trouvait leur baraque. Les types de la mine revenaient chaque soir couverts de terre et épuisés. Malgré les coups que nous pouvions recevoir à la transportkolonne, nous n'avions pas la même tête qu'eux. Nous pouvions essayer de parer les coups, chercher la planque dans l'usine pour une heure ou deux. Eux étaient dans le tunnel et devaient extraire la terre du matin au soir avec le morceau de pain du matin dans le ventre. Quand Gaston rentrait au block, souvent il avait à peine la force de boire sa soupe et aussitôt il allait s'étendre sur la paillasse et ses yeux se fermaient.

Pourtant, la bête de somme qu'ils en avaient faite, ils n'avaient pas pu l'empêcher de penser en piochant dans la colline, ni de parler lourdement avec des mots qui restaient longtemps dans les oreilles. Il n'était pas seul dans le tunnel; il y en avait d'autres qui piochaient à côté de lui et qui charriaient la terre et qui, comme lui, le matin, avaient quand même un peu plus de force que le soir. Le contremaître civil pouvait promener dans le tunnel sa capote de futur *Volkssturm*[1] et sa petite moustache noire et gueuler et pousser le travail, il ne pouvait pas empêcher les mots de passer d'un homme à l'autre. Peu de mots, d'ailleurs; ce n'était pas une conversation que ces hommes tenaient, parce que le travail de la mine ne se faisait pas par groupes homogènes, et chacun ne pouvait donc pas rester auprès du même copain plusieurs heures de suite. Les phrases étaient hachées par le rythme du travail à la pioche, le va-et-vient de la brouette. Et c'était trop fatigant de tenir une véritable conversation. Il fallait faire tenir ce qu'on avait à dire en peu de mots. Gaston devait dire ceci :

1. Membre de la milice populaire.

— Dimanche, *il faudra faire quelque chose*, on ne peut pas rester comme ça. Il faut sortir de la faim. Il faut parler aux types. Il y en a qui dégringolent, qui s'abandonnent, ils se laissent crever. Il y en a même qui ont oublié pour quoi ils sont là. Il faut parler.

Ça se passait dans le tunnel, et ça se disait de bête de somme à bête de somme. Ainsi, un langage se tramait, qui n'était plus celui de l'injure ou de l'éructation du ventre, qui n'était pas non plus les aboiements de chiens autour du baquet de rab. Cclui-là crcusait unc distancc cntrc l'hommc ct la tcrrc boueuse et jaune, le faisait distinct, non plus enfoui en elle mais maître d'elle, maître aussi de s'arracher à la poche vide du ventre. Au cœur de la mine, dans le corps courbé, dans la tête défigurée, le monde s'ouvrait.

Il faisait de plus en plus sombre dans le block. Autour du poêle quelques-uns se chauffaient. La plupart des autres étaient étendus sur leur paillasse. Ils savaient que cet après-midi, il y aurait « quelque chose » et ils attendaient. Gaston est allé avec un copain prendre derrière le block un des panneaux qu'on avait transportés depuis le talus de la voie ferrée. Quand ils sont revenus, ils ont posé le panneau boueux sur le premier étage des deux châlits, près de la porte de la chambre. C'était le tréteau. Comme il faisait très sombre, Gaston a allumé une petite lampe à huile – c'était une boîte de métal remplie d'huile de machine dans laquelle trempait un morceau de mèche – et l'a posée sur un montant du châlit, au-dessus du tréteau. La lumière éclairerait de cette façon le copain qui serait sur le panneau. Gaston s'affairait silencieusement. Les autres, de leur paillasse, soulevaient la tête et suivaient des yeux les gestes de Gaston. Ceux qui étaient autour du poêle jetaient de temps à autre un coup d'œil sur le tréteau et la lampe à huile tout en ne cessant de surveiller leurs épluchures qui grillaient.

L'installation était achevée. Il fallait commencer. Mais ceux qui devaient participer à la réunion n'étaient pas là. Gaston est allé dans la chambre voisine chercher Jo, le grand type de Nevers. Jo avait une tête carrée, des yeux sombres, de longs plis descendaient de son nez jusqu'à son menton, de chaque côté de sa bouche. Assis sur sa paillasse il recousait son pantalon. Les autres, comme ceux de notre chambre, étaient assis autour du poêle ou allongés sur leur paillasse.

— Qu'est-ce que tu veux que je fasse ? a demandé Jo de sa voix forte et nasillarde.

— Eh bien, tu vas chanter quelque chose, dit Gaston, il faut remuer les gars.

— Bon, dit Jo, en coupant le fil de son pantalon.

Gaston, tout en attendant Jo, regardait les autres qui avaient entendu et qui ne bougeaient pas. Il a crié de sa voix sourde :

— Dites donc, les copains, on fait une réunion à côté, il y a des copains qui vont chanter. Il faut venir !

Ceux qui étaient autour du poêle et qui faisaient eux aussi griller des épluchures ou cuire des soupes, se sont retournés et ont regardé Gaston longuement. Ceux qui étaient allongés sur leur paillasse se sont soulevés.

— Venez ! criait Gaston.

Quelques-uns se sont assis sur leur paillasse et ont enfilé leur pantalon. Jo, lui, était prêt. Il est descendu de son lit et ils ont quitté lentement leur chambre pour la nôtre tandis que Gaston criait encore : « Venez ! »

Chez nous, ceux qui étaient sur leur paillasse n'avaient pas à se déranger. Ils attendaient vaguement.

Francis aussi devait y participer. Il devait dire des poésies. Il était assis sur sa paillasse qui se trouvait tout près du tréteau et, la tête dans les mains, il se récitait la poésie qu'il allait dire. Quelque temps auparavant, Gaston avait demandé à des copains d'essayer de se souvenir des poésies qu'ils connaissaient et d'essayer de les transcrire. Chacun d'eux, le soir, allongé sur sa paillasse, essayait de se souvenir et quand il n'y parvenait pas, allait consulter un copain. Ainsi, des poèmes entiers avaient pu être reconstitués par l'addition des souvenirs qui était aussi une addition de forces. Lancelot – un marin qui était mort peu de temps avant cette réunion – avait transcrit les poèmes sur des petits bouts de carton qu'il avait trouvés au magasin de l'usine.

C'était sur un des bouts de carton laissés par Lancelot que Francis avait étudié la poésie qu'il voulait maintenant réciter.

Des camarades sont arrivés de l'autre chambre et se sont assis sur des bancs qui avaient été disposés le long des châlits, de chaque côté de l'allée. Cet afflux soudain a réveillé ceux de la nôtre qui ont commencé à croire qu'il allait vraiment y avoir quelque chose et attendaient plus sérieusement. En tout cas leur attention était éveillée et c'était l'essentiel. Même ceux qui étaient autour du poêle étaient maintenant tentés de s'approcher du tréteau et de sacrifier leur place.

Gaston est monté sur le tréteau. La petite lueur de la lampe à huile éclairait à peine sa figure. Il avait enlevé son calot et son crâne apparaissait carré, osseux, écrasant son visage sans joues. Son rayé était sale, ses souliers boueux. Gaston paraissait encore plus pesant, debout sur la planche. Il ne savait trop quoi faire de ses mains qu'il laissait pendre le long de son corps ou qu'il frottait de temps en temps l'une contre l'autre.

Les conversations des copains se poursuivaient à voix plus basse, mais maintenant, ils regardaient vers Gaston.

Gaston dit à peu près ceci :

« Camarades, on a pensé qu'il était nécessaire de profiter d'un après-midi comme celui-ci pour se retrouver un peu ensemble. On se connaît mal, on s'engueule, on a faim. Il faut sortir de là. Ils ont voulu faire de nous des bêtes en nous faisant vivre dans des conditions que personne, je dis personne, ne pourra jamais imaginer. Mais ils ne réussiront pas. Parce que nous savons d'où nous venons, nous savons pourquoi nous sommes ici. La France est libre mais la guerre continue, elle continue ici aussi. Si parfois il nous arrive de ne pas nous reconnaître nous-mêmes, c'est cela que coûte cette guerre et il faut tenir. Mais pour tenir, il faut que chacun de nous sorte de lui-même, il faut qu'il se sente responsable de tous. Ils ont pu nous déposséder de tout mais pas de ce que nous sommes. Nous existons encore. Et maintenant, ça vient, la fin arrive, mais pour tenir jusqu'au bout, pour leur résister et résister à ce relâchement qui nous menace, je vous le redis, il faut que nous nous tenions et que nous soyons tous ensemble. »

Gaston avait crié cela d'un trait, d'une voix qui était devenue progressivement aiguë. Il était rouge et ses yeux étaient tendus. Les copains aussi étaient tendus et ils avaient applaudi. Les droit commun avaient l'air stupéfait et ne disaient rien. Ces phrases étaient lourdes dans le block. Elles semblaient venir de très loin. On oubliait la soupe, on n'y pensait plus. Et ce que l'on avait pu se dire seul à soi-même, venait d'acquérir une force considérable pour avoir été crié à haute voix, pour tous.

Gaston qui était descendu du tréteau y remonta pour annoncer que des copains allaient chanter et dire des poésies. Il annonça d'abord Francis.

Francis monta sur la planche. Il était petit, beaucoup moins massif que Gaston. Il avait, lui aussi, enlevé son calot. Son crâne était plus blanc que celui de Gaston, et sa figure plus maigre encore. Il tenait son calot dans sa main et paraissait intimidé. Il resta un instant ainsi, attendant que le silence se fasse, mais dans le fond du block les conversations continuaient. Alors il s'est tout de même décidé à commencer.

Heureux qui comme Ulysse a fait un beau voyage…

Il disait très lentement, d'une voix monocorde et faible.

— Plus fort ! criaient des types au fond de la chambre.

… *Et puis est retourné plein d'usage et raison…*

Francis essayait de dire plus fort, mais il n'y parvenait pas. Sa figure était immobile, triste, ses yeux étaient fixes. L'hiver du zaun-kommando était imprégné dessus ; sur sa voix aussi qui était épuisée. Il mettait toute son application à bien détacher les mots et à garder le même rythme dans sa diction. Jusqu'au bout il se tint raide, angoissé comme s'il avait eu à dire l'une des choses les plus rares, les plus secrètes qu'il lui fût jamais arrivé d'exprimer ; comme s'il avait eu peur que, brutalement, le poème ne se brise dans sa bouche.

Quand il eut fini, il fut applaudi lui aussi par ceux qui n'étaient pas trop loin de lui.

Après Francis, Jo chanta une chanson.

« *Sur les fortifs,*
Là-bas,
Là-bas… »

Jo, lui, chantait d'une voix forte, un peu nasillarde et grasseyante en même temps. Jo eut beaucoup de succès et cela incita les autres à venir chanter à leur tour. Pelava qui était bien plus vieux que nous tous et qui avait de l'œdème aux jambes descendit péniblement de sa paillasse et vint chanter *La Toulousaine.* Bonnet, qui lui aussi était plus vieux, vint chanter *Le Temps des cerises.* On se succédait sur le panneau.

La lumière était venue dans le block. Le poêle avait été pour un moment abandonné. Il n'y avait pas d'épluchures dessus. Les copains s'étaient groupés autour du tréteau. Ceux qui d'abord étaient restés allongés sur leur paillasse s'étaient décidés à descendre. Si quelqu'un à ce moment-là était entré dans le block, il en aurait eu une vision étrange. Tous souriaient.

*

Nous étions couchés, les lumières venaient de s'éteindre. La porte s'est ouverte violemment, la lumière s'est allumée.

— *Charlot! Wo ist Charlot?*

C'était Fritz, en culotte courte, le torse nu. Lucien le suivait. Fritz avait de gros bras, une peau rose, on regardait la chair qu'il avait partout. C'était la première fois qu'on le voyait à moitié nu. On imaginait bien ce qu'il pouvait y avoir sous ses vêtements, mais pas des bras, des cuisses comme ceux-là.

— *Charlot, los!* répétait Fritz.

Charlot ne couchait pas loin de la porte; il s'est soulevé sur son lit.

Les copains qui étaient venus en transport avec lui et l'avaient vu arriver à Schirmeck, leur premier camp, disaient que c'était un ancien agent de la Gestapo. Un droit commun quelconque qui était passé au service de la Gestapo, qui avait voulu trafiquer et qui s'était fait déporter. Il parlait l'allemand, et, dès le début, il s'était proposé comme vorarbeiter.

Il avait de petits yeux bleus très mobiles, le rictus du cynisme sur la bouche, la parole hargneuse et veule. Il parlait entre les dents et ses yeux ne cessaient de guetter autre chose. Même si l'on n'avait rien su de lui, on aurait pu dire qu'il avait vendu ou qu'il vendait ou qu'il allait vendre quelqu'un.

Les copains qui somnolaient s'étaient réveillés. Ils savaient qui était Charlot. Fritz en face de lui, c'était une scène qu'il fallait suivre.

— *Kome, Charlot!* a dit Fritz.

Charlot est descendu de sa paillasse en chemise. On attendait. Lucien se tenait un peu à l'écart.

— Qu'est-ce que tu vas faire chez les SS le soir? demanda Fritz en allemand.

Et Charlot reçut le premier coup de poing sur la gueule.

Lucien commençait à sourire. On était excité parce que Charlot, qui était de la Gestapo et qui avait aussi de belles cuisses, venait tout de même de recevoir son coup de poing dans la gueule. Les types à cuisses se bagarraient entre eux.

Charlot répondit :

— Je ne vais pas chez les SS !

— *Was ?*

Un autre coup de poing dans la gueule. Charlot accusa le coup. En chemise, il était diminué.

Fritz reprit :

— Tous les soirs, tu vas bouffer une gamelle chez le lagerführer et tu racontes ce qui se passe dans le block.

Fritz voulait dire que Charlot faisait aussi son rapport aux SS sur les kapos ; c'était un concurrent.

— Ce n'est pas vrai ! cria Charlot.

Un autre coup de poing du Fritz, très à l'aise.

Charlot mouchardait, mais cela ne lui donnait aucun titre. Devant le Fritz, il n'était rien. Fritz prit alors les copains à témoins en montrant l'autre.

— Voilà ce que fait un Français : il dénonce ses camarades !

Quelques copains réagirent :

— Le salaud ! Salaud !

Lucien plaça alors son mot :

— Il faut que ce soit un kapo allemand qui donne une leçon aux Français !

Il avait dit cela très fort, en désignant Fritz avec solennité. Charlot baissait la tête. Fritz l'avait complètement découvert. Mais Fritz voulait gagner aussi sur un autre tableau. Charlot restait immobile, lamentable.

Fritz s'adressa encore aux copains :

— Celui qui dénonce ses camarades est un salaud et mérite la mort.

Et il désignait Charlot, qui prit un autre coup de poing.

Lucien traduisit et ajouta :

— Vous entendez ce que vous dit un kapo allemand ?

Quelques types applaudirent et crièrent :

— Bravo, Fritz !

— Bande de cons ! cria quelqu'un.

Lucien se tourna vers le type, furieux, mais ne dit rien. Le « bravo, Fritz » avait réveillé d'autres copains. Ceux qui avaient crié ne comprenaient donc rien ? Ils ne savaient donc pas que ce n'était qu'un règlement de compte et que cette scène passait par-dessus eux ? Qu'elle concluait une concurrence secrète qui durait depuis plusieurs mois et dans laquelle

Charlot et Fritz cherchaient à s'éliminer mutuellement auprès des SS. Et ils entraient comme ça dans l'affaire, ils exprimaient leur petite opinion comme si cela les concernait. Ils n'avaient pas encore compris que n'importe qui peut avoir la gueule d'un justicier et que Fritz frappait Charlot comme il aurait frappé n'importe lequel d'entre nous ?

On avait honte et le Fritz souriait. Il avait le torse, les cuisses, la schlague. Mais il y en avait déjà pour applaudir la force de Fritz, qui servait pour une fois à châtier un salaud. Veulerie de putain maigre. Ce n'était d'ailleurs pas la première fois qu'on voyait s'ébaucher cette séduction. *Dalli, dalli, Fritz !* avaient crié un jour deux Italiens à Fritz frappant un de leurs copains qui leur avait sans doute fait une vacherie. Les femmes aussi, naturellement, à l'usine, admiraient les hommes forts qui cognaient sur nous. Les Allemands admettaient ceux qui avaient la force de soulever les lourdes pièces et ils leur foutaient la paix. *Du, nicht bandit !* disaient-ils. La force était la seule valeur qui risquait de les convaincre de l'humanité d'un détenu. Encore fallait-il que ce fût une force peu commune. Elle pouvait devenir alors vaguement synonyme de vérité, de bien. Et l'homme fort avait alors d'autres droits que les autres et d'autres besoins ; il avait lui, un homme à sauver en lui, un homme de bien, il avait le droit de bouffer, etc.

À partir de là, l'homme fort pouvait s'admirer lui-même. En montrant ses cuisses, un type avait dit, par exemple, un soir, très naturellement, à un copain qui songeait à s'évader : « Regarde-moi, je n'ai presque pas maigri. Si on s'évade, je pourrai tenir le coup. Mais toi, c'est de la folie d'y penser, mon vieux : regarde-toi. » Et il montrait ses jambes à l'autre, orgueilleusement.

Charlot était remonté sur sa paillasse, et Fritz faisait le tour de la chambrée. Un tour d'honneur. Lucien ne le quittait pas. Puis ils ont éteint la lampe et ils sont partis.

*

— Dis-lui de me les tirer !

— Il m'a dit qu'il ne voulait plus les tirer, dis-je.

— Demande-le-lui quand même ; ça ne durera pas longtemps !

— Il y en a dix qui le lui ont demandé déjà.

— C'est juste pour voir ce que ça donne.

Celui qui demandait, un type long, pâle, voûté, d'une vingtaine d'années, s'était évanoui deux fois à l'usine, les jours précédents. Les meister lui avaient foutu des coups de pied pour le ranimer. On savait qu'il avait peur de ne plus tenir le coup.

Nous étions près de mon lit, nous venions de parler à voix basse. En parlant, il guettait Francis, assis sur sa paillasse, un jeu de cartes étalé devant lui. Francis comptait les cartes, attentivement, en posant l'index sur chacune. Un petit roux se tenait assis en face de Francis. Penché sur les cartes, il levait la tête de temps en temps et regardait Francis, anxieux. Le grand qui parlait avec moi les suivait des yeux avec envie.

Un troisième attendait à l'écart que Francis eût fini. Depuis que les copains avaient vu Francis tirer les cartes pour la première fois, ils voulaient tous se faire dire quelque chose.

Francis parlait à voix basse au petit copain :

— Court déplacement, disait-il, nous serons libérés sur la route.

Les Alliés avançaient et la question de l'évacuation se posait. Les cartes, selon Francis, disaient que nous serions évacués. Les copains, maintenant, voulaient savoir s'ils s'en sortiraient personnellement.

Ceux qui passaient dans l'allée et voyaient le jeu étalé s'arrêtaient.

— Tu me les tireras, Francis ?

— C'est le dernier, je ne les fais plus.

Le type insistait :

— Pas tout de suite, mais demain ?

Le type s'approchait de Francis et insistait doucement.

Le rouquin défendait ses cartes :

— Foutez-nous la paix, vous viendrez après !

Les copains prenaient leur tour.

Toute la chambrée savait que Francis tirait les cartes, et tous avaient envie de savoir.

Francis parlait d'abord de la guerre. Alors on se penchait, écoutant chaque parole, faisant préciser, et Francis disait qu'il n'était pas assez fort pour compter les jours jusqu'à la libération.

Le rouquin demandait, comme en se moquant de lui-même, quand Francis s'arrêtait et semblait n'avoir plus rien à dire :

— Tu ne vois pas la mort, là-dedans ?

— Non ! faisait Francis.

Puis le copain se faisait répéter le jeu, et Francis, s'impatientant, disait au copain :

— Tu t'en tires, t'en fais pas !

L'autre souriait puis demandait à Francis :

— Tu y crois aux cartes ?

— J'en sais rien ! disait Francis.

— Alors, reprenait le copain, il n'y a pas de doute, on est libérés sur la route ?

Sa figure était reposée.

Le grand observait la figure détendue du rouquin qui se levait et remerciait Francis.

Et le rouquin partait, les mains dans les poches, et disait aux autres : « Les cartes disent qu'on sera libérés sur la route. »

Ceux à qui il disait cela se foutaient d'abord de lui. Puis ils venaient vers Francis. Ils ne disaient rien. Ils regardaient longuement Francis, qui faisait le jeu à d'autres. Ils attendaient. Puis ils se penchaient vers lui :

— Tu ne veux pas me les tirer ?

— Je suis fatigué, répondait Francis.

Le grand se désespérait.

— Dis-lui que je l'ai demandé avant les autres.

Francis avait rangé le jeu, il restait assis sur la paillasse, entouré, le jeu enfermé dans sa main. Les autres restaient et fixaient le jeu dans la main de Francis. Ils ne le lui auraient pas demandé pour faire une belote. Ils attendaient, ils auraient voulu que Francis leur dise, même sans étaler les cartes, ce qui allait leur arriver, s'ils s'en sortiraient. Ils restaient près du lit, et Francis ne disait rien. Enfin, le grand est allé vers lui, et, presque suppliant, il lui a demandé :

— Tu ne veux pas me les tirer ? Très vite : c'est juste pour voir.

— Demain, lui a dit Francis. Ce soir, je suis fatigué, et je te dirais des conneries.

— Ça ne fait rien, dit l'autre. C'est juste pour voir.

— Demain, dit Francis.

Le grand revint vers moi :

— Il est vache ! dit-il.

Les autres restaient toujours. En affectant de se moquer, ils demandaient :

— Il paraît qu'on fera *un court déplacement* ?

— Je n'en sais rien.

— Mais c'est toi qui l'as dit ! insistaient-ils.

Certains croyaient déjà Francis, ils croyaient les *nouvelles* données par les cartes.

C'était comme s'ils voyaient Francis pour la première fois ; désormais, quand ils entendraient un bobard, ils viendraient demander ce qu'en pensaient les cartes. C'était lui qui pouvait nous dire maintenant des choses extraordinaires, des choses sur le lendemain ; il pouvait dire, ne fût-ce que dire – on ne lui demandait pas de se faire croire – ; s'il ne le disait pas, il était vache.

La fin approchait, ça allait se décider dans quelques jours. Ça ne finirait pas tout simplement comme ça. Il faudrait encore payer pour la libération. Francis pouvait dire quoi. Aux plus confiants, les cartes étalées avaient peut-être rendu une angoisse brutale. Elles avaient révélé que la question se posait, précise, prochaine : aux uns, qu'ils allaient bientôt mourir, aux autres qu'ils allaient vivre.

On entourait Francis comme des mouches. Francis, exténué, le jeu dans la main, refusait. Mais on ne partait pas. On voulait savoir si on allait vivre ou mourir.

— Tu me les tires ?

*

Un bruit, puis le silence. C'était la nuit. J'étais allé pisser. Je me suis arrêté dans l'antichambre du block.

Bamm !

Un copain traversait l'antichambre, je l'ai arrêté.

— Écoute !

Bamm ! Net. Pas fort, mais distinct. Le copain m'a regardé. Un autre passait, il s'est arrêté aussi. Nous étions tous les trois immobiles dans l'antichambre.

Il faut encore entendre.

Bamm ! L'oreille le capte à peine, mais le silence pèse, après. On s'approche doucement de la porte qui donne sur la place. La place est déserte. Le ciel est plein d'étoiles. Pas d'avions dans le ciel. Pas de voix de sentinelles...

Bamm !

La main du copain est sur mon épaule. Il la serre, immobile. Il faut attendre encore.

Bamm !

Le premier coup de pied dans le ventre de la mère.

Bamm !

Une voix d'animal.

Le copain secoue mon épaule :

— Le canon !

— Attends !

Encore Bamm... L'oreille l'a desserti de la nuit. Encore. Il n'y a pas de doute. Il faut entendre encore, mieux. L'oreille se force. Les yeux écoutent. L'oreille ne peut pas dire oui. Attendre encore. C'est moi qui ne veux pas encore dire oui.

Encore.

C'est ça.

On ne peut plus l'étouffer maintenant. Bamm ! Notre bruit, le premier bruit pour nous. Lointaines voix des SS, vain bruit de leur langue, tout est nettoyé, dissous par ce Bamm ! arrivé de la nuit. L'oreille est lavée.

Ça ne crève pas encore le tympan, ça ne fait pas tout vibrer, c'est minuscule et sourd, mais ça part d'un endroit précis de la terre, là, de la terre allemande.

Savoir qu'ils avançaient, savoir depuis près d'un an que ça va, que ça arrivera ; savoir que là-bas c'est arrivé déjà. Savoir seulement, par-dessus la tête des SS, par-dessus la colline, dans le silence, par la pensée, solitairement, sans confirmation, devenait insupportable. Maintenant, il y a ce bruit qui répond, parle, parle pour nous.

Il n'y a plus à savoir maintenant. Ça y est. La tête se délivre. Bamm ! On entend avec la même oreille que depuis un an, et c'est bien avec elle qu'il y a quelques heures encore on entendait les voix des kapos. Il n'y a qu'à suivre, croire cette oreille. J'étais allé pisser. Je n'y pensais pas. Je ne me suis pas arrêté de moi-même, sans que quelque chose m'ait arrêté. Il s'est passé quelque chose qui m'a arrêté. J'ai écouté, ça a recommencé. Bamm ! Encore maintenant. Ça ne s'efface pas. Ça revient. J'entends. Oui, j'entends.

Ça y est.

On est resté longtemps devant la porte. On comptait les secondes entre chaque bruit. Bamm ! Toujours le même Bamm ! Il frappe. On veut entendre le suivant. Encore un. Impossible de quitter la porte. Les sentinelles elles-mêmes ne parlent plus. Les sentinelles écoutent. C'est derrière la colline. C'est le vent qui nous l'apporte.

DEUXIÈME PARTIE

LA ROUTE

4 avril. Le canon a tonné toute la nuit.

On distinguait nettement son bruit de celui des bombes ou de la DCA. Ils devaient être à une quarantaine de kilomètres. Depuis plusieurs jours, on parlait de l'évacuation.

J'avais peu dormi. Quand je me suis réveillé, on voyait le jour à travers les persiennes du block. L'heure de l'appel était passée, mais personne ne s'en étonnait. C'est bien le dernier ou l'avant-dernier jour que nous passerions à Gandersheim. La chambrée était silencieuse. Un type a poussé une persienne, et le jour est entré en plein. Il faisait du soleil. Le ciel était clair. À travers la fenêtre, la place d'appel apparaissait, vide et calme. C'était une très belle matinée de printemps, peut-être le matin le plus silencieux que nous ayons connu, le plus clair, et on entendait même chanter des oiseaux qui sortaient du bois.

On a d'abord entendu des pas dehors puis, brusquement, un vacarme dans l'entrée. Des types hurlants, fusil ou mitraillette à l'épaule, ont fait irruption dans la chambrée. On les a reconnus : c'étaient les kapos. Ils étaient là, Fritz, Ernst, le *Werkkontroll*[1] et d'autres, habillés en werkschutz. Avec eux, deux détenus allemands qui n'étaient pas kapos, ainsi que le Roumain, blanchisseur des SS. Les SS les avaient tous armés et vêtus d'uniformes.

La veille on avait demandé à ceux qui ne pouvaient pas marcher de donner leur nom. On leur avait dit qu'en cas d'éva-

1. Kapo chargé de la surveillance de détenus à l'usine.

cuation, ils resteraient à Gandersheim. Quelques types s'étaient désignés. Les kapos venaient les chercher.

Personne n'a bougé. Les kapos se sont énervés. Ils ont gueulé plus fort et sont allés de lit en lit, frappant par terre de la crosse de leur fusil. Les deux détenus allemands qui étaient avec eux ne disaient rien. Fritz et Ernst faisaient de grands pas dans l'allée du block et foutaient des coups de crosse dans les montants des lits. Mais personne encore ne bougeait.

Alors ils sont allés chercher le stubendienst qui est arrivé avec une liste et ils ont menacé de faire sortir tout le monde. Le stubendienst a appelé les noms des types : Pelava, André, deux autres.

Pelava, le vieux de Toulouse, qui avait un fort œdème aux jambes, s'est soulevé sur sa paillasse. Il a commencé à enfiler péniblement ses chaussettes. Fritz est venu près de son lit et a foutu des coups de crosse dedans pour le presser. Ernst faisait la même chose avec le petit André. Ils continuaient à gueuler.

— *Los, los !*

Mais le vieux Pelava n'allait pas plus vite.

Les deux autres Allemands se tenaient près de la porte. Ils n'avaient pas encore l'habitude, ils ne criaient pas. Le Roumain, lui, gueulait. Il gueulait contre tous ceux qui étaient couchés, il gueulait comme un coq. Le stubendienst suivait l'opération sans rien dire.

Fritz, Ernst et les autres n'avaient plus la croix au minium dans le dos. Quand ils étaient arrivés de Buchenwald, ils portaient le rayé. Ensuite ils avaient eu droit au costume civil, d'abord avec une petite croix dans le dos et le triangle vert, puis sans croix ni triangle. Maintenant, ils portaient l'uniforme de werkschutz et le fusil. Ils étaient parvenus à changer de côté et ils éclataient de force dans leurs uniformes. Travail lent, difficile, mais ils y étaient arrivés.

Les quatre copains étaient descendus de leur lit et les kapos les encadraient dans l'allée du block. Ils allaient partir.

Alors, ceux qui n'étaient pas appelés et qui jusque-là n'avaient rien dit se sont brusquement doutés de quelque chose. De leur paillasse, ils ont crié :

— Ne partez pas, essayez de marcher, ne partez pas !

Les quatre ne répondaient pas. On leur avait demandé s'ils pouvaient marcher, ils avaient répondu que non. C'était tout.

Mais leur nom était inscrit. Pelava a voulu revenir à son lit, les kapos l'en ont empêché.

— Ne partez pas, ne partez pas ! gueulaient les copains.

Mais déjà les kapos les emmenaient. Pelava est passé près de mon lit. Il se traînait, en baissant la tête. Le petit rouquin souriait en regardant ses amis.

— Ne partez pas, ne partez pas !

— *Los !* gueulaient les kapos.

Et les quatre sont sortis de la chambrée.

Trop tard. Quoi, trop tard ? Parce qu'ils avaient répondu qu'ils ne pouvaient pas marcher ? Parce qu'ils s'étaient désignés eux-mêmes, tranquillement, en plaignant les copains qui allaient marcher ? Parce qu'ils s'étaient désignés eux-mêmes, tranquillement.

Un type qui était sorti peu après leur départ, est rentré en trombe dans la chambrée.

Il venait de voir la file des copains, avec les kapos, grimper vers le petit bois.

Au même moment, les SS étaient entrés au revier[1].

— *Antreten !*

La veille, on avait dit aux malades qu'ils iraient à l'hôpital de Gandersheim et qu'ils y seraient soignés. Ils se sont tous levés, ceux qui avaient une broncho-pneumonie, les tuberculeux, André Valtier, qui n'avait plus que les os et qui ne pouvait presque plus parler, Gérard, les frères Mathieu, des types de l'Est qui avaient fait la guerre de 14, Félix, que le politzei avait une nouvelle fois essayé de tuer d'un coup de pelle sur le crâne, avec une fièvre à 40, le crâne fendu et un bandeau qui lui couvrait l'œil. Leurs chemises flottaient sur leurs petites jambes. Par les fenêtres, ils ont vu la route qui longeait le revier et la prairie au-delà, la forêt encore au-delà, déjà verte. *Los, los !* les SS s'impatientaient, ils cognaient sur le plancher avec leur fusil. Les copains ne tenaient pas bien debout, les tibias vacillaient, ils ont enfilé une jambe de pantalon et puis l'autre. Leurs pieds nus dépassaient, ils étaient longs et blancs. Ceux qui étaient prêts se sont approchés du poêle qui ronflait encore. Ils souriaient. Ils allaient à l'hôpital, les Alliés n'étaient pas loin, ils ne marcheraient pas. Ils regardaient à

1. Infirmerie.

travers les fenêtres la route qui allait les conduire à Gandersheim. Ils pensaient même à nous, aux copains qui allaient en baver sur la route. Ils avaient de la veine d'être malades.

Los, los, les SS s'énervaient et cognaient encore sur le plancher. Ils n'avaient pas une gueule particulière les SS, ils étaient un peu pressés, mais c'était toujours comme ça avec eux.

Enfin les malades sont sortis. Tous les lits étaient vides, les draps sales défaits. Le poêle restait seul et continuait à ronfler.

La petite colonne a longé la cabane du revier, elle l'a dépassée. Maintenant, elle allait tourner à gauche pour atteindre la route. À gauche pour la route, à gauche, *c'était à gauche* qu'il fallait tourner, et ils tournaient à droite ; c'était à gauche qu'il fallait tourner pour Gandersheim, et les SS ont tourné à droite. La colonne des malades a tourné à droite et a grimpé vers le petit bois.

Il y avait un quart d'heure peut-être que les copains étaient partis. J'avais fini par sortir de la paillasse et j'enfilais mécaniquement mes chaussures. D'autres se levaient et s'habillaient lentement. Il n'y avait pas d'autre bruit que celui des paillasses qui craquaient. Aucun bruit non plus ne venait du cagibi du chef de block et des stubendienst. Presque toutes les persiennes étaient ouvertes et le jour remplissait la baraque. Il était éclatant et on voyait des morceaux de ciel bleu dans le coin des fenêtres. La place d'appel était toujours vide.

Rafale de mitraillettes. Rafale de mitraillettes. Des coups isolés. Un dernier coup.

— Ils les ont descendus !

— Tu es fou !

— Je te dis qu'ils les ont descendus !

Les deux types étaient dressés sur leur paillasse, la tête tendue ; ils se regardaient en écoutant encore. Eux seuls avaient parlé. Mais tous les autres, assis, la tête tendue, écoutaient avec eux. Toutes les têtes rasées, les yeux hagards, écoutaient. Plus rien.

Pelava, le petit André, les deux autres et les malades (mais, pour ceux-ci on ne le savait pas encore) venaient d'être assassinés. Pendant qu'on enfilait les souliers. Pelava qui se réveillait à peine, puis avait enfilé ses chaussettes comme chaque matin, et qui était allé avec eux parce qu'il ne pouvait pas marcher et qui était passé là, près de mon lit, sans rien dire, et qui ne savait pas où on l'emmenait. Il était parti comme quelqu'un qui ne sait pas, qui suit. Ils y étaient allés comme ça, et on leur avait fait prendre un drôle de chemin, de plus en plus drôle. Ils s'étaient éloignés de plus en plus de la chambrée, ils avaient grimpé vers le bois. Ils venaient de descendre du lit et on les faisait grimper vers le bois et le Fritz ne disait rien. Personne ne leur avait rien dit. Il fallait qu'ils comprennent seuls. Mais c'était la première fois que cela arrivait ici.

Nous ne saurons pas quand ils ont compris qu'on allait les tuer parce qu'ils avaient dit qu'ils ne pouvaient pas marcher. Les kapos n'avaient rien à leur dire. Ils s'étaient énervés dans la chambrée parce qu'ils étaient pressés mais ils ne râlaient pas particulièrement contre Pelava ni les autres. Ils ne leur avaient pas foutu de coups. Ils étaient même calmes quand ils avaient quitté la chambre.

Non. Quand ils sont arrivés dans le bois avec la file des quatre et quand les malades sont arrivés dans le bois avec les sentinelles SS, ils se sont simplement arrêtés.

Calmes, ils se sont un peu écartés. Et ils ont tiré dedans ; dans les types à broncho-pneumonie, dans les tuberculeux, dans les types à œdème, dans les types sans voix, dans les types à jambes de tibia, dans tous ceux qui croyaient qu'ils allaient tourner à gauche, vers la route. C'était cela, la rafale, la rafale, et le silence, et les coups isolés. Ça rentrait dans leur ventre quand on était assis sur les paillasses, les yeux tendus et qu'on écoutait.

Cela, on l'a reconstitué plus tard. On a su aussi que Félix avait essayé de s'enfuir dans le bois. Fritz l'avait poursuivi, blessé à l'épaule d'abord, puis lui avait fait éclater le crâne.

Dans la chambrée, il n'y a eu qu'un silence de mort. On ne cessait pas d'entendre la rafale, on l'entendait et on la comprenait de mieux en mieux. On entrait dans la dernière phase, au cœur de l'affaire. Le canon avait déclenché les SS qui avaient répondu par la première rafale. L'un et l'autre resteraient conjugués jusqu'au bout, jusqu'à un tournant qu'on ne voyait pas.

Je suis sorti de la chambrée pour aller aux chiottes. Sur la place, il n'y avait personne. Sur le sentier du bois, une dizaine de détenus descendaient avec des pelles et des pioches sur l'épaule, suivis de Fritz et des autres kapos. C'étaient des Russes que les SS avaient désignés pour enterrer les copains.

Quand je suis arrivé aux chiottes, un autre Russe était en train de pisser. Au F. sur ma veste, il a vu que j'étais Français. Il s'est tourné vers moi et il m'a fixé dans les yeux :

— *Kamerad kaputt*, a-t-il dit doucement.

— *Ja.*

Une heure plus tard, la distribution a commencé. Il y avait trois quarts de boule à toucher, parce qu'on allait partir. Les copains tenaient dans la main un morceau de pain énorme – jamais on n'en avait eu d'aussi gros – et un morceau de margarine. Fritz assistait à la distribution. Il avait l'air à l'aise. Il souriait. En passant à côté de lui, j'ai retenu ma respiration pour ne pas sentir son odeur. Ce matin-là, à la distribution, il n'a pas giflé, il n'a pas foutu de coups de pied, il aurait même été plutôt familier. On partait ensemble. Il venait d'assassiner les copains, il était dispos. Tout à l'heure, il serait le long de la colonne, pour continuer.

Je suis rentré dans la chambre avec mon pain. Je me suis assis sur mon lit et j'ai coupé une tranche. Un autre assis non loin de moi, mangeait déjà. Un copain s'est approché et lui a demandé :

— Tu crois vraiment qu'ils les ont tués ?

Celui qui était assis l'a regardé avec mépris :

— Pauvre con ! Tu n'as pas encore compris, non ?

*

Ils sont à quarante kilomètres, une demi-heure en auto. On ne peut pas rester plus longtemps, demain nous serions nous-mêmes dans la bataille. Nous l'effleurons déjà ; les avions passent plus bas. Ils sont presque là. Les SS fuient, mais ils nous emportent.

Le kommando s'est rassemblé sur la place. Quelques surprises : le chef de block polonais, détenu qui, il y a quelques jours, saluait la libération prochaine, est lui aussi habillé en werkschutz, le fusil à l'épaule. Deux kapos polonais portent aussi le fusil. Ils sont détenus, ils ont le fusil, les SS leur ont confié le fusil, ce fusil ne peut être dirigé que contre nous. On nous compte plusieurs fois. Avec l'enveloppe de l'oreiller j'ai fait un sac dans lequel j'ai mis mon pain. Nous portons tous la couverture en bandoulière. Les SS arrivent : le blockführer qui a schlagué X..., l'adjudant du revier qui a fait fusiller les malades, le lagerführer, un Autrichien. Les sentinelles SS, certaines avec le fusil, d'autres avec la mitraillette, les kapos, le lagerpolitzei et les assimilés, avec mitraillettes ou fusils. Une partie des bagages des SS et des kapos a été chargée sur une charrette que nous tirerons à tour de rôle. Les bagages qui ne sont pas chargés, c'est nous qui les porterons.

Appel. Les kapos et les SS visitent les baraques. Elles sont vides.

Sur la place, la terre est bien sèche, le soleil chauffe. Un coup de sifflet et on part, dans l'ordre : Polonais, Russes, Français, Italiens. Quatre cent cinquante environ.

Le bois est vert sombre, le soleil donne dessus, la colline est rousse et verte. Ça s'est passé ce matin. J'ai regardé autour de moi, vérifié qu'aucun d'eux n'était là. Ils n'y sont pas. Les autres sont à moins de quarante kilomètres et on peut encore mourir, et quand ils seront plus près encore on pourra encore mourir, et jusqu'au bout. Ces copains avaient entendu le canon, ils sont morts en l'entendant.

On est arrivé près de la porte barbelée ; le revier est à droite, vide ; sur les lits, les draps sont défaits, le poêle est encore tiède ; par terre il y a des bouts de pansements de papier. Dans les draps il y a encore la trace, le creux de leurs jambes, de leurs reins. Le revier où il faisait chaud, où d'autres comme K... se sont éteints tout seuls, où on rêvait d'entrer pour dormir, pour se coucher à tout prix, le revier est vide.

Ils sont sur la colline. Nous, nous ne mourrons pas ici. Nous ne reviendrons jamais à l'intérieur de ces barbelés. On nous pousse, l'espace livré doit être nettoyé, vidé des gens comme nous ; il faut nous garder à tout prix ou nous tuer. Maintenant tout est précis.

On a pris la route sur la gauche, dans la direction opposée au front. On est passé devant l'usine ; les meister étaient à la porte, habillés en volkssturm. Quelques-uns avaient l'air de se foutre de nous parce que nous étions refaits, parce que nous allions vers l'arrière, là où il y avait encore assez de répit pour nous en faire baver.

Le Rhénan était avec les autres. Il était habillé en volkssturm lui aussi ; il nous a regardés passer avec cet air triste qu'on lui a toujours connu. Ces Allemands allaient peut-être se battre et il aurait lui aussi un fusil, il tuerait peut-être. Il n'avait pas envie de rire ; depuis longtemps il savait que la guerre était perdue et cependant il s'était laissé habiller, il se laisserait faire prisonnier. Il ne savait pas comment il s'en sortirait, mais il attendait cette catastrophe. C'était sûr, l'heure venait où les « héros » allaient crever ou se tapir, où lui-même, s'il n'était pas tué – sa mère étant morte sous les bombardements (il nous l'avait dit), sa maison détruite – lui même, seul, pourrait commencer à respirer.

On a dépassé l'usine. La route longe le talus sur lequel est bâtie l'église où on a logé trois mois. Des tournants qu'on ne connaissait pas. Une petite rivière. L'église vue de derrière. La plaine derrière un tournant. Un horizon de collines sombres au loin. La fumée d'un train qui traverse encore la plaine. Derrière, les baraques et les miradors vides. On s'éloigne de la fosse dans le bois, bientôt on ne verra plus rien. La route grimpe, on attaque une colline, et on ralentit la cadence ; on souffle déjà. Un petit air frais, le ciel est moins pur. Où va-t-on ? Eux reculent, cherchent l'abri. Le village, là-bas, sera déjà plus sûr, à quelques kilomètres de plus du front. Le canon sera plus sourd. Chacun de nos pas va contre nous, on voudrait le faire en arrière, que ceux qui ont des armes fassent deux pas pendant qu'on n'en fait qu'un. La guerre est lente ; tant qu'ils ne nous ont pas tapé sur l'épaule, on n'est pas sauvé ; il y a des tournants et des tournants avant de nous atteindre et qui est averti de notre existence ? Qui nous a vus ? On reste avec les SS, on fuit la terre conquise. C'est dans leurs yeux, que nous suivrons peut-être la bataille qui va nous délivrer. Ils avancent. Une grimace, un coup de crosse, ça vient, le dernier coup de crosse.

Dans cette affaire, jusqu'au bout, nous resterons du côté allemand. Un jour peut-être on va se trouver seuls sur une route, on tournera la tête, on cherchera, il n'y aura personne, ce sera fini.

On traverse un hameau. Le chemin est boueux. Des maisons basses; devant, quelques femmes, des petits enfants à cheveux jaunes; un bistrot, il n'y a personne dedans. On ne voit pas d'hommes dans ce hameau. Les femmes regardent les SS. L'un d'eux va boire au bistrot. Nos SS sont des planqués. Les hommes du hameau doivent être au front. Les femmes restent là, nous voient. C'est mauvais signe quand on voit passer des gens comme nous. On se souvient de ces petits villages qu'on traversait en reculant, derrière la ligne Maginot. Ici aussi tout va rester en place. Nous les abandonnons aux nôtres. Le village presque désert, la passivité de ces femmes, la colonne qui passe, c'est le signe de la défaite, on ne peut plus se tromper. Mais ce hameau est encore dans l'espace allemand qui dit *non*. Qu'il se défende ou qu'il ne se défende pas, il dit *non*. Il y a encore des photos d'Hitler dans les maisons. Le SS peut encore entrer au bistrot. Il est bien reçu par la patronne. Nous ne sommes toujours rien. Dans deux jours peut-être, le hameau sera digéré, les maisons resteront les mêmes. Là-bas, devant nous, il y a des maisons, des collines où l'on dira *non* un jour de plus. On veut aussi nous faire dire *non*. Il faut que nous soyons dociles, il faut que nous *préférions* l'Allemagne, que nous restions avec ceux qui défendent le dernier carré.

On a dépassé le hameau. Une sentinelle SS m'a donné sa valise à porter. Elle est lourde. Tout ce que ne peut pas contenir la charrette est porté par nous. Je change de main de temps en temps. La main me cuit. La valise tire sur le bras depuis l'épaule, le dos. Ce bras n'est qu'un bâton tiré vers le bas par le poids. Si j'ouvre la main la valise tombe, elle crève peut-être. Ça devient trop douloureux. Je change de main. Ma figure se congestionne. Jusqu'à quand vais-je porter? Il me reste encore un peu de force pour marcher, mais je serai bien obligé d'abandonner la valise. Je change encore de main. Il faudrait changer toutes les minutes, la brûlure n'a pas le temps de se calmer. Je regarde les copains, il y en a quelques-uns qui portent des valises; eux aussi sont rouges; les autres, gris, marchent lentement, ils essaient de s'écarter de celui qui porte la valise pour n'avoir pas à la prendre.

Je la pose par terre et je continue. Les copains derrière l'évitent et continuent de marcher. Personne ne la ramasse. Le SS m'a vu et se précipite sur moi. Coups de crosse. Il faut que j'aille la chercher. Elle est toujours par terre sur le passage de la colonne à une trentaine de mètres. Je la ramasse, le SS me surveille, je marche vite, à petits pas, le corps penché sur la gauche, pour regagner ma place. Je transpire légèrement, les lunettes glissent sur le nez. Je les relève de la main gauche. Je change la valise de main. Je sombre, c'est cela, je cherche l'air, je ne dispose plus que de grimaces. Si je m'arrête, des coups. Si je tombe, une rafale. Ça peut aller très vite. Je dépose la valise de nouveau. Le SS ne m'a pas vu. Je me planque sur la droite de la colonne et je n'en entends plus parler.

Je sais maintenant qu'un effort comme celui-ci, s'il devait se prolonger, suffirait à me tuer. Déjà j'étais presque désemparé, je ne pouvais plus fermer la bouche, je ne distinguais plus les copains des autres. Ma force est tout de suite épuisée; la tête peut encore forcer, dire «il faut», «il faut», mais pas longtemps, elle aussi s'épuise, ne veut plus rien. J'ai tenu neuf mois. Qu'on m'oblige encore à porter la valise, et je suis liquidé.

La colonne continue. Les jambes avancent l'une après l'autre, je ne sais pas ce que peuvent encore ces jambes. De ce côté je ne sens pas encore venir la défaillance. Si elle vient, je pourrai peut-être m'accrocher au bras d'un copain, mais si je ne récupère pas, le copain ne pourra pas me tirer longtemps. Je lui dirai : «Je ne peux plus.» Il me forcera, lui-même fera un terrible effort pour moi, il fera ce qu'on peut faire pour quelqu'un qui ne peut pas être soi. Je répéterai «Je ne peux plus» deux fois, trois fois. J'aurai une autre figure que maintenant, la figure qu'on a lorsqu'on n'a plus envie. Il ne pourra plus rien pour moi et je tomberai.

Nous avons traversé plusieurs hameaux, puis nous sommes entrés dans une région boisée. La route était toute droite, le long de la forêt. Le SS a sifflé pour la pause. La colonne s'est défaite, on est allé s'asseoir sous les arbres. J'étais avec Francis, Riby, Paul et Cazenave, de Paris. On a sorti le pain. Le ciel était plein de nuages. Il faisait sombre dans le bois. Un air frais nous venait dans le dos. On a commencé à manger. Les SS nous encerclaient, à une vingtaine de mètres les uns des autres. Ils étaient assis, le fusil à leur côté, et ils mangeaient. Leur pain n'était pas de même espèce que le nôtre. Ils en coupaient de plus gros morceaux, ils ne le surveillaient pas comme nous. Mes trois quarts de boule diminuaient ; j'en avais déjà mangé plus d'un quart et ce n'était que le premier jour de marche. J'ai coupé une tranche bien égale et j'ai étalé un peu de margarine dessus ; avec le couteau j'ai coupé dans la tranche de petits cubes que j'ai mâchés longtemps. Ce pain formait vite une bouillie dans la bouche. On mangeait, la tête baissée, en regardant alternativement le sol et le pain. Les Polonais et les Russes étaient silencieux, nous aussi. Les Italiens parlaient. Lucien avait une caisse qu'il portait sur l'épaule avec un bâton. Dans le bois, il a ouvert sa caisse, il a mangé de la viande avec le pain, et il a fait du café ; il était gras, il portait sa caisse facilement. Depuis le départ, il était discret, il marchait avec les cuistots, et il ne gueulait pas.

Tout le monde mangeait. Lucien, de la viande ; les SS, du saucisson, de la marmelade ; nous du pain et de la margarine. Les SS avaient en mangeant les manières des soldats. Nous étions attentifs, nous ne pouvions pas manger et parler. Mon pain diminuait. J'ai réussi à le rentrer sous ma veste et j'ai remis le couteau dans ma poche. On n'avait pas encore sifflé la fin de la pause. Je me suis étendu sur la mousse, elle était fraîche. La guerre allait finir. Il y avait des morceaux de ciel blanc entre les branches des arbres. Un copain disait, dans le block, « ce sera le plus beau jour de ma vie, oui, le plus beau jour de ma vie ». Le ciel était tout près, il faisait frais, la mousse était humide, le pain pesait encore sur ma poitrine, et j'en avais encore, tout à l'heure j'en couperais une autre tranche, je serais encore prisonnier quand je couperais la dernière tranche. La dernière tranche de la guerre. J'étais encore ici, je m'apprêtais à vivre le plus beau jour de ma vie, c'était vrai. Les SS faisaient la ronde autour de nous pour empêcher ce jour d'arriver. Eux ou nous, allions mourir. Qui allait payer ? Cazenave n'était pas costaud, il avait des rhumatismes et les SS n'avaient envie ni de mourir, ni de s'en aller. Et ça fonctionnait : s'il y avait des parachutistes, ça pourrait être maintenant, dans un quart d'heure. On ne se tromperait pas sur les amis, on courrait sur la route, on trouverait bien la force de courir.

L'humidité de la mousse pénétrait le dos. Les SS parlaient entre eux. Entrer dans leur conversation, leur dire : « La guerre est finie, vous pouvez vous arrêter... Nous, on s'en va. » Nous ne pouvions pas dire la vérité. On ne pourrait *jamais* nous croire. Nous ne pouvions pas voir le même soleil. *Krieg ist nicht fertig, nein, nein...* et puis le fusil sur le ventre. Ils étaient en train de perdre la guerre ; ils mangeaient.

J'avais froid, je me suis relevé. Paul mangeait ; il a regardé ce qu'il lui restait de pain, et il a coupé une autre tranche ; il n'a pas hésité trop longtemps. Moi, j'ai hésité, j'ai tâté le morceau qui était sous ma veste. Le coup de sifflet a sauvé la tranche.

La colonne s'est reformée ; j'ai les jambes raides ; il fait frais, les poux ne piquent pas. La colonne part. On est en train de gagner la guerre. Ce matin, ils ont tué les copains, mais on est en train de gagner la guerre, eux sont en train de la perdre. Cazenave s'accroche à un bras. Les SS sont pleins de santé, le chef de block détenu polonais est habillé en werkschutz, le fusil à l'épaule, il marche à côté du commandant SS. Cazenave se traîne, il souffle.

On a marché plusieurs heures. Il doit être maintenant 5 heures du soir. On a quitté la plaine. On attaque une forte rampe dans le flanc d'une montagne. On longe une carrière. Aucune maison. On entend au loin des aboiements de chiens. La colonne s'arrête un instant parce que ceux qui tirent la charrette ont du mal à suivre. Il faut les attendre. Lorsqu'on les voit apparaître au dernier tournant, on repart. L'air est très frais. Le ciel rougit. Les nuages s'élancent, glissent. C'est le soir. La rampe est dure. Un camarade qui est devant moi s'est arrêté. Il baisse la tête, son copain reste avec lui.

— Ne t'arrête pas, marche, on va arriver, marche, marche ! dit son copain. Il souffle et ne répond pas. Personne n'est encore tombé. Les kapos l'ont vu. On les dépasse. Il a encore un peu de temps, les Italiens sont derrière, mais il ne faut pas qu'il se laisse dépasser par toute la colonne. Fritz s'est arrêté, il est prêt. Je me retourne, le camarade ne bouge toujours pas. Il est immobile sur la route, sa tête pend. Enfin, son copain a placé son bras autour de son propre cou et il l'entraîne. Nous marchons très lentement, et il parvient à nous rejoindre à tout petits pas. Il pleure.

Fritz a repris sa marche. De nouveau, le camarade s'arrête, il baisse la tête, il se tient le ventre, sa bouche se tord. Son copain le tient toujours par-dessous le bras. Les kapos attendent. Tout le monde a vu, les kapos sont prêts. Le copain le tire : « Allez, viens, marche, marche, on arrive. » Il se tient le ventre. Il faut qu'il reparte. Son copain le tire. Il fait deux pas. Il s'arrête ; il est courbé sur son ventre. Les kapos observent toujours, ils attendent sa décision. On ne peut rien.

Il a réussi à repartir une nouvelle fois.

Le jour baisse, les aboiements des chiens se rapprochent ; ils viennent de la vallée noire devant nous. On n'entend plus le canon. À un croisement, la colonne s'arrête. Une petite route descend à pic sur notre droite. Les Polonais et les Russes restent sur la grande route ; nous prenons, avec les Italiens, celle qui descend. On va vite. Les aboiements se rapprochent de plus en plus, c'est le seul bruit dans le soir. Le ciel est rouge, les nuages glissent. On dévale, on trébuche sur les pierres, et les genoux ont peine à tenir. Au fond de la vallée apparaît une grande maison de bois, on voit même des niches à chiens. Ces aboiements sont les mêmes que ceux de Buchenwald, que ceux de Fresnes, les chiens des SS, le couple SS-chien. Eux aussi, ces chiens, comme les SS, ils sont d'abord petits et gracieux, et ils jouent.

La vallée est sombre. Les chiens nous broient, la nuit nous broie. Les chiens sont à eux, la vallée aussi, la nuit aussi, nous sommes chez eux. Ce morceau de ciel rouge, ces forêts pèsent sur nous. Qui peut nous atteindre ici ? Les nôtres gagnent la guerre, mais ici on n'entend rien, on n'entend plus le canon, rien que les chiens.

Nous avons presque atteint le fond de la vallée. La grande maison, sur la gauche. On quitte la route et on prend le petit chemin qui y mène. Devant la maison, il y a un grand jardin avec des petites maisonnettes de chiens. Dans chaque niche, il y en a un qui aboie. C'est sans doute là qu'on va coucher. La colonne stoppe dans le jardin. On nous compte, puis on entre dans une salle qui ressemble à un gymnase. Il y a un plancher. On se groupe et on s'assied par terre.

Nous sommes entassés les uns sur les autres. Il fait presque noir dans la salle. Une sentinelle et un kapo gardent l'entrée. Pour chier, il faut sortir et, un seulement à la fois. Déjà il y a la queue. Les chiens se sont tus. Les kapos ont envoyé des copains chercher des sacs. Ces sacs sont pleins de biscuits de chiens.

Les kapos ont d'abord essayé de les distribuer, mais on a sauté sur les sacs. C'est la bagarre. On en met dans les poches. On en refile à un copain qui les entasse dans son sac. Ceux qui n'ont pas pu approcher gueulent. Les SS arrivent avec la matraque. On abandonne les sacs à moitié vides. Je mords un biscuit, c'est dur, il y a des os broyés dedans, ils ont un goût âcre.

Il fait noir maintenant; les SS voudraient dormir; ils se sont installés dans une petite pièce voisine, la porte est entrouverte, la lumière passe. De nouveau les copains attaquent les sacs. C'est encore la bagarre, mais ils sont presque vides.

Ceux qui vont chier écrasent en passant les jambes de ceux qui sont étendus. Une énorme rumeur emplit la salle noire. Un SS entre : *Ruhe!* La rumeur tombe un instant, puis elle gonfle de nouveau. On ne sait pas qui crie, je ne crie pas, je suis allongé entre les cuisses d'un Italien. Qui crie ?

— Salaud, tu peux pas faire attention ?

— Tu veux pas que je chie ici quand même ?

— Tu nous emmerdes !

Ça vient de derrière. Un pied écrase ma figure, je prends la cheville dans mes mains, elle ne résiste pas, je la soulève et je la pose sur le plancher entre mes cuisses; ça passe au-dessus de moi. J'essaie de dormir dans les cris. Mais, près de la porte, il y a toujours la queue; des copains gueulent, ils ont la diarrhée, et on les empêche de sortir. Ils ne peuvent plus tenir, et, finalement, accroupis contre le mur, ils baissent leur pantalon.

— Dégueulasse, il y en a un qui chie ici !

Le type ne répond pas, il continue.

— Kapo ! Il chie ici !

Une lampe électrique s'allume : le type est accroupi dans le faisceau de la lampe.

— *Scheisse, Scheisse!* gueule le kapo.

Le kapo cogne, le type tombe.

— *Scheisserei, Scheisserei* (diarrhée), gémit le type.

— *Was Scheisserei, Schwein!*

Si tout à coup la salle s'éclairait, on verrait un enchevêtrement de loques zébrées, de bras recroquevillés, de coudes pointus, de mains mauves, de pieds immenses; des bouches ouvertes vers le plafond, des visages d'os couverts de peau noirâtre avec les yeux fermés, des crânes de mort, formes pareilles qui ne finiront pas de se ressembler, inertes et comme posées sur la vase d'un étang. On verrait aussi des solitaires, assis, des fous tranquilles et mâchant dans la nuit le biscuit des chiens, et d'autres, devant la porte, piétinant sur place, courbés sur leur ventre.

*

Dehors, la vallée est noire. Aucun bruit n'en arrive. Les chiens dorment d'un sommeil sain et repu. Les arbres respirent calmement. Les insectes nocturnes se nourrissent dans les prés. Les feuilles transpirent, et l'air se gorge d'eau. Les prés se couvrent de rosée et brilleront tout à l'heure au soleil. Ils sont là, tout près, on doit pouvoir les toucher, caresser cet immense pelage. Qu'est-ce qui se caresse et comment caresse-t-on ? Qu'est-ce qui est doux aux doigts, qu'est-ce qui est seulement à être caressé ?

Jamais on n'aura été aussi sensible à la santé de la nature. Jamais on n'aura été aussi près de confondre avec la toute-puissance l'arbre qui sera sûrement encore vivant demain. On a oublié tout ce qui meurt et qui pourrit dans cette nuit forte, et les bêtes malades et seules. La mort a été chassée par nous des choses de la nature, parce que l'on n'y voit aucun génie qui s'exerce contre elles et les poursuive. Nous nous sentons comme ayant pompé tout pourrissement possible. Ce qui est dans cette salle apparaît comme la maladie extraordinaire, et notre mort ici comme la seule véritable. Si ressemblants aux bêtes, toute bête nous est devenue somptueuse ; si semblables à toute plante pourrissante, le destin de cette plante nous paraît aussi luxueux que celui qui s'achève par la mort dans le lit. Nous sommes au point de ressembler à tout ce qui ne se bat que pour manger et meurt de ne pas manger, au point de nous niveler sur une autre espèce, qui ne sera jamais nôtre et vers laquelle on tend ; mais celle-ci qui vit du moins selon sa loi authentique – les bêtes ne peuvent pas devenir plus bêtes – apparaît aussi somptueuse que la nôtre « véritable » dont la loi peut être aussi de nous conduire ici. Mais il n'y a pas d'ambiguïté, nous restons des hommes, nous ne finirons qu'en hommes. La distance qui nous sépare d'une autre espèce reste intacte, elle n'est pas historique. C'est un rêve SS de croire que nous avons pour mission historique de changer d'espèce, et comme cette mutation se fait trop lentement, ils tuent. Non, cette maladie extraordinaire n'est autre chose qu'un moment culminant de l'histoire des hommes. Et cela peut signifier deux choses : d'abord que l'on fait l'épreuve de la solidité de cette espèce, de sa fixité. Ensuite, que la variété des rapports entre les hommes, leur couleur, leurs coutumes, leur formation en classes masquent une vérité qui apparaît ici éclatante, au bord de la nature, à l'approche de nos limites : il n'y a pas des espèces humaines, il y a une espèce humaine. C'est parce que nous sommes des hommes comme eux que les SS seront en définitive impuissants devant nous. C'est parce qu'ils auront tenté de mettre en cause l'unité de cette espèce qu'ils seront finalement écrasés. Mais leur comportement et notre situation ne sont que le grossissement, la caricature extrême – où personne ne veut, ni ne peut sans doute se reconnaître – de comportements, de situations qui sont dans le monde et qui sont même cet ancien « monde véritable » auquel nous rêvons. Tout se passe effectivement là-bas comme s'il y avait des espèces – ou plus exactement comme si l'appartenance à l'espèce n'était pas sûre, comme si l'on pouvait y entrer et en sortir, n'y être qu'à demi ou y parvenir pleinement, ou n'y jamais parvenir même au prix de générations –, la division en races ou en classes étant le canon de l'espèce et entretenant l'axiome toujours prêt, la ligne ultime de défense : « Ce ne sont pas des gens comme nous. »

Eh bien, ici, la bête est luxueuse, l'arbre est la divinité et nous ne pouvons devenir ni la bête ni l'arbre. Nous ne pouvons pas et les SS ne peuvent pas nous y faire aboutir. Et c'est au moment où le masque a emprunté la figure la plus hideuse, au moment où il va devenir notre figure, qu'il tombe. Et si nous pensons alors cette chose qui, d'ici, est certainement la chose la plus considérable que l'on puisse penser : « Les SS ne sont que des hommes comme nous » ; si, entre les SS et nous – c'est-à-dire dans le moment le plus fort de distance entre les êtres, dans le moment où la limite de l'asservissement des uns et la limite de la puissance des autres semblent devoir se figer dans un rapport surnaturel – nous ne pouvons apercevoir aucune différence substantielle en face de la nature et en face de la mort, nous sommes obligés de dire qu'il n'y a qu'une espèce humaine. Que tout ce qui masque cette unité dans le monde, tout ce qui place les êtres dans la situation d'exploités, d'asservis et impliquerait par là même, l'existence de variétés d'espèces, est faux et fou; et que nous en tenons ici la preuve, et la plus irréfutable preuve, puisque la pire victime ne peut faire autrement que de constater que, dans son pire exercice, la puissance du bourreau ne peut être autre qu'une de celles de l'homme : la puissance de meurtre. Il peut tuer un homme, mais il ne peut pas le changer en autre chose.

*

Quand j'ai ouvert les yeux, il faisait jour; le ciel était laiteux, pâle. Ma bouche était pâteuse, j'avais soif. Autour de moi, les camarades dormaient collés les uns contre les autres en tas, les sacs à biscuits, vides, à côté d'eux. Il n'y avait aucun bruit. La sentinelle SS était toujours devant la porte. Je suis sorti pisser. Le sol était mouillé, il y avait de la rosée sur l'herbe. Les chiens dormaient encore. En pissant, je me suis étiré. La vapeur de l'urine chaude montait vite dans l'air. En bas, la vallée était claire, un ruisseau courait le long du jardin. Sur les pentes des montagnes, on voyait les troncs bruns et roux des sapins. De l'autre côté, sur le bord du chemin que nous avions descendu la veille, s'étalait une grande prairie. Toute la vallée était fraîche et mouillée. Les montagnes qui se découpaient sur le ciel avaient des formes légères et moi-même, sur le gravier du jardin, je sentais que je ne pesais pas. Je suis allé boire au ruisseau et j'ai jeté de l'eau sur ma figure. Je tremblais. Je sentais la peau de mes cuisses se hérisser; ma mâchoire vibrait, je ne tenais plus par terre; si l'on m'avait poussé, je serais tombé; si j'avais couru, je serais tombé. Nous étions presque tous ainsi, tous tremblaient toujours dans l'air du matin, les épaules ramenées sur la poitrine.

Quand je suis rentré dans la salle, j'ai reçu une bouffée de chaleur; la plupart des copains dormaient toujours. Nous fabriquions encore cette chaleur, cette odeur; tous ces types creux, collés les uns aux autres, fabriquaient ce nuage chaud, et, quand ils pissaient, ça fumait encore. Épaisseur de l'odeur, épaisseur des biscuits dans l'estomac, des vêtements qui puent, épaisseur même de cette peau qui pourtant se dessèche, du caleçon plein de poux entre les cuisses, de la chemise grasse. Il aurait fallu se mettre nu dehors, se faire décaper, racler jusqu'au sang, puis s'allonger sur l'herbe gorgée de rosée, se laisser faire par l'air et l'eau.

Les copains se sont réveillés lentement, et ils ont recommencé à manger les biscuits des chiens. Il me reste un morceau de pain. Il faudrait le garder encore. Ce soir je n'en aurai plus. Je mange quand même le pain, je mange aussi les biscuits. Avec ça, nous aurons sûrement la diarrhée.

— *Antreten!* gueule le kapo.

Je finis d'attacher toutes mes ficelles. Lentement on sort. Les chiens n'aboient toujours pas. On nous compte encore. Puis on franchit le ruisseau, et on entre dans le pré qui monte vers la route que nous avons quittée hier. On n'entend toujours pas le canon. Il paraît qu'on va faire vingt kilomètres aujourd'hui. Sans doute j'y parviendrai. On s'est assis dans le pré, et on mange des biscuits. On rigole même. On sera rejoint, c'est sûr, ils vont nous encercler, on n'arrivera pas au bout. Où va-t-on : Buchenwald, Dachau? Dachau? tu rigoles... c'est loin, Dachau : on sera délivré avant. Aucune hypothèse ne colle, ou rien ne la consolide. On ne peut plus rien savoir. Les sentinelles parlent peu. Les kapos ne sont au courant de rien. « Délivrés sur la route », c'est ce que lisait Francis dans les cartes. Un copain vient le lui rappeler. Francis répète ce que disaient les cartes : « Un court déplacement... nous sommes délivrés sur la route ». L'autre ne dit rien. Il n'a jamais cru aux cartes. Il n'a jamais cru non plus qu'il pourrait tomber sur la route d'un coup et recevoir une rafale. Maintenant, il ne sait plus ce qu'il croit et ne croit pas. Il est possible qu'on soit délivrés comme ça; les Américains peuvent aller vite. Mais les SS nous tueront avant. Quand même, ils ne peuvent pas nous tuer tous. Mais ils ont tué tous les malades, et sur leur figure il n'y a rien de spécial. Les cartes disent qu'on sera délivrés sur la route après un court déplacement, elles ont répété ça chaque fois que Francis a fait le jeu, mais c'est de la connerie, les cartes. Mais si c'est un court déplacement, c'est peut-être demain, demain est vite venu. Mais rien ne se prépare, une chose comme ça on la sent venir de loin, il y a des signes. Mais que nous soyons sur la route sans que personne ne paraisse savoir où il faut nous conduire, c'est bien un signe quand même. Le copain renonce.

— *Krieg ist fertig! Krieg ist fertig!*

C'est Alex, le brave kapo ivrogne qui marmonne ça en passant près de nous. On le sait que la guerre est finie, il y a près de quinze jours qu'on le dit, mais pour nous, jusqu'au moment où on nous rattrapera et où on nous arrachera aux SS, rien ne sera fini. Plus la victoire s'accuse, plus le danger se précise. Le moment viendra où nous voir leur sera de minute en minute plus insupportable. Notre vie dépendra de moins en moins de choses, peut-être bientôt plus que d'une humeur. Neutralisés pendant quelques mois, nous voici remis en question par la victoire. Nous réapparaissons comme des bêtes à peau trop dure, des êtres de cauchemars, increvables. Jusqu'ici ils n'ont vu qu'une masse dont on accélère la liquidation ou qu'on laisse crever suivant les ordres reçus. Maintenant les squelettes à dos courbés, au ventre creux vont commencer à les bouleverser. Image peut-être de leurs vainqueurs tout à l'heure. Si, par la victoire qui vient, le SS chancelle, c'est nous qu'il verra d'abord, et c'est nous qui paierons cette déchéance. Le fusil, la mitraillette expriment le mieux désormais la nature de nos rapports. On tire ou on ne tire pas. Jusqu'ici ils se sont arrangés pour nous faire vivre dans de telles conditions que la mort nous vienne pour ainsi dire toute seule. Maintenant, ils attendent l'occasion d'en finir en vitesse, et il y en aura encore sur la route. Puis l'occasion ce sera simplement que nous soyons encore vivants et qu'ils ne peuvent tout de même pas nous laisser aller comme ça...

On grimpe vers le sommet de la prairie. La rampe est raide. Sur la route, les Polonais, les Russes, dont nous nous étions séparés hier soir et qui ont passé la nuit ailleurs, nous attendent. On domine la maison de bois, son toit rouge. La colonne mauve serpente, mince, sur l'herbe. Le soleil est très faible, la brume rampe au ras des prés. C'est beau. C'est beau, et on va peut-être nous tuer tout à l'heure; c'est beau, et on va avoir faim. J'ai vu l'herbe, la brume, les bois bruns; nous aussi, nous pouvons voir cela. J'essaie de garder cette prise. Tout à l'heure, j'essayerai de ne regarder que les arbres, d'en saisir la diversité, de m'apercevoir que l'on passe de la forêt pleine à la clairière, j'essayerai même d'attendre avec curiosité le prochain tournant. Est-ce qu'on peut être dans la colonne et ne voir que les fleurs sur le talus, ne sentir que l'odeur des feuilles mouillées que l'on écrase ? J'ai eu ce pouvoir un instant. Mais bientôt je ne verrai plus que la route et les dos comme le mien, et je n'entendrai plus que le cri du kapo : *Drücken, Drücken, Drücken!* (Serrez !) Ce serait bon, pendant ces vingt kilomètres, de ne garder que cela dans la tête : je me promène, la montagne est belle, je suis fatigué, mais à marcher on se fatigue, c'est naturel. L'air est frais sur la figure. Épuisé, peut-être tout à l'heure je tomberais ; c'est bon de tomber quand on est épuisé ; je n'entendrais rien, je ne verrais pas venir le kapo ; une rafale : fini ; sur le talus. Mais je ne pourrai jamais commencer seulement de dire : « Je me promène. » Avec la chaleur de la marche, les poux se réveillent ; la voix du kapo nous harcèle, le soleil cuit, le chef de block polonais porte toujours le fusil. Où est le bout de notre route ?

La guerre finit. On ne sait pas si je suis vivant. Mais je voudrais que l'on sache que, ce matin, je suis dedans, que je l'ai remarqué, que ma présence dans ce matin laisse des traces indiscutables et transmissibles.

L'évangéliste allemand s'est arrêté sur la route ; il a deux rides très creuses le long des joues. Il m'a fait un signe. Il se tient un peu à l'écart de la colonne, les bras pendants. Il ne bouge pas, il regarde simplement autour de lui la montagne et la vallée. C'est un vieil homme ; il a l'air absent et en même temps décidé, définitivement arrêté. Personne ne lui parle. Si on allait lui dire quelques mots, ses yeux brilleraient, il répondrait de sa voix lente quelque chose comme : *Got ist über alles.* J'ai revu ses yeux au passage et son triangle violet d'« objecteur de conscience » ; Fritz était près de lui. L'évangéliste avait été désigné comme objecteur de conscience. L'objecteur était sur la route, seul, à l'écart. Nous avions ralenti, je ne sais pourquoi. Nous sommes repartis ; je me suis retourné, j'ai vu sa figure dans la colonne. J'aurais cru qu'il avait décidé de ne plus bouger. *Das ist ein schöne Wintertag.* Objecteur de conscience. Les quatre cents objecteurs marchent, ils veulent tenir le coup. L'objecteur, personnage privé ; les sept millions de Juifs, objecteurs ; les 250 000 politiques français, objecteurs ; l'objecteur L..., cinquante ans, qui marche devant moi, pâle, qui a des hémorroïdes et que deux copains soutiennent.

On marche depuis un moment. Deux coups de feu derrière. Il ne reste plus que le bruit de nos pieds. Tout le monde a entendu, les dos restent courbés, la marche se précipite. Je me suis retourné, je n'ai vu que le tournant, le précipice sur le bord de la route, et des sapins. Qui est-ce ? On va un peu plus vite. Quelqu'un est tombé. La colonne continue. Qui est ce ? Devant, les SS n'ont pas bronché, personne ne se retourne plus, déjà on est arrivé à l'autre tournant. Il y a déjà cinq minutes, dix minutes qu'on a tiré. On ne sent plus les deux coups de feu dans le dos, c'est passé. Un autre tournant. Et à deux tournants plus bas, un type qui tout à l'heure était au départ, est maintenant aplati sous un arbre.

— Je crois que c'est le vieil Allemand, dit quelqu'un derrière.

Un Italien l'a vu s'arrêter une seconde fois. Fritz s'est approché de lui, il lui a fait faire quelques pas en arrière. Après il y a eu le tournant, l'Italien n'a plus rien vu.

C'est l'évangéliste. Fritz a tiré là-dessus. Deux coups de feu pendant qu'on marchait. Personne n'a tourné la tête. Même pas la solennité du crime, ni son secret. Une de nos vies a été interrompue pendant qu'on marchait, les quatre cents ont entendu, n'ont pensé qu'à ça, et tous ont fait les sourds. Mais la colonne, qui n'a pas bronché, qui a continué à marcher, sait maintenant qui est mort pendant qu'elle marchait, et pourquoi il est mort, elle sait qu'on a tiré sur elle, qu'on lui a supprimé une de ses vies, et que ça va continuer.

Tous les dos courbés savent. L'objection continue. Les yeux bleus font mal et sa solitude au pied de l'arbre pendant que je marche encore avec les copains. On portait le panier de dural ensemble, et il disait qu'il était de Wuppertal en Rhénanie. Nous nous sommes serré la main par une belle matinée d'hiver. Ma vie maintenant, si elle dure, contiendra ça toujours. Je me le jure pendant qu'on marche.

Fritz est revenu le long de la colonne, la mitraillette à l'épaule, la démarche souple, le nez retroussé, il hume l'air.

Le vieil Allemand est le premier qu'ils aient tué depuis que nous sommes partis de Gandersheim.

*

C'est l'après-midi. Nous nous sommes arrêtés sur un terrain vague, au bord de la route, à deux kilomètres environ d'une petite ville. Le ciel s'est couvert, il pleut. J'ai déplié ma couverture, je l'ai mise en cape sur ma tête, elle pend dans mon dos. La plupart des camarades ont fait de même. L'herbe est mouillée, on ne s'assied pas, on erre d'un groupe à l'autre. Je cherche Cazenave, le chaudronnier. Tout à l'heure, il a ralenti, on n'a pas fait attention, cela arrive souvent dans la colonne. Ses rhumatismes le faisaient souffrir, ses genoux s'ankylosaient, il ne disait rien, d'autres l'ont dépassé. Je ne trouve pas Cazenave. Gaston le cherche aussi. Je regarde la figure des types sous leur couverture, ce n'est jamais la sienne. La couverture se trempe, il y a longtemps qu'on est là. Où va-t-on aller ? Il paraît qu'on est encerclé. Depuis que nous sommes partis de Gandersheim, on ne parle que de l'encerclement. On dit aussi que les Alliés sont à Weimar ; alors on ne peut pas aller à Buchenwald. Peut-être qu'ils ne savent plus où nous conduire, qu'ils attendent des ordres. Le commandant SS est allé en prendre à la ville.

Lucien mange avec les cuistots. Ils font chauffer du café. On les regarde de loin, petit groupe isolé de gens gras. Le toubib espagnol fait aussi chauffer du café.

Le vent amène des paquets de pluie.

Où est Cazenave ? Gaston vient vers moi, atterré.

— Il paraît qu'il a été descendu.

— Mais... on n'a rien entendu ! Non, c'est le vieil Allemand qui a été descendu.

— Non, dit-il, Cazenave aussi a été descendu, longtemps après ; il était tombé sur la route.

Les mains dans les poches. La pluie dégouline de la couverture sur mon nez. Gaston a de la barbe, des lèvres épaisses et blêmes, l'eau tombe aussi sur son nez. Nous nous regardons comme des vieillards.

Lucien, là-bas, boit son café et il rigole.

— *Antreten !*

On repart. La route est goudronnée. Bientôt, on va entrer dans la ville. Il faut enlever la couverture, la rouler.

Les premières maisons. Les rues sont étroites et boueuses. Aux fenêtres, les rideaux se soulèvent, et, contre les vitres, apparaissent des figures de femmes qui écoutaient la radio, se chauffaient au coin du feu ou reprisaient. Une colonne passe. La rue est longue. *Konditorei. Kaffeterei*... Il y en a qui rient en montrant l'un de nous du doigt.

— Vous pouvez vous marrer, vous l'avez dans le cul ! dit un copain.

D'autres sont atterrées et mettent la main devant leurs yeux, comme si nous les éblouissions. La rue descend. Sur les trottoirs, les gens s'arrêtent. Fritz, en marge, sourit aux jeunes femmes. L'une d'elles lui demande qui nous sommes. Flatté, il lui répond, avec des égards. Elle hoche la tête. Nous remontons la rue, et nous arrivons sur une place, devant une église. On nous fait ranger devant le porche. Le commandant SS parle. On traduit : « Vous allez dormir dans cette église. C'est un monument classé : ne vous conduisez pas comme des bandits, sinon il y aura des sanctions. » Les Polonais entrent les premiers. Nous suivons lentement.

C'est bien une église. Les orgues jouent, oui les orgues. Nous entrons doucement à la file. C'est bien l'ombre d'une église, ce sont bien des orgues. L'organiste ne sait pas qui vient d'entrer. Une vieille femme s'affole et enlève les livres de messe qui sont sur les étagères. Les orgues continuent à jouer. Allégresse, gravité, contemplation, noblesse.

L'organiste ne sait toujours rien. L'autel est vide. L'organiste continue. Avec des copains on s'assied sur un banc, pétrifiés. Puis on se marre.

Les Polonais se sont couchés sur les tapis au pied de l'autel. Nous coucherons sur les bancs ou sur les dalles. Maintenant il y a des poux dans l'église, il y aura au moins des poux dans les tapis qui vont à l'autel. La vieille femme a disparu. Les orgues se sont tues. On n'a pas vu l'organiste.

Pour chier, il faudra sortir un par un, comme dans la maison aux chiens. Pour pisser on a amené une tinette dans l'église.

Il fait déjà très noir. Il y a juste une petite lampe à l'entrée qui éclaire la sentinelle. J'ai mangé un biscuit de chien, puis je me suis enroulé dans la couverture et je me suis allongé sur un banc. On distingue très mal les scènes pieuses peintes aux murs. On gèle.

Les biscuits de chien ont provoqué la diarrhée. Il y a queue près de la sentinelle. Les types tapent des pieds, ils ne peuvent plus attendre. Alors, ils se cachent et chient dans les coins de l'église, près des confessionnaux, derrière l'autel. Ceux qui ont la force d'attendre geignent près de la porte. D'autres chient dans la tinette réservée à l'urine. Le toubib espagnol s'amène :

— Qu'est-cé qué tou fous là, dégueulasse ? Fous-moi lé camp !

Le type reste assis sur la tinette. La sentinelle vient, le bouscule. Le type s'en va en tenant son pantalon. Des Italiens se tordent le ventre près de la porte, ils ne peuvent plus tenir. Maintenant, presque tout le monde chie dans l'église. Dans le noir, on croise des ombres rapides qui se cachent derrière les piliers. Ma couverture est encore trempée, et je ne peux pas vaincre le froid. Ça me prend le ventre aussi ; je ne peux plus attendre, la queue est trop longue : je vais sur la tinette. Un autre fait comme moi, sur le bord opposé ; je sens sa peau froide. On va vite, personne ne nous a vus.

J'ai essayé de dormir malgré les cris et les plaintes, mais le froid m'en a empêché. J'ai quitté le banc et j'ai marché dans l'église. On n'y voyait presque rien. Près de la porte, le lumignon brillait toujours au-dessus de la sentinelle. Il y avait là encore quelques types pliés en deux sur leur ventre et qui tapaient des pieds.

*

Un jour mauve tombe des vitraux. Les copains, enroulés dans les couvertures, dorment, les uns sur les dalles, les autres sur les bancs. L'église sort du noir avec ses épaves au pied des piliers. L'ombre se retire, les confessionnaux se découvrent, les calvaires, les crucifix, l'autel de marbre, toute la Maison.

Les kapos sont arrivés. Ils savent qu'on a chié dans l'église. *Alle Scheisse !* Ils sont furieux, heureux de pouvoir l'être. Ils vont pouvoir régler des comptes. Ils repartent informer les SS.

Le toubib espagnol arrive avec une matraque.

— Tout le monde debout !

— Bande de salauds ! ils ont chié dans l'église !

Les copains se réveillent. Quand la matraque approche, ils se lèvent. Lucien s'en mêle.

— Tout le monde debout ! Nettoyez !

— Avec quoi nettoyer ?

— Démerdez-vous !

L'Espagnol s'acharne surtout sur les Italiens :

— Nettoyez, nettoyez !

Il les poursuit avec la matraque. L'autel, les lampes, les images pieuses, les statues, les crucifix sont immobiles.

— Nettoyez, bande de salauds !

Des Italiens, avec du papier, essuient par terre. On est allé chercher des pelles. Il y a de la merde partout, des éclaboussures noires, au milieu de l'église, dans tous les coins. On gratte avec les pelles, on frotte les dalles ensuite avec du papier, mais on en a plein les pieds, on salit ailleurs, c'est impossible de tout nettoyer.

— On va tous y passer.

C'est Charlot qui a dit cela. Il est venu vers le petit groupe où je me trouve. Ses yeux sont devenus très mobiles.

— Qui te l'a dit ?

— C'est sûr, tout à l'heure on y passera tous. C'est l'ancien kapo des cuisines qui me l'a dit.

— On verra.

— On verra, on verra, on pourrait peut-être essayer de se défendre, non ?

Il a l'air très anxieux. Il est certainement informé. Il doit être menacé personnellement.

— Alors, vous allez vous laisser faire comme ça ?

— Avec quoi veux-tu te défendre ? On verra bien.

Il va vers un autre groupe, il sonde les types.

Je retourne vers mon banc, je croise un copain, qui me dit à voix basse :

— Il paraît qu'ils vont fusiller des otages.

— Parce qu'on a chié dans l'église ?

— Oui, c'est le prétexte.

L'Espagnol menace toujours de sa matraque. On entend toujours le crissement de la pelle sur les dalles. On essaye toujours de savoir ce qui se prépare. En passant, j'ai entendu :

— Ils vont fusiller par petits groupes.

L'Espagnol crie toujours. Il doit le savoir.

Par petits groupes. C'est facile, sur une route déserte. Tous ensemble, il y en a toujours qui fuiraient, qu'on raterait. Par petits groupes. On rôde dans l'église, claire maintenant. « Par petits groupes », entend-on de tous les côtés.

Les Italiens et les Français surtout, nous sommes tous menacés. Quel que soit celui que l'on croise, il n'est pas moins menacé qu'on ne l'est, aujourd'hui. Pas moins celui qui bouffe tranquillement son biscuit que celui qui racle les dalles ou celui qui, morne, regarde par terre. C'est peut-être aujourd'hui qu'ils ne nous supporteront plus. Un SS rôde dans l'église. Sa figure n'exprime rien de particulier. Peut-être sait-il que tout à l'heure nous serons tous couchés par terre ; peut-être ne sait-il rien. Il marche et surveille comme hier, comme avant-hier, comme il y a six mois. Dans un éclair, je me vois debout le dos au-dessus d'une fosse, Fritz devant moi avec la mitraillette. Ça s'efface, ça revient. Pour les copains malades, c'est déjà fait, pour l'évangéliste et Cazenave aussi. Maintenant on a hâte de sortir de cette église, que ça vienne vite.

On sort. On se range par cinq devant le porche. On nous compte comme d'habitude. Puis on appelle nominalement des types pour la charrette. C'est la première fois qu'on appelle nominalement pour la charrette. On appelle Charlot, le stubendienst qui couchait avec le lagerältester ; ceux-là, c'est pour les règlements de compte ; mais on appelle aussi des politiques parmi lesquels Gilbert.

La colonne s'ébranle. Le ciel est brumeux. Nous descendons d'abord la rue par laquelle nous sommes arrivés hier. Puis on sort de la ville par une autre route boueuse. Un type qui a la diarrhée essaye de remonter vers la tête de la colonne pour ne pas se trouver, quand il aura fini, à la hauteur de la charrette.

À côté de la charrette, il y a Fritz, un autre kapo, un SS et le grand cuistot qui dirige la manœuvre.

Nous tournons sur la gauche, vers le sud ; de chaque côté de la route, des terrains vagues s'étendent, couverts de brume. C'est désert. Pas un mur, pas une maison.

Le SS siffle. La colonne s'arrête. Tout près de la route, sur notre droite il y a un large et long fossé. Je descends pisser dans le fossé. Mais je n'ai pas fini que je me retourne, je me sentais pris. Il ne se passe pourtant rien d'anormal apparemment. Tout est calme. Mais je me sens dans la fosse et je n'y reste pas. La pause est courte. On change les types de la charrette.

La route continue, montante, à travers la lande et de temps

en temps des bois clairsemés. Nous avons atteint le commencement du Harz. Dans la colonne, on sent la charrette comme un abcès. Personne ne veut y aller. Il y a un grouillement secret autour, un jeu de fuites, d'esquives, de calculs. On s'écarte ; on essaye de se mêler aux Polonais qui sont en tête de la colonne.

— *Zehn Rusky !*

C'est le SS qui a appelé les dix Russes. Ils arrivent, graves. Ce sont les mêmes que ceux qui descendaient avant-hier matin du petit bois à Gandersheim après avoir enterré les copains.

La colonne repart. Ceux qui avaient pris la charrette ce matin au départ de l'église ne sont plus là. On ne se retourne pas. On marche vite. On ne marche pas, on fuit. On essaye de gagner la tête de la colonne. D'être le plus loin possible de la charrette. Personne ne parle. Nous sommes seuls sur la route, toujours pas une maison aux alentours. Et toujours la brume sur la lande. On marche un long moment. C'est une panique silencieuse.

La rafale. Elle est longue. D'abord un crépitement serré, puis des coups isolés. Puis plus rien.

— Ne vous retournez pas, nom de Dieu ! crie le grand cuistot qui commande à la charrette.

On avance plus vite.

— *Los, los !* commande le cuistot à ceux qui la tirent.

Par petits groupes. Dans trois heures, il n'y aura plus personne. Il ne faut pas ralentir. Les types qui sont maintenant à la charrette vont y passer. C'est leur tour. « *Los, los !* » Ils tirent. On marche plus vite.

Les choses se passent derrière. Fritz dit à un type : *Du, zurück !* L'autre reste, ne veut pas aller en arrière. *Zurück !* Il dit ça entre les dents. L'autre rougit. *Zurück, los !* Le type essaie de discuter ; Fritz n'est pas un SS, on l'appelle même par son prénom. *Zurück !* Rien n'hésite sur sa figure. Aucune colère n'y est visible non plus, et il tue.

La pause. On désigne d'autres types pour la charrette. Ceux qui la quittent se regardent un instant, affolés. Mais on ne les retient pas. Ils se mêlent vite à la colonne. On ne les tuera pas cette fois-ci. Gilbert arrive de la queue de la colonne vers nous. Il est très pâle.

— J'étais dans la première fournée ; Fritz voulait me descendre. Je me suis tiré de justesse...

Il parle par saccades.

— Je suis repéré : ne me regardez pas quand je parle.

Il remonte vers la tête de la colonne. Il y a toujours de la brume. On monte, il fait plus frais. Ils n'ont pas tué ceux de cette charrette. On marche maintenant dans l'ordre : Russes, Polonais, Italiens, Français. On marche pendant un moment, puis le blockführer SS qui se trouvait en tête descend vers le milieu de la colonne. Il s'arrête sur le bord de la route, les jambes écartées, et regarde la colonne passer. Il observe. Ce sont les Italiens qui passent. Il cherche.

— *Du, komme hier!*

Il a désigné le vieux qui avait ces énormes anthrax dans le dos. Le vieux sort de la colonne, la figure épuisée, les yeux hagards. Il reste sur le bord de la route près du blockführer. On le regarde. Il a encore cinq minutes à vivre sur le bord de la route. On passe. Nous ne pouvons rien faire. Nous sommes complètement épuisés, la plupart incapables même de courir.

Le SS continue :

— *Du, komme hier!*

C'est un autre Italien qui sort, un étudiant de Bologne. Je le connais. Je le regarde. Sa figure est devenue rose. Je le regarde bien. J'ai encore ce rose dans les yeux. Il reste sur le bord de la route. Lui non plus, il ne sait que faire de ses mains. Il a l'air confus. On passe devant lui. Personne ne le tient au corps, il n'a pas de menottes, il est seul au bord de la route, près du fossé ; il ne bouge pas. Il attend Fritz, il va se donner à Fritz. On passe. La « pêche » continue. Maintenant ce sont les Français qui passent. On se redresse pour ne donner aucun signe de fatigue. J'ai enlevé mes lunettes pour ne pas me faire repérer. On essaye de se camoufler le mieux possible sur le côté droit de la colonne opposé à celui du SS. On marche vite en baissant les yeux, en profitant d'un plus grand que soi pour se cacher derrière lui. Surtout il ne faut pas rencontrer le regard du SS.

L'humidité de l'œil, la faculté de juger, c'est ça qui donne envie de tuer. Il faut être lisse, terne, déjà inerte. Chacun porte ses yeux comme un danger.

Le SS est revenu vers les Italiens.

Un autre.

Il sort de la colonne et reste aussi sur le bord de la route.

Quelques instants passent.

La rafale. Toujours la même chose, les coups en vrac, comme un tombereau qu'on renverse, puis des coups isolés. Sonorité terrible. Ça entre dans le dos, ça pousse en avant. Silence du bois. Ce n'est pas le bruit de la chasse, ni le bruit de la guerre. C'est un bruit de frayeur solitaire, de terreur nocturne, diabolique. Le dernier coup isolé est pour un œil qui brille encore.

La terreur grandit dans la colonne toujours silencieuse et qui avance toujours à la même allure. Personne ne se retourne, tout se passe derrière nos dos. On marche toujours. On n'a aucune idée. On attend. Ils pourraient en tuer encore cinquante comme cela, encore cinquante, ils vont peut-être tous nous tuer, mais tant qu'il en reste, la colonne existe et elle marche, le dos courbé. Il n'y a rien d'autre à faire. Quand il n'en restera plus que vingt, ils attendront encore, avanceront encore, jusqu'à ce que les SS n'aient plus de colonne à conduire. On croirait qu'on est de connivence avec eux. Nous étions un peu plus de 400 au départ. Les SS arriveront seuls avec les kapos et sans doute les Polonais. On a vu la mort sur l'Italien. Il est devenu rose après que le SS lui a dit : *Du, komme hier!* Il a dû regarder autour de lui avant de rosir, mais c'était lui qui était désigné, et quand il n'a plus douté il est devenu rose. Le SS qui cherchait un homme, n'importe lequel, pour faire mourir, l'avait « trouvé » lui. Et lorsqu'il l'a eu trouvé, il s'en est tenu là, il ne s'est pas demandé : pourquoi lui plus qu'un autre ? Et l'Italien, quand il a eu compris qu'il s'agissait bien de lui, a lui-même accepté ce hasard, ne s'est pas demandé : pourquoi moi plus qu'un autre ? Celui qui était à côté de lui a dû sentir la moitié de son corps mis à nu.

On ne parle pas. Chacun essaye d'être prêt. Chacun a peur pour soi ; mais jamais peut-être on ne s'est sentis aussi solidaires les uns des autres, aussi remplaçables par n'importe quel autre. On se prépare. Cela consiste à se répéter : « On va y passer par petits groupes », et à se voir debout devant la mitraillette. Prêt à mourir, je crois qu'on l'est, prêt à être désigné au hasard pour mourir, non. Si ça vient sur moi, je serai surpris, et ma figure deviendra rose comme celle de l'Italien.

La route monte. De la neige fond sur les talus. On s'est arrêté de nouveau. C'est mon tour d'aller à la charrette. On repart. Je pousse par-derrière. À côté de moi, H..., un Normand que je connais un peu. Le grand cuistot a un long bâton dans la main. Il crie pour qu'on pousse plus fort, et pour se distinguer de nous sans confusion possible.

— Ne vous retournez pas, en avant, en avant !

La montée est dure. Devant, des copains sont accrochés au timon par des chaînes qui les prennent à l'épaule. On souffle, on ralentit.

— En avant, en avant ! gueule le cuistot.

Derrière, nous sommes collés les uns aux autres, nous nous gênons, nous poussons avec les mains. Après nous, il n'y a plus que les kapos et les SS. C'est ici que tout se règle. On est à la limite. Le vide derrière nous nous ankylose le dos. On a le nez sur la charrette.

H..., qui est à côté de moi, pleure.

— Je vais y passer.

— Si on doit y passer, on y passera tous, lui dit un copain de l'autre côté, il n'y aura pas que toi. Attends un peu.

Il parle en pleurant :

— Non, moi je vais y passer, l'Espagnol m'a repéré, il m'a foutu un coup de pied, il m'a traité de feignant.

— Et puis après ?

H... trébuche en marchant, il perd sa place à la charrette, il est un peu en arrière. Il cherche à placer son bras. Il ne veut pas qu'on le voie les bras ballants. Il faut qu'on ait les bras sur la charrette.

Le grand cuistot l'engueule :

— Dis donc, le grand, tu vas pousser un peu !

H... se précipite, il cherche à placer sa main sur la charrette. On l'aide, il pleurniche, il est affolé :

« Tu vois, ils m'ont repéré, ils vont me tuer. » Il reprend, sa voix tremble : « Tu iras voir ma mère, hein, tu lui expliqueras ?

— Nom de Dieu, ne te mets pas dans cet état, on en est tous au même point, quoi ! » répond le copain.

Ils ont parlé à voix basse. Maintenant H... se tait, des larmes coulent sur ses joues. À côté de moi, celui qui a répondu à H... ne dit plus rien. Nous sommes presque au sommet de la côte. On commence à s'épuiser. Je sens mes jambes et mes bras. J'oublie ceux qui sont derrière, rien que la marche du mulet, la tête qui monte et descend. On arrive au sommet. La charrette est moins lourde.

Le coup de sifflet. On arrête la charrette. Ils sont là derrière. Ils nous rejoignent. On ne se retourne pas. Je les sens dans mon dos, je sens Fritz.

Il n'a pas dit *Zurück*. On a quitté la charrette avec lenteur et on a rejoint la colonne. La figure de H... s'est recomposée, puis il a souri.

C'est la fin de la journée ; on dévale les pentes du Harz. Les bois sont sombres. On arrive dans une petite ville. Le sommet de la côte a marqué la rupture de cette journée. Maintenant on ne fusille plus. On peut se détendre et bavarder. La journée a été difficile, on le savait au départ. Ça reprendra peut-être demain, mais avant, on dormira une nuit. On croirait qu'on est déjà habitué. On a traversé la ville et on est arrivé près de la gare, devant une scierie. On patauge dans la boue et dans l'eau. Il fait presque nuit. On est entré dans la scierie. Il n'y a pas de lumière. J'ai pris deux planches et je les ai posées côte à côte par terre ; elles sont rugueuses, elles sentent le bois fraîchement ouvert. Je m'allonge dessus.

J'ai bu de l'eau glacée dans le Harz, le ventre me fait mal et il faut que je me lève. Dans le noir, j'enjambe des corps. Près de la porte il y a un petit seau en métal ; des types sont autour ; il y en a un qui est assis dessus ; les autres, devant lui, tapent du pied.

— Dépêche-toi, dépêche...

Celui qui est assis râle :

— On n'a même pas le temps de chier.

Un autre proteste :

— Tu t'y remettras après, lève-toi, je ne peux plus tenir. Le type se lève, l'autre se précipite sur le seau. À son tour il s'attarde. Celui qui s'est levé tient son pantalon, il trouve que l'autre reste trop longtemps.

— Je t'ai laissé la place, toi aussi tu t'y remettras.

L'autre ne bouge pas, il gémit doucement. Celui qui s'est levé tape sur la tête de l'homme assis.

— Tu disais que je restais longtemps, mais toi, alors !

Derrière on râle.

— Qu'est-ce qu'il fout ? Démerde-toi, nom de Dieu !

Le type reste assis; les autres se rapprochent de plus en plus; le cercle se ferme autour de lui; ils l'étouffent presque. Il se lève sans un mot, mais il ne s'en va pas.

— J'étais ici avant toi.

Ils sont deux à se bousculer, un troisième s'assied. On ne dit plus rien. Des plaintes, la patience autour, c'est tout.

*

Nous quittons la scierie à l'aube. Il y a quatre jours que nous sommes partis de Gandersheim. L'air est très froid. On longe un ruisseau qui traverse une prairie, puis on le franchit et on gagne le pied d'une colline. Tout autour, les pentes sont couvertes de bois. On connaîtra tous les ciels d'Allemagne, l'énorme désordre des nuages. On grimpe le long sentier; la colonne s'est amincie; nous marchons l'un derrière l'autre. On a atteint une route bordée de forêts. La détente d'hier soir est passée. On a peur des bois, de la brume. Le sommeil a bu la paix que nous avions regagnée à force de fatigue en descendant le Harz. On se retrouve maigres, nets, prêts. S'ils recommencent, on se recollera encore les uns contre les autres, on fuira encore la charrette, on courbera encore le dos, on accélérera encore le pas. La journée d'hier ne nous a pas blasés comme on a pu le croire hier soir. Aussi innocents qu'hier matin, notre angoisse est intacte, le repos l'a refaite. Pour chacun, l'affaire a peut-être été simplement retardée d'un jour. Hier on s'est pressé, on a eu peur pour rien et la frousse, comme une grosse poche d'air, s'est dégonflée dans la descente du Harz. Quand on a ouvert les yeux ce matin, elle pesait de nouveau sur la poitrine. Il y en a un qui a dit ce que tout le monde pensait :

— Je voudrais être à ce soir.

Ce soir, nous serons à vingt ou trente kilomètres, ou peut-être simplement à deux ou trois kilomètres d'ici, sous les arbres.

Mais la pause vient, puis une autre. La journée sera calme. Le soleil est en plein ciel. Nous traversons de petits villages. Il y a déjà des chicanes sur les routes, mais on n'entend pas le canon. Les montagnes arrêtent le son. On avance. On approche de la fin de l'étape. La fatigue revient, la faim et alors aussi la paix. On se rassure. On a soif. Des copains quittent la colonne et courent vers les rigoles du bord de la route. Ils s'agenouillent, essayent de prendre l'eau dans leurs mains. Le SS les a vus. Il tire, mais il les rate. On ne fusille pas aujourd'hui, mais l'arme est toujours prête, il y a toujours des rafales en réserve.

Un double queue ! Comme une libellule, dans le ciel. On nous fait planquer dans le fossé. Il glisse, il fouille les routes. Il lâche une bombe. D'autres avions arrivent, le ronflement nous caresse, c'est chaud. Les SS se cachent, nous regardons en l'air, tranquilles, détendus.

L'alerte est passée, la colonne se reforme. On arrive à Wernigerod. Il doit être six heures du soir. La lumière du ciel est jaune. On entre dans la ville par des allées plantées d'arbres. Petite ville calme. Les gens flânent sur les trottoirs ou rentrent chez eux. Des épiceries. Des boulangeries. Des magasins.

Hier matin, quand on tuait les copains, ces gens flânaient ainsi sur les trottoirs ; le boucher pesait la ration de viande. Un enfant était peut-être malade dans son lit, il avait la figure rose, la mère inquiète le regardait. L'Italien aussi sur la route, sa figure est devenue rose, la mort lui entrait doucement dans la figure et il ne savait comment se tenir pour avoir l'air naturel. La mère maintenant nous regarde peut-être passer : des prisonniers. Il y a cinq minutes on nous ignorait ; ce matin aussi, et nous avions peur et des copains voyaient leur mère, et cette mère ici regarde et ne voit rien. Solitude de cette petite ville, dans la torpeur, après l'alerte. Ils perdent la guerre, leurs hommes meurent, les femmes prient pour eux. Qui est-ce qui les voit déchirés par les obus et qui voyait hier, dans le Harz, ceux qu'on venait de mitrailler sous les arbres ; qui voit le petit enfant à figure rose dans son lit et voyait hier l'Italien à figure rose sur la route ; qui voit les deux mères, la mère de l'enfant et celle de l'Italien à Bologne, et qui referait l'unité de tout ça, et expliquerait ces distances énormes, et ces similitudes ? Mais tout le monde peut voir.

Tant qu'on est vivant on a une place dans l'affaire et on y joue un rôle. Tous ceux qui sont là, sur le trottoir, qui passent en vélo, qui nous regardent ou ne nous regardent pas, ont un rôle, qu'ils jouent, dans cette histoire. Tous, ils font quelque chose par rapport à nous. On a beau foutre des coups de pied dans le ventre des malades, ou les tuer, obliger des types qui ont la chiasse à rester enfermés dans une église et les fusiller ensuite parce qu'ils y ont chié, gueuler pour la millionième fois *alle Scheisse, alle Scheisse,* il y a entre eux et nous une relation que rien ne peut détruire. Ils savent ce qu'ils font, ils savent ce qu'on fait de nous. Ils le savent comme s'ils étaient nous. Ils le sont. Vous êtes nous-mêmes ! On regarde chacun de ces êtres qui « ne sait pas », on voudrait s'installer dans chaque conscience qui voudra n'avoir aperçu qu'un morceau de tissu rayé, ou une file d'hommes, ou une figure barbue, ou le SS martial qui est en tête. On ne nous connaîtra pas. Chaque fois qu'on traverse une ville, c'est un sommeil d'hommes qui passe à travers un sommeil d'hommes. C'est cela l'apparence. Mais nous savons tout, les uns et les autres et les uns des autres.

En traversant Wernigerod, c'est pour ceux des trottoirs qu'on tend les yeux. On ne quête rien ; il faudrait seulement qu'ils nous voient, qu'ils ne nous ratent pas. Nous nous montrons.

On s'est arrêtés près de la gare et on s'est assis par terre. Tout près, il y a un hôpital militaire avec de grandes baies vitrées. On voit passer les bonnets blancs des infirmières. Sur une terrasse, des blessés sont assis, une infirmière circule entre eux. Ils bavardent, ils sourient ensemble. On regarde cette femme propre et souriante, ces hommes vêtus de pyjamas blancs ou gris. Ils peuvent se lever, s'asseoir. On leur apporte du lait, ils sont allongés au frais, on les aime. Lorsque je vois cette femme s'approcher d'eux, l'image de l'amour est tellement forte que j'en sens pour eux le rayonnement tiède. Hôpital limpide, où le mal est luxueux, où l'on ne pourrit pas, où l'on doit mourir avec l'âme chantante. Encore une journée de bonheur, de calme, de bonne conscience, à la veille de la catastrophe, car c'est bien nous, *la pourriture,* qui sommes les vainqueurs.

Et on repart, on sort de la ville. La campagne est plate. Vague horizon de collines. On a définitivement quitté la montagne. Par endroits, il y a des petites maisons avec des cheminées qui fument. Le soir vient. Depuis la sortie de Wernigerod, je traîne la jambe. Mes genoux ne se délient plus ; je vais penché en avant, la tête baissée. Parfois je la relève ; je respire longuement, j'essaye de sortir de ma torpeur, mais ce sont les jambes qui s'épuisent. Je tente de modifier cette démarche dangereuse, de me surveiller. Je raidis les jarrets, je soulève alternativement chaque pied de terre, comme si je pédalais, mais mes jambes sont de plomb, et ma tête aussi est très lourde. Si je fermais les yeux, je m'effondrerais.

Sur la droite, au milieu d'un champ, se rapproche un grand silo. C'est probablement là que l'on va. Il n'y a rien d'autre en vue où l'on puisse s'arrêter. On s'en rapproche, mes pieds raclent de plus en plus le sol, je ne vois plus rien de la campagne que ce toit. Je sais qu'arrivé, je vais tomber. Je ne peux plus faire aucun autre effort que celui de traîner mes pieds. Je ne pourrais plus me retourner, ni me baisser. J'ai mal au ventre, mais je ne veux pas m'arrêter sur le bord de la route, je ne me relèverais pas. Le toit se rapproche, j'ai calculé mes forces en vue de cette distance. J'étais sûr que je ne pourrais pas aller plus loin. Pourtant, nous sommes à la hauteur du hangar et nous ne tournons pas vers la droite, nous le dépassons. Je ne sais pas comment je peux avancer encore, quelle est la limite de mes forces. Je suis deux pieds qui traînent l'un après l'autre et une tête qui pend. Je pourrais tomber ici, j'aurais même pu tomber avant le hangar ; mais il n'y a pas de moment où il faut tomber, où l'on peut tomber. Je tomberai ou je ne tomberai pas ; si je tombe, c'est le corps qui aura décidé. Moi, je ne sais pas. Ce que je sais, c'est que je ne peux plus marcher, et je marche.

Au loin, on distingue une longue cheminée de brique. C'est peut-être là. La route monte légèrement. Le soir est limpide. Aujourd'hui on n'a pas fusillé. Tout à l'heure on dormira. Mais je ne sais pas si j'arriverai jusqu'à la cheminée. Elle grandit. Je ne cesse pas de faire des pas et d'avancer, je gagne de la route, comme ceux qui ne sont pas fatigués ; quand je me demande si je vais arriver, j'avance, la décision du corps est constante, là-dessus je peux m'interroger, marteler « il faut, il faut », ou laisser pendre mon cou, les pieds avancent toujours. Pourtant, je ne peux plus, je ne peux plus et la cheminée est là, on tourne à droite, encore cent mètres, c'est là, on est arrivé, je ne peux plus, on est arrivé mais on marche encore, c'est là. La colonne est arrêtée. Je me couche par terre. J'aurais pu continuer.

*

Nous avons dormi à côté d'une briqueterie, dans une remise de foin et de paille. J'ai couché à côté de Paul et de Gaston ; nous étions emboîtés les uns dans les autres dans un espace étroit. Des convois militaires sont passés sur la route cette nuit et même des chars. De nouveau on entend le canon. Je n'ai plus de pain ni de biscuits. On ne nous distribuera pas de nourriture. Il faut trouver n'importe quoi à manger. Au-dessus de nous, à travers des poutres, on voit des types qui reviennent avec des sacs pleins. C'est de la fécule de betterave, ça ressemble à de petits bouts de vermicelle durs, bruns ou blancs. On en trouve dans des grands sacs de papier, dans les corridors d'un des bâtiments de la briqueterie.

Par une échelle, j'ai atteint un plancher au centre duquel il y a un tas de foin. À cet étage, le hangar est ouvert de chaque côté et les sentinelles surveillent. J'ai marché en me courbant très bas pour atteindre une issue dans le mur. Je me suis trouvé dans un corridor obscur et j'ai descendu doucement un escalier. Au pied de l'escalier, une montagne de sacs. Je vois deux types se cacher dans l'ombre. Quand ils me reconnaissent, ils reviennent vers le sac crevé. À pleines mains, ils font tomber la fécule dans leur propre sac ; quand le sac est plein, ils s'en vont. Je suis seul. Mon sac de toile ouvert, j'enfonce la main dans la fécule. Elle est sèche. Au bout de ma main, il y en a toujours, c'est insondable. Je la fais tomber dans mon sac. Cette fois ce ne sont pas des clous, ça se mange. La fécule descend, je vais vite, mon sac est déjà plein. Je le retire. La fécule continue à tomber du sac de papier et elle coule par terre.

J'ai remonté l'escalier, je suis rentré dans la lumière. De nouveau je me suis courbé pour franchir l'espace découvert, mon sac à la main. Je revois l'autre sac ouvert et la fécule qui coule. Tout à l'heure, le kapo descendra l'escalier, c'est sûr, ce sac ne peut pas continuer de couler comme cela, c'est trop. Le kapo verra un copain de dos, le bras plongé dans le sac. Le kapo sera là tout à coup à un moment où une main sera dedans. Il faut qu'il y en ait un qui soit pris comme ça. Ça pouvait être moi, ce ne sera pas moi. Je mange une poignée de fécule. C'est une matière gommée, dure et souple, sucrée, avec une arrière-saveur de betterave, et qui se mâche mal. Après en avoir absorbé quelques poignées, on est écœuré.

Dehors, sous le soleil, avec Paul et Francis, on a allumé un petit feu entre deux pierres; on a mis dessus une gamelle remplie de fécule et d'eau. Autour de nous, de petits groupes de trois ou quatre ont fait aussi des feux. Certains qui ont pu trouver des patates les font cuire sous la cendre. Les autres font bouillir de la fécule. La fumée noircit la figure, les yeux pleurent; penchés sur le foyer, on souffle pour l'attiser. La fécule commence à brunir; quand elle bout, on la laisse réduire; on obtient ainsi une sorte de sirop de sucre que ceux qui ont des bouteilles mettent en réserve. On mange la fécule bouillie. C'est infect et cela augmentera notre diarrhée.

Une alerte. Les kapos se précipitent sur les feux. À coups de pied, ils les écrasent. Nous rentrons sous le hangar avec fécule et gamelle.

J'en ai beaucoup mangé. Ça m'a rendu malade. Je ne peux plus maintenant l'absorber que par pincées et crue.

J'ai vu des camarades qui avaient des patates. Il paraît qu'il y en a beaucoup, dans une salle obscure au rez-de-chaussée de la briqueterie. J'y vais. Pour cela, j'ai emprunté le même chemin que celui de la betterave jusqu'au sommet de l'escalier. Là, j'ai tourné à gauche, j'ai traversé un grenier et j'ai atteint un autre escalier que j'ai descendu. Il faisait sombre. En avançant, j'ai débouché dans un couloir percé d'ouvertures à hauteur de la ceinture; ces ouvertures donnaient sur la cour de la briqueterie et il y avait des sentinelles; j'ai rampé jusqu'au fond du couloir où j'ai trouvé une porte. Je l'ai poussée, et je me suis trouvé dans le noir. J'ai avancé, le bras tendu, comme un aveugle, je ne sentais rien. J'ai continué d'avancer et au bout d'un moment j'ai rencontré des sacs. À force de tâter, j'ai trouvé une ouverture et j'ai enfoncé le bras. Je sentais de petites choses rondes et dures sous la main. En allant vite, j'ai essayé d'attraper les plus grosses. Je les ai mises dans ma musette. Puis il y a eu du bruit. Si c'était une sentinelle, la lampe électrique allait s'allumer. Je n'ai pas bougé. Les pas se sont rapprochés; on était près de moi; une main a cherché, elle a atteint un sac. Pas une parole. Je suis parti.

J'ai retrouvé Francis auprès du feu que les copains ont rallumé. Le poids de la musette est apaisant. On n'a plus à regarder les autres faire cuire avec des yeux dont on a honte. On ne regardera plus la flamme entre les deux pierres se consumer pour rien et les pierres nues ; on ne se regardera plus chacun à son tour soufflant sur les tisons pour faire durer le feu, pour rien. Nous aussi nous allons « faire cuire ».

— *Antreten !*

Les kapos arrivent. On s'en va en cachant les patates sous la couverture. Ils piétinent le feu de nouveau. Les deux pierres restent par terre, le bois fume encore un peu. La fumée nous a rougi les yeux, noirci la figure, mais on n'a pas mangé.

On parle de nouveau de nous tuer. L'interprète russe affirme que c'est sûr. Ils n'ont plus rien pour nous nourrir. Les Alliés sont à trente kilomètres et ils ne savent plus quoi faire de nous. Cependant, à la ferme voisine, de l'eau bout pour nous avec des morceaux de carottes dedans ; nous en toucherons un demi-litre chacun. Près de la ferme se trouve le silo d'où viennent les carottes. On se précipite, on y plonge les mains et on en ramène quelques-unes, boueuses, qu'on frotte un peu et qu'on mange.

Après avoir bu la soupe, on part. Il fait chaud. On marche toujours vers le sud. Les patates sont dans le sac, c'est tout ce qu'il reste à manger. Pendant la traversée d'un village, le sac crève. Je ne peux pas me baisser pour les ramasser. Il faut économiser ses forces. Quand je peux arrêter l'hémorragie il ne m'en reste plus que cinq ou six. L... qui est devant moi souffre beaucoup de ses hémorroïdes. Deux copains le soutiennent. À la briqueterie, il saignait terriblement. Il est très abattu. Il nous a dit qu'il était sûr qu'il n'arriverait pas.

Sur les pancartes, aux embranchements, on lit « Halle », « Leipzig ». On ne cherche plus à savoir où l'on va. Nous ne situons pas les paysages que nous traversons dans la géographie de l'Allemagne. Des routes qui grimpent, descendent, des tournants, sous le soleil qui baisse insensiblement. Il n'y a plus sur la colonne cette oppression qui pesait durant la traversée du Harz. Nous n'avons guère plus de raisons de nous rassurer, mais nous sommes tous très fatigués. La naissance de ce printemps nous accable, le corps est trop faible pour la supporter. La lumière est jaune sur les champs qui sèchent, et le bord de la route est blanc de poussière. Des prisonniers de guerre cassent des pierres pour construire des chicanes antichars. Sur leur figure brûlée, la sueur coule. La colonne se traîne devant eux. Il y a des Français parmi eux. Il y avait aussi des Français qui se promenaient, les mains aux poches, dans la petite ville que nous venons de traverser. Nous sommes plus ennemis que ceux qui cassent des pierres, et eux le sont plus que ceux qui se promènent en ville, les mains aux poches.

*

C'est le soir. Je suis accroché au timon de la charrette. Nous avons été dépassés par des convois de véhicules camouflés sous des branches coupées, et par des ambulances. Le bruit du canon est très net maintenant. On pourrait montrer du doigt la direction dans laquelle est la pièce.

Il y a un bon moment que je tire sur la chaîne ; un copain tire lui aussi, de l'autre côté du timon. Nous ne tirons pas également. Souvent, la voiture part vers la gauche, et quand un camion va la frôler, nous la ramenons brutalement vers le fossé et les kapos gueulent. La chaîne use mon épaule ; parfois je la détends et je prends une longue respiration. Des civils sont devant la porte de leur maison ; ils regardent passer les convois qui fuient le front, ils nous regardent aussi. Ainsi l'image qu'ils ont de la défaite n'est pas simplement pitoyable, puisque nous sommes intégrés dans le cours de cette débâcle, ennemis encore vivants, qui frôlent dans les embouteillages leurs propres blessés. Cette image pourrait être odieuse et grotesque. Nous sommes de trop. Mais les visages de ces gens ont pris une expression définitive depuis le début de la débâcle. C'est d'un certain regard qu'ils ont vu passer leurs troupes en déroute, et lorsque nous venons derrière, ils sont tellement accablés et ils ont tant à s'apitoyer que leurs yeux n'ont pas la force de changer leur regard, de l'adapter à nous. Tout au plus y a-t-il chez les moins abattus, un durcissement de la figure, le signe d'un réveil. Mais en général, les yeux sont trop alourdis déjà de détresse ; nous recueillons juste, au passage, le désespoir, l'apitoiement, provoqués par la vue de ceux des leurs qui nous précèdent et que ceux qui nous suivent retrouveront.

Sur notre gauche, en arrière, le ciel par intermittences s'éclaire de rouge. Dans cette fuite, nous nous sentons de plus en plus ne compter pour rien. La chaîne sur l'épaule, nous n'appartenons pas plus à ceux qui fuient qu'à ceux qui avancent, mais aux SS et aux kapos qui sont là. Ils sont nos maîtres particuliers, nous, leurs esclaves personnels. Vers où nous font-ils marcher ? Nous sommes sûrs qu'ils ne le savent plus. Il commence même à nous paraître inouï que, dans cet effondrement, il y ait des Allemands en uniforme dont la fonction consiste à s'occuper de nous.

Cette guerre ne pouvait pas finir sur une défaite saine. Il fallait que l'Allemagne se vît pourrir. Le nazisme était une réalité, il devait mettre sa marque sur cette fin. Il n'y a pas que les blessures fraîches sur la figure ou le corps de leurs soldats, il y a les mouches autour des faces sans chair des nôtres qui pourrissent dans les fossés.

Il fait nuit. Je ne sens plus que cette chaîne sur l'épaule. Il y a une image de l'esclave à laquelle on est habitué depuis l'école. Il y a des statues, des peintures et des histoires qui la représentent. Mais on ne savait pas – moi, en tout cas, je ne savais pas – que je pouvais la prendre moi-même, cette forme, être moi-même cet esclave de l'ancienne Égypte, ce captif d'Assyriens... Chacun a dans la tête une pose classique de l'homme esclave. Toute terreur, toute angoisse dissoutes, j'ai senti cette pose, comme ma propre coquille. Je me suis mis à me décrire intérieurement moi-même. Ma pensée déclenchée se presse, je me répète les mêmes lambeaux de phrases, comme un halètement : « La chaîne à l'épaule, accroché au timon, la nuit, la tête courbée vers la terre, mes pieds que je vois qui glissent en arrière, ma sueur, ma sueur... » La bouche serrée, je répète, je répète mon morceau de phrase.

Puis, encore une fois, la colonne s'est arrêtée. J'ai lâché la chaîne, et je me suis aussitôt couché dans le fossé. Les copains aussi se sont étendus, ils ne bougent pas. On va peut-être rester ici. À gauche, la lueur rouge est plus haut dans le ciel. On n'entend plus un simple bruit isolé mais le roulement du canon. Le roulement part du lieu où l'on est libre ; la distance s'est réduite, mais elle existe toujours. Le roulement les fait trembler, SS et kapos. Ils se concertent au milieu de la route. La nuit est tiède sur la figure, nous ne sommes pas perdus. Il n'y a qu'à ouvrir les yeux, le ciel maintenant ne cessera plus de s'allumer et de s'éteindre.

On est reparti encore et on s'est arrêté encore, plus loin, à un embranchement. Je me suis encore couché sur le gravier au bord de la route. Je ne sais pas où sont Paul et Francis. La plupart des camarades sont épuisés. Ils se lâchent, les couples se défont, s'oublient. Chacun est par terre et ne bouge pas.

Nous sommes arrivés enfin devant de grands bâtiments qui donnent sur la route. On est entré dans une cour, puis dans un hangar; il y avait une petite épaisseur de foin; je suis tombé dedans.

*

Il fait soleil. Francis reste étendu dans le foin. Il ne veut pas repartir. Il est recroquevillé dans le foin, il a déployé sa couverture sur lui, il tient peu de place. Sa figure est creuse, décolorée; il a enfoncé son calot jusqu'aux oreilles. Paul s'approche de lui. Francis soulève les paupières; ses yeux noirs sont humides.

— Francis, lève-toi, on va partir, dit Paul.

À la fois épuisé et irrité :

— Non, je reste ici.

— Tu es fou, tu sais ce qui t'attend?

Paul s'est accroupi près de lui :

— On va être libres, viens.

Paul l'a soulevé par l'épaule.

— Lève-toi, il faut!

Il l'a lâché, et il est retombé.

— Non, je ne peux plus, dit Francis dans un grognement très faible.

Paul est allé vers la porte du hangar. Il ne peut pas faire plus que de dire à Francis « il faut ». Peut-être Francis ne peut-il réellement plus. Paul ne peut pas le savoir, Francis non plus, il a dit : « Je reste ici », son corps s'est fait à cet abandon. C'est peut-être aussi son heure, l'heure où il refuse d'entendre parler plus longtemps de tout ça, comme il y a eu celle de l'évangéliste, celle de Cazenave. Si Francis décide de rester, il sait qu'il sera tué, et Paul ne peut rien faire. Il n'a même plus les moyens de mesurer la portée de son impuissance ni la fatalité de la décision de Francis. Cela se passe dans une brume; Paul a eu à peine la force d'insister. Francis est couché, Paul debout, mais la position que Paul a par rapport à l'autre est incertaine. C'est une partie de son énergie qu'il a employée à lui dire simplement : « Lève-toi ». Il est sans conviction.

Le rassemblement se fait dans la cour. Francis y est.

On reprend en sens inverse le chemin que nous avons suivi hier. Nous marchons donc maintenant en direction du front. Nous longeons un terrain d'aviation. Le SS qui nous conduit ne sait pas où aller, mais la colonne suit. Il aborde un officier aviateur allemand, ils consultent une carte. On entend dans la conversation «*Franzosen*» : devant nous, à une trentaine de kilomètres, le front serait tenu par des Français. C'est la première fois que, dans leur langage, nous saisissons une allusion aussi immédiate à la guerre. Tout le monde sait maintenant, et le SS doit sentir bien davantage notre présence. Nous ne pouvons pas aller plus loin dans la même direction. Nous tournons, en effet, nous prenons sur la gauche un chemin charretier.

Il fait lourd. Nous allons commencer à tourner en rond. Le chemin est long, il est bordé de vieux arbres noueux. De chaque côté, des champs sans couleur.

Je n'ai plus que quelques pommes de terre crues, je n'ai rien mangé depuis hier matin, et je n'ai pas faim. Ma langue est épaisse, la brume de chaleur m'enduit comme d'une glu. Il n'y a pas très longtemps que nous sommes partis ; nous ne marchons ainsi que depuis six jours. Mais, déjà, la colonne n'a plus de forme. On ne parvient plus à se maintenir en place à côté des copains ; ce lien élémentaire qui fait, qui faisait marcher à côté du camarade qu'on avait choisi, on n'a plus la force de l'entretenir. Plus la force non plus de parler. De temps à autre : « Comment ça va, Paul ? » — « Ça va. » Une respiration reprise, un court réveil, comme une syncope dans cette méditation du dos et des pieds où l'on retombe aussitôt. Chacun est seul. On ne fait même plus de prévisions. La libération tourne autour de nous, elle nous survole comme cet avion qui passe. Nous sommes là, nous levons la tête puis nous regardons devant nous : notre maître est le même, habillé en vert. Va-t-on nous laisser crever la tête en l'air ?

Au bout du chemin, il y a quelques maisons et un petit pont. Le ruisseau est sale. Devant leur demeure, des gens ont posé des seaux d'eau. Les kapos leur parlent de nous. Les gens leur donnent de la bière. Le SS qui commande la colonne parle avec un notable du village. Le SS montre son cirque au notable qui semble perplexe. Les kapos essayent de faire rire les femmes en désignant des camarades. Elles ne rient pas. Toute la population du petit village est là. Les figures se dépaysent. Ils nous regardent et semblent complètement déroutés ; jamais plus, sans doute, ils ne rencontreront d'aussi parfait mystère. On leur fait franchir des limites humaines dont ils n'ont pas l'air de pouvoir revenir. Les enfants observent ces inconnus plus extraordinaires que ceux de leurs livres d'images, les hommes des contrées redoutables, ceux qui font le mal et qui ont tellement d'aventures, tous ceux qui les ont fait trembler la nuit et sur lesquels ils ont posé des questions au père et à la mère. Ils les regardent boire dans les seaux. C'est dans les yeux de ces enfants que nous pouvons voir ce que nous sommes devenus. Quand on s'approche des seaux, les femmes s'écartent. L'une d'elles s'est penchée pour changer de place le récipient au moment où je me penchais moi-même pour boire, j'ai dit : *Bitte ?* elle a tressailli, et elle a vite abandonné le seau. Je l'ai regardée, naturellement je crois, puis je me suis baissé pour prendre de l'eau. Elle n'a pas bougé. Quand je me suis relevé, je lui ai fait un petit signe de la tête, elle n'a toujours pas bronché, je suis parti.

Un instant, devant cette femme, je me suis conduit comme un homme *normal*. Je ne me voyais pas. Mais je comprends bien que c'est l'humain en moi qui l'a fait reculer. S'il vous plaît, dit par l'un de nous, devait résonner diaboliquement.

Nous avons quitté le village et pris une nouvelle route charretière. Elle est parallèle à celle qui longeait le champ d'aviation, mais nous la prenons en sens inverse. Nous revenons vers le point de départ de ce matin. L'après-midi est torride. Paul marche à côté de moi. Il est long, terreux. Il avance sur des jambes raides. Parfois sa figure grimace, il remonte ses épaules pour respirer. Ses yeux sont noirs, petits, très enfoncés dans les orbites. La colonne va très lentement, nous errons depuis ce matin autour du champ d'aviation, qui est maintenant sur notre gauche. Par endroits, des meules de paille étalent leur ombre.

— Je ne peux plus, je m'arrête, dit Paul.

Il ne parlait plus depuis longtemps ; il s'est arrêté. Nous sommes en queue de colonne.

— Je reste aussi. Couche-toi.

On va vers le bord du chemin, et Paul se couche par terre. Je me penche, je mets la main sur son épaule, comme s'il était malade. Fritz arrive, avec sa mitraillette. Paul s'est allongé complètement par terre, il a fermé les yeux. Fritz le regarde. Il y a déjà des types qui se sont arrêtés aujourd'hui, et on n'a pas entendu de rafale. L'ordre est peut-être de ne plus fusiller. Fritz, de la tête, demande ce qu'a Paul.

— *Krank* (malade), dis-je.

Il ne répond rien. Il va s'en aller. Je veux rester moi aussi, mais Fritz me pousse dans le dos avec sa mitraillette. Je repars. Paul est par terre, il n'a pas bougé. Je marche encore avec la colonne pendant deux cents mètres environ, et je me décide. Je me couche sur le côté de la route. Fritz arrive avec le médecin espagnol. Ils sont devant moi.

— *Krank*, dis-je encore, mais de moi maintenant.

Fritz m'observe un instant. Je sens mes lunettes sur le nez. Ça va peut-être se régler maintenant. Mais Fritz s'en va. Je n'ai rien remarqué de particulier sur sa figure. Dans le Harz, quand il venait d'assassiner les camarades, il avait cette tête-là, sa tête habituelle. Le toubib espagnol s'approche de moi, il tend le doigt vers les collines de l'Ouest et dit : « Ils sont à quarante kilomètres. »

Je suis libre.

La caravane tourne, je la perds de vue. Je reste couché. La terre s'est arrêtée de tourner. J'ai vu jusqu'ici des forêts, des clairières, et tout ce que l'on voit quand on marche. Près de moi, maintenant, il y a un buisson. Il y a onze mois que je n'en ai pas vu un semblable. Les champs et le ciel sont immobiles. Je me retourne et m'allonge dans le fossé. Ce fossé ne bouge pas, il ne défile pas devant moi comme tous ceux qu'on a longés depuis Gandersheim. Je suis seul sur la terre. Je n'ai jamais vu un pareil buisson. Il est rond et immobile. Ses arêtes brunes se détachent mais ne bougent pas. De petites baies noirâtres sont accrochées dessus, immobiles aussi. Il est distant et fixe comme un gros insecte. Et je suis seul pour la première fois en face de ça. Je ne sais pas ce que je vais faire ni même si je vais bouger. Je suis assommé.

Deux silhouettes zébrées dans le champ, à deux cents mètres environ de moi, marchent, vers le pied de la colline, vers l'ouest. Je crois reconnaître Paul. Je me lève, j'appelle, personne ne répond. Je m'engage dans le champ ; il est immense, la terre est labourée, j'essaye de marcher vite pour rejoindre les deux silhouettes qui fuient. La marche dans le labour est fatigante, je cherche à deviner qui sont ces deux qui se pressent. Je suis complètement à découvert dans le champ et certainement on m'a repéré, ainsi que les deux copains dont je me rapproche. Ce n'est pas Paul qui est devant moi, je reconnais Balaiseau et Lanciaux. Je les rejoins. Leur figure est noire de poussière, on boite dans la terre grasse. Nous nous évadons dans les pires conditions : épuisés, nous n'avons rien à manger.

Arrivés au pied de la colline, on commence aussitôt l'escalade. On atteint une sorte de petite carrière à l'abri de la vue. Balaiseau veut y passer la nuit et repartir avant le jour, alors qu'il faudrait dès ce soir gagner le bois vers l'ouest et s'y cacher. Mais il est trop fatigué pour repartir tout de suite. Il s'allonge. Lanciaux et moi nous nous allongeons aussi. Le soleil baisse, le vent entre dans la carrière, on tremble de froid. Il y aurait environ trente-cinq kilomètres à faire pour atteindre le front. Les deux copains sont vieux, ils ont les pieds blessés. Il nous faudrait beaucoup de veine. On reste allongés.

Des cris d'enfants au-dessus de nous. Ça doit venir du sommet de la carrière. On se lève. À ce moment, apparaît un gosse qui doit avoir quatorze ans ; il est botté ; il crie, en nous désignant du doigt. Il y a moins d'une heure que nous avons quitté la colonne. C'est déjà fini.

Nous ne bougeons pas. Le gosse s'en va. Quelques minutes après, apparaît un type en uniforme vert, vraisemblablement un gendarme. Qu'est-ce qu'on fait là ? *Krank.* On est malades, on a quitté la colonne, d'ailleurs, on ne sait plus où nous conduire, la guerre est finie. Où voulait-on aller ? Nulle part, on voulait rester ici et dormir, on est malades.

Le gendarme est gros, rouge. Il ne discute pas nos réponses, il hoche simplement la tête. Il nous fait signe de le suivre, il n'y a rien à attendre de lui. Nous nous levons et nous le suivons. Nous atteignons la crête de la colline d'où on aperçoit une mare un peu plus bas. Le gosse qui nous a repérés revient vers notre groupe ; il nous escorte, comme les enfants suivent les forains ou l'homme orchestre dans les rues du village. Ils ramènent la prise. Nous sommes comme des oiseaux morts, la tête pendante. Le gendarme nous observe, méfiant. Nous devons être plus dangereux que ceux de la colonne, du moment que nous nous sommes évadés.

On a soif. Le gosse nous conduit à la mare, elle est claire, recouverte de longues herbes et de cresson. On écarte les herbes, on ramène l'eau dans le creux de la main. Le gosse, attentivement, nous regarde boire. Quand on a fini, ils nous ramènent vers le flanc de la colline. Devant nous, le long de l'horizon, s'étale la forêt que nous devions atteindre. Derrière la colline, au bout du champ, la route que nous avons quittée.

Un autre gendarme arrive ; il est brun, sombre, sur sa casquette verte, l'aigle. Il nous emmène vers le village. On nous indique un caniveau où sont déjà des Russes et des Italiens. Des convois qui viennent du front passent sans cesse devant nous. D'autres Français arrivent, ils viennent d'être pris eux aussi ; en tout, nous sommes une douzaine.

Les gendarmes nous laissent seuls. On est abruti. Assis sur le bord du trottoir, les pieds dans une rigole d'eau grasse, on regarde passer les camions, l'armée allemande qui reflue. Pourquoi ne nous tuent-ils pas ?

On attend longtemps. Enfin, le premier gendarme qui nous a pris revient et nous appelle. On sort du village, il nous conduit sous un hangar ouvert au milieu d'un champ. Peu après, une charrette arrive, deux Italiens sont dedans, on les sort et on les couche par terre ; ils ne bougent pas. Deux paquets de chiffon rayé mauve, déchiré, des figures desséchées, grises ; on ne sait pas s'ils sont morts. Je m'approche d'eux, je cherche un mouvement de leur poitrine, un signe quelconque sur leur figure, rien. La mâchoire inférieure pend, autour du nez il y a une croûte noire, de l'humeur en coule sur les lèvres. On en a déjà vu à Buchenwald, couchés ainsi sous une tente au petit camp ; on ne pouvait pas savoir s'ils étaient morts ; parfois, ils soulevaient une paupière.

Le gendarme nous a dit qu'on allait venir nous chercher. On va et on vient devant les deux Italiens, parfois on s'arrête, on se penche pour les regarder ; ils ne bougent toujours pas.

Deux types arrivent, l'un à pied, l'autre en vélo. Celui qui est à pied, c'est un SS de notre colonne, il a sa mitraillette. Celui qui est en vélo, c'est un kapo croate avec un fusil en bandoulière. Lorsque le SS nous voit, il commence à gueuler. *Los, los !* Le gendarme s'en va. On repart. On laisse les deux Italiens par terre. *Los !* On reprend la route charretière, il faut marcher vite. Le SS et le kapo sont derrière nous, ils ne cessent pas de gueuler. Nous allons presque au pas gymnastique. Mes chaussures ne tiennent pas à cette vitesse ; sur cette route, il y a d'énormes ornières de boue durcie.

Je m'étais mis vers la tête de notre groupe, mais je me laisse distancer ; je n'ai plus maintenant derrière moi que le kapo qui marche à vélo et le SS. Le kapo me rentre dans les jambes avec la roue avant de son vélo. Coups de crosse de mitraillette du SS. *Los, Schwein !* La petite troupe est affolée. Je tombe. Il s'approche en gueulant, m'arrache mon sac. Coups de pied, coups de crosse. Je me relève. J'enlève mes chaussures, je marche pieds nus. Je cours, la roue du vélo me racle les talons, je cherche à gagner le bord du champ. Plus de sac, plus rien à manger, mais je m'en fous. Nous marchons, hagards, comme des fous. Personne ne dit rien, on n'entend que les cris du SS dont la rage augmente. On ne peut pas maintenir cette vitesse. Le kapo avance sur sa bicyclette et nous rentre dans les cuisses. Le SS nous colle le canon de la mitraillette dans le dos. Mes lunettes glissent, je les relève de la main gauche ; de l'autre, je tiens mes chaussures. Les cailloux m'entrent dans la plante des pieds. On titube dans les ornières, cravachés par les cris, la tête en avant. Cela dure une heure.

Il fait presque nuit lorsque nous arrivons devant un hangar ouvert rempli de paille. C'est là que sont les camarades de la colonne. Le commandant SS est sur la route, il nous regarde venir ; à côté de lui, un kapo polonais. Le SS qui nous a conduits nous fait ranger devant lui. *Alle kaputt morgen !* dit le blockführer. C'est ce que j'ai entendu. Le kapo polonais m'a reconnu à cause de mes lunettes. Il s'approche de moi. *Du ? Du ?* Il me montre du doigt, et il rigole.

Il nous conduit vers le hangar où dorment les copains. Je cherche une place entre leurs jambes. Je n'en trouve pas. Le kapo polonais, voyant que je ne suis pas encore couché, se précipite sur moi. Je m'assieds sur les pieds d'un type, mais je ne peux pas me coucher. Il prend alors son fusil par le canon et me pile le foie à coups de crosse en gueulant : *Bandit, bandit !* Ses yeux sont exorbités, ses narines écartées ; il frappe avec joie. Je me tourne légèrement, j'essaye de rentrer mon foie pour qu'il n'éclate pas. Il s'arrête. J'essaye de m'allonger vite, le long de la jambe d'un type à demi endormi qui est derrière moi; il me flanque un coup de pied dans le dos. Je me relève. Le kapo a suivi la scène, il revient vers moi et recommence à cogner avec la crosse. Cette fois, je me suis retourné sur le côté droit, la crosse tombe sur la hanche. Sa colère s'épuise, il s'arrête et souffle en me regardant de ses yeux vides. Il hésite et il s'en va.

Pour demain matin. Les copains dorment, la nuit est fraîche, j'essaye moi aussi de dormir. Je ne suis pas recouvert de paille, j'ai froid et je me réveille souvent. Je suis fatigué, mais je ne peux pas avoir le même sommeil que les autres. Cette fois, je suis désigné. Le kapo m'a repéré. Brume de fatigue, de sommeil, d'angoisse, enveloppée du sommeil des autres. Le pied qui est sous ma tête ne bouge pas, l'homme dort bien; pour lui, c'est simplement une étape de plus. Je somnole, avec dans la tête une saillie, une sorte de corps étranger, un insecte qui ne s'acharnerait pas, qui somnolerait lui aussi. La mort demain. Le sommeil va et vient entre la fatigue et ce lendemain. Ça ne sera pas la marche de tous les jours, je n'aurai pas à choisir de me lever vite ou de traîner, de pisser en regardant les nuages comme si c'était simplement difficile d'être ici et de continuer. Il y aura quelque chose de plus. C'est exactement le grain de cette chose en plus qui pèse. Pour l'évangéliste et les autres, c'est venu très vite; ici, j'ai le temps de regarder la chose venir. On sera aussi devant une fosse, j'ai sommeil; devant moi : une fosse demain. Plus d'autres étapes, idiot de se laisser prendre comme cela. Sommeil. Ce pied sous ma tête, les jambes fraîches, le sommeil reste à fleur de peau. Chez les copains, il est entré complètement; chez moi, le sommeil tourne, se présente comme une image de la fosse, l'image de la fosse à son tour comme le sommeil... Je ne suis ni ici, ni chez moi, ni devant la fosse, ni dans le sommeil, tous les lieux sont imaginaires. Je ne suis nulle part.

*

Il fait à peine jour. On entend des mitrailleuses. J'ai dormi. C'est arrivé dans le sommeil. On est passé du bruit du canon à celui de la mitrailleuse. On nous fait lever vite. Les SS sont pressés. Ils doivent être à sept kilomètres.

Ils oublient de nous fusiller. Nous aussi, presque, que nous devions l'être. On part. Je suis dans la colonne comme les autres. Aucune trace de l'évasion, ils l'ont oubliée. Ils sont derrière nous, tout près. *Los!* On s'engage dans un chemin entre deux prairies. Ils nous font marcher vite, mais on essaye de freiner la marche, de les retenir de fuir. *Los!* Les SS nous tirent. Ils se retournent vers nous comme vers des mulets récalcitrants. Réveil précipité, départ précipité, je me suis retrouvé dans la colonne, je ne me pose aucune question ; ils étaient sans doute trop pressés pour nous fusiller. En partant, j'ai baissé la tête pour que le SS et le kapo ne repèrent pas mes lunettes et on est parti. Cent, deux cents mètres gagnés. Ils oublient. Entre l'avertissement d'hier soir et maintenant, il y a eu le bruit des mitrailleuses. C'est la veine. Je marche, je sens le vent sur la figure comme quelqu'un qui a de la veine.

Nous sommes doublés sur ce chemin par des soldats allemands à bicyclette. D'autres vont à pied, les uns seuls, les autres par groupes de deux ou trois. Ils marchent vite. Ils sont sans calot, sales, beaucoup sont débraillés. Le soldat seul, sans calot, le fusil à la main ou sans fusil, le bruit de la mitrailleuse tout près : on ne se trompe pas. Ce n'est plus la lente retraite organisée, avec des embouteillages, mais quand même paisible. C'est la hâte du dernier moment, le terrain libre qui se rétrécit, l'heure du soldat seul.

On s'arrête avant un carrefour, devant des maisons. Maintenant, on entend aussi des rafales de mitraillettes. Un soldat allemand, en passant, indique au SS d'un geste du bras où ils sont, et il s'enfuit. Le SS paraît démonté pendant un instant. J'ai mal au ventre, je vais dans le pré, je ris tout seul. Ça cuit. Je ris, je regarde vers le tournant précédent. Ça va finir ici, moi dans le pré, accroupi. Le SS est resté en tête de la colonne arrêtée. Les kapos cherchent, tournent sur place. C'est irrésistible. On ne peut pas aller plus loin en avant. On est appelé vers le tournant, en arrière. Encore les mitraillettes. Personne ne décide rien, on flotte. Un mouvement se dessine ; des Italiens essayent de partir en se cachant derrière les arbres. Le SS se précipite, il tire, les kapos aussi. Un Italien qui se planquait dans l'herbe est descendu.

Là-dessus, le SS a réagi. Il a envoyé un kapo chercher deux tracteurs dans une ferme ; le kapo revient avec les deux tracteurs conduits par des civils. À chaque machine est attelé un char à bancs ; le SS est pressé. On entend toujours les mitraillettes et on regarde vers le tournant derrière. *Los, los !* Le SS et les kapos s'excitent et hurlent. On nous entasse dans les chars à bancs et on part aussitôt. On traverse un village mort où l'on ne voit que quelques femmes sur leur porte. Nous serons les derniers « Allemands » à le traverser. Les tracteurs filent à toute vitesse. On s'écrase dans les chars à bancs. On entend encore les mitraillettes. On roule maintenant sur une grande route. On surveille toujours derrière. Tant qu'on est sur les routes, on peut être rattrapé.

Mais nous quittons la route et nous prenons un chemin qui traverse une forêt. Les voitures sautent dans les ornières. On distingue encore le croisement où on a quitté la route, mais il s'amincit, et très vite il n'est plus qu'un point. Puis le chemin tourne et nous roulons en pleine forêt. Ils passeront tout à l'heure sur la route, mais ils ne nous trouveront pas. Nous sommes insaisissables.

On est sorti de la forêt. Le chemin longe maintenant une prairie au creux d'un cirque de collines. On n'entend plus les mitraillettes. Le convoi s'arrête, tout le monde débarque, les voitures repartent. Je m'allonge dans le pré. Je suis seul. Gilbert, Paul, Francis ne sont plus là. Gilbert a quitté la colonne à la briqueterie. Paul et Francis, le même jour que moi, et je ne les ai pas retrouvés.

Les SS se rassemblent de l'autre côté du chemin, autour du blockführer qui a désigné les copains à tuer dans le Harz. Allongés dans le pré, on les observe. Ils nous ont emmenés dans ce coin, à l'abri, pour prendre leur décision.

Un SS jette son fusil. Un autre arrache ses galons de l'épaule. Un autre déchire des papiers.

Allongés dans le pré, on a vu ça. Ils vont nous lâcher ici, c'est fini. Des Polonais partent en groupe sur la route, des Russes aussi et quelques Français. Les SS ne s'en occupent plus.

Jo, le copain de Nevers qui a perdu aussi ses copains, vient se coucher à côté de moi. On est vidé. Gaston aussi est là, épuisé, il répond à peine quand on lui parle. Nous n'avons plus rien à manger. On se concerte pour partir, mais on tarde trop. Une automobile de la Gestapo arrive, s'arrête devant nous. Un officier descend, revolver à la main, et appelle le blockführer. Les SS sont atterrés. Le type de la Gestapo parle sèchement au blockführer qui se raidit. La conversation dure cinq minutes. À la fin, salut hitlérien lent et très solennel du type de la Gestapo, auquel le blockführer répond mollement. L'automobile repart. Le type de la Gestapo a fait comprendre à notre SS qu'il ne pouvait pas être question de nous lâcher.

Le blockführer appelle ses SS. À son tour, il les regonfle, et celui qui avait jeté son fusil va le ramasser. Puis le blockführer part avec un gardien, tandis que les autres se remettent en faction. Ils ont reçu un ordre et le mécanisme est remonté. Au loin, le groupe des Polonais marche tranquillement sur la route.

Longtemps après, le blockführer revient avec un tracteur et deux grosses remorques. On s'entasse dedans, et on repart. On n'entend toujours plus les mitraillettes. On franchit progressivement la ligne des collines et on débouche sur une grande route qui traverse une immense plaine rase, bordée au loin par d'autres collines sombres. Le ciel est bas sur toute la plaine. Ici, c'est de nouveau la déroute : nous croisons des convois de camions, des chevaux, des chars isolés, des fantassins. Nous doublons un camion chargé de soldats, ils mangent du pain et de la confiture ; on a le temps de voir la couche épaisse de confiture noire sur la grosse tranche de pain. Ils ont des joues roses. Ils perdent la guerre, mais ils sont encore chez eux, avec le pain, la confiture, les joues. Nous, nous gagnons la guerre. Et la faim vient d'un coup, terrible, à la vue de ces tartines que l'on a vues luire, c'était blanc et noir, de la vraie nourriture... Il n'y a pas de civils sur les routes ; nous reconnaissons ces signes : la roulante arrêtée au hasard sur le bord du fossé. Les artilleurs appuyés sur leur canon. Les soldats entassés dans les camions. Les ambulances embouteillées. Et jusqu'à l'officier qui reste raide sur son cheval à la tête de sa colonne ; le lieutenant qui regarde ses hommes couchés dans le fossé. Les aviateurs, les artilleurs, les fantassins, les gendarmes, mêlés sur la route. Un char est arrêté au milieu d'un pré, grosse mouche inoffensive. Ces hommes ne se battront plus, ces armes ne tireront plus ; chars, canons sont encore intacts, et c'est déjà de la ferraille.

Les champs sont vides autour. Il y a bien des fossés, des trous, pour combattre encore, ils sont vides. Les hommes veulent être sur la route, ils ne veulent plus s'arrêter ni se retourner. Le dos à l'ennemi. Après le jeu des héros, le combat d'égal à égal, les trucs tactiques, l'ennemi est devenu un épouvantail. Dans la retraite, la maison que les soldats viennent de quitter est déjà hantée par l'ennemi, le tournant précédent aussi. Sur la route, la peur, à mesure qu'ils reculent, gonfle dans leur dos. Maintenant, ils ne peuvent plus faire face. Il faut marcher, marcher, puis courir, l'ennemi est là, dans le dos, sur le pas qu'ils viennent de faire.

La puissance qui déchaîne ce tumulte est invisible. C'est l'horizon entier derrière eux qui est empoisonné et c'est de cet horizon seul, nous, que nous espérons.

Le tracteur s'est arrêté dans les faubourgs d'une ville. Nous reprenons la marche à pied. C'est la fin de l'après-midi. On arrive dans la ville même. Les avions alliés y sont passés quelques heures plus tôt. Maisons éventrées, ambulances, fumée, gens qui courent, figures hagardes de veuves d'une demi-heure. On a déjà vu ça. C'est exactement la même chose ici, la même indécence : la chambre étalée avec l'armoire à glace, le papier peint, et le même type de sinistrés, rassemblés dans la rue autour des plâtras et qui lèvent la tête vers les pans de mur et qui s'en vont puis reviennent devant les poutres déchiquetées et les pierres, devant leur place.

On reconnaît tout cela avec indifférence. Ces enfants égarés dans les rues, ces vieilles avec du linge sous le bras devant les décombres, c'est une image de la calamité qui passe devant moi comme moi je passe dans la ville. Nos détresses se regardent. Des regards désespérés croisent des regards désespérés ; et quoi, il n'y a rien que douceur des yeux pour les yeux, pitié que l'on a pour soi dans le regard des autres.

Il va faire nuit, je marche à côté de Jo et de Gaston qui a mal au ventre. Depuis ce matin, il ne parle que par courtes phrases, informes, comme dans un coma. Il me passe son sac, et il s'arrête sur le bord de la route. Nous marchons longtemps. Gaston ne revient pas.

Nous nous arrêtons à un carrefour embouteillé par les troupes. Il fait complètement noir. Des civils distribuent du café aux Allemands, nous nous mêlons à eux, ils versent le jus dans nos gamelles. On donne à boire aux malheureux soldats qui fuient, nous buvons comme les malheureux soldats. Les sentinelles nous cherchent. On s'assied par terre parmi eux. Cette confusion est rassurante. Les soldats s'en vont et notre colonne repart peu après. On arrive devant une petite gare. Nous allons prendre le train. Nous sommes perdus dans le noir. Je ne vois même pas la balustrade. Je suis dans un groupe de copains. Ils avancent. On monte. On s'écrase dans un petit wagon. Je marche sur le pied d'une sentinelle, elle me fout des coups de crosse dans les jambes en grognant. On ne voit rien. Fritz parle avec un gardien. Un copain traduit : « Dans huit kilomètres, on sera sorti de la zone dangereuse. »

Le train part, encore une fois on nous emporte. L'armée allemande n'a plus de forme, la défaite est visible, mais on nous garde. Les nôtres ont pu raser des villes, traverser le Rhin, mettre en déroute les armées les plus puissantes, ramasser les généraux, mais les zébrés perdus dans l'Allemagne, les otages, glissent entre leurs doigts. Nous demeurons sur la même planète allemande, maintenant affolée, où le SS reste le maître, où les hommes au sang rouge et les hommes pleins de pus et de poux sont mêlés les uns aux autres dans un tortillard de campagne. Je suis collé contre la sentinelle qui m'a foutu des coups de crosse, elle voudrait que le train aille plus vite, et moi qu'il s'arrête ; je sens ses odeurs, il n'a jamais connu un ennemi d'aussi près – ennemi de peau, de vêtement. Combien de temps peut-on rester collé corps contre corps à un être et demeurer le même ennemi ? Je ne devrais pas pouvoir supporter cette odeur de cuir. Le couteau s'enfoncerait bien dans sa nuque. Dans le noir, cependant, une espèce de torpeur vient et bientôt je ne ressens plus rien d'autre que les soubresauts du wagon. Peut-être que moi qui ne suis plus rien d'autre pour lui que le signe d'un pouvoir qu'il garde encore, me sent-il, existant grâce à l'odeur ou inexistant au point de n'être qu'odeur.

Nous avons fait les huit kilomètres et le train s'est arrêté. Il fait nuit noire. Fritz a dit quelques mots aux sentinelles qui ont rigolé. On descend, *los, los !* Ils sont rassurés. On n'entend plus ni le canon, ni les mitrailleuses.

On a repris la route. On marche encore, des heures. Les

sentinelles aussi sont fatiguées. Nous traversons Halle dans le noir ; après le bitume, des pavés, des maisons fermées, pas une lumière, des murs, encore des murs, puis les premiers talus de la sortie de la ville, et de nouveau le bitume. On continue. Nous avons frôlé les murs de Halle où des milliers de gens vivent leur vie. Ils ne sauront jamais qui est passé cette nuit dans leur ville. Des hommes sont passés qui ont regardé leurs volets fermés et qui avaient envie de dormir ; ils ont pensé à leur lit dans un vertige et ils ont aussi frémi devant l'ignorance de ces gens et de ce sommeil chaque soir recommencé derrière ces volets.

Après Halle, nous traversons la Saale sur un bac. La Saale est noire. Nous nous sommes couchés sur les planches. Le moteur du bac bourdonne légèrement. Floc ! Quelqu'un a sauté dans l'eau. Coup de feu. Ça me réveille à peine. Arrivés sur l'autre rive, on a du mal à se relever, les genoux sont en bois. Le fleuve franchi nous éloigne encore un peu plus de la fin. Les kilomètres sur la route rendent l'éloignement moins sensible que la traversée d'un fleuve.

Encore une fois, on repart sur la route. B... s'accroche à mon bras. Il a un chiffon blanc autour du cou, c'est grâce à cela que je le repère dans la nuit. Il marche la tête basse. Il est venu s'accrocher sans un mot. Il n'en peut plus. Il est lourd sur mon bras et moi-même, seul, je me traînais déjà. Cette fois-ci, la fatigue est venue lentement, ce n'est pas un coup de pompe comme avant la briqueterie. Nous marchons des heures sans halte. Derrière nous un autre camarade s'arrête ; deux copains le soutiennent sous les bras et le traînent. La colonne est à bout.

— Pause ! Pause ! osent crier quelques copains.

— *Ruhe !* gueulent les kapos.

La marche continue. B... s'accroche dur. Je tire, tête baissée. J'essaye de rester derrière celui qui me précède, d'emboîter son pas, de m'obliger ainsi à avancer ; mais c'est impossible, je ralentis. D'autres nous dépassent en nous bousculant. On n'a même plus la force de s'éviter. On marche en somnambules. Je ne peux plus. Je me dégage du bras de B... Il geint : « Je suis vieux, tu ne vas pas me laisser. » Il reprend mon bras, je ne réponds pas. Maintenant, je pourrais tomber, je lève et baisse la tête, je ahane comme les mulets, je prends de longues respirations mais vite, je n'y parviens plus. Je sens ma bouche ouverte, pendante, mes yeux qui se ferment. On a dit que nous marcherions toute la nuit ; si c'est vrai, nous serons tous tombés avant le jour. La tête de colonne ralentit, on va peut-être s'arrêter.

— Pause ! Pause ! crient les copains.

— *Ruhe !* gueulent les kapos.

On continue. B... est toujours là. La nuit est très noire. Je ne vois de B... que son chiffon blanc. La communauté du groupe en marche est brisée, chacun règle son affaire seul, avec ses jambes, sa tête pendante. Si l'on nous force à marcher encore longtemps, nous tomberons les uns après les autres et on sera tous tués. C'est facile, c'est possible. Depuis que nous sommes en Allemagne, nous n'avons pas cessé de faire l'expérience de ce qui est possible. On marche en zigzag, au hasard ; il n'y a plus de but, plus d'étape. Toujours B... qui se traîne à mon bras. Il a dit « je suis vieux » ; pour lui je suis encore un jeune. Pourtant quand je tourne la tête, je vois une ombre, des traits qui pourraient être les miens. Les uns et les autres nous n'avons plus d'âge. C'est en s'accrochant que ce pauvre B... s'est souvenu qu'il était vieux. Parfois on perçoit des halètements, des plaintes éparses, mais le raclement des souliers contre le sol domine. La détresse, c'est la respiration qui ne se fait plus, le piétinement du souffle. B... parle tout seul, il pleure, il n'a plus la force de former ses mots : « Ne peux plus... vais m'arrêter ici... » « On va arriver, on va arriver. » Celui qui est devant nous a dû souffler pour dire ça d'un coup, en reprenant sa respiration.

On s'arrête. Toute la colonne s'affaisse sur le côté droit de la route. B... n'est plus là. Je suis tombé sur le talus.

Un bruit de moteur m'a réveillé. Il fait jour. Je suis couché, la figure dans l'herbe, dans la même position que lorsque je suis tombé cette nuit.

Devant nous, il y a deux tracteurs avec des remorques. On va encore repartir. On apprend que des volksturm qui rôdaient cette nuit dans le coin, voulaient nous tuer et que ce serait les SS qui les en auraient empêchés.

Abrutis, traînant les pieds, le corps cassé, on s'affale dans les remorques. On repart. La plaine doit être belle, jaune et verte, ce matin doit être frais et sain la rosée doit briller, ce doit être un très beau matin. Mais maintenant, le jaune, le vert et la rosée n'entrent plus dans nos yeux. C'est un espace sans couleur, sans relief qui défile. Je prends la pincée de fécule qui restait au fond du sac de Gaston, je mâche. Toute la cargaison ballotte dans les remorques.

On atteint l'autostrade qui va de Berlin à Leipzig et, quelques instants plus tard, on arrive à Bitterfeld, à trente kilomètres de Leipzig. On nous parque près de la gare dans un terrain vague.

Des civils passent sur une avenue qui domine notre emplacement. Ils s'arrêtent contre les balustrades et regardent les zébrés couchés, ceux qui s'épouillent, ceux qui, en titubant, vont aux chiottes : figures barbues, couvertes de plaques de crasse noire, sans joues, crânes rasés, corps ivres aux jambes blanches de pus. Parfois, nous aussi on se retourne et on regarde passer les civils. Quelques ouvriers français sont parmi eux. Ils s'approchent.

— D'où es-tu ? demande un civil.

— De Paris, répond un type.

Quelques-uns crient :

— Résistance. T'aurais pas de pain ?

Les kapos interviennent pour nous empêcher de communiquer. On se tait, on regarde s'éloigner les civils.

Un kapo est allé chercher du pain avec des Polonais. Une tranche chacun et un bout de saucisson. On passe en file devant le kapo qui distribue. Le morceau n'est pas gros, il sent bon, le saucisson aussi. Je coupe le pain par petits cubes et je garde la moitié du saucisson dans une petite boîte en dural. Je n'ai rien pu retenir de mon pain. Après avoir mangé, je me suis allongé. Il fait soleil, ma figure est chaude, je somnole. On nous laisse tranquilles pendant plusieurs heures.

Les civils qui passent sur l'avenue s'arrêtent toujours devant la balustrade. Ils s'accoudent et ils regardent. Quand ils ont vu plusieurs fois le même type, et observé sa manière de se coucher, quand ils ont suivi la démarche de celui qui va aux chiottes jusqu'à ce qu'il disparaisse dans le cabanon, ils regardent longuement la prairie, la gare à côté, le SS, puis ils s'en vont.

*

C'est aujourd'hui le 14 avril. Il y a dix jours que nous sommes partis de Gandersheim. Nous avions, au départ, touché trois quarts de boule de pain. Les trois quarts de boule ont duré deux jours. Maintenant, nous venons de recevoir une nouvelle tranche de pain.

Les SS savent que nous ne pouvons plus marcher. Ils savent aussi que sur les routes nous serions rattrapés. Le blockführer ne semble pas vouloir absolument nous tuer puisqu'il a pris la peine de nous emmener jusqu'ici. On lui a donné l'ordre de nous conduire quelque part, peut-être à Dachau. C'est cet ordre qui compte Les Alliés sont à une trentaine de kilomètres de nous. Il reste peut-être au SS encore un moyen de poursuivre l'exécution de l'ordre, c'est le train

TROISIÈME PARTIE

LA FIN

Le train est parti au coucher du soleil. Tant qu'il restait un peu de jour, une sentinelle est demeurée dans notre wagon, devant les portes ouvertes. Le SS était debout, son fusil au pied, et il regardait dehors. Son dos occupait presque toute l'embrasure de la porte; on voyait passer des morceaux d'arbres, des morceaux de maisons entre ses jambes et de chaque côté de son corps. Il ne bougeait presque pas. Puis le jour a baissé. Le dos du SS a noirci; dans la porte il s'est détaché comme dans l'entrée d'une guérite. À un arrêt du train, il est descendu, il a fermé la porte du wagon avec le verrou. Nous sommes restés seuls.

Nous n'étions pas nombreux : une cinquantaine. On était assis sur le plancher, en deux rangées face à face, la tête contre les parois du wagon. À chaque extrémité du wagon, il y avait une lucarne qui découpait un carré de ciel.

La cargaison s'est enlisée dans le noir. Chacun regardait le carré de ciel qui noircissait dans les lucarnes et dans lequel apparaissaient déjà une, deux étoiles. C'était le seul débouché sur l'espace, c'était vers là qu'on regardait parce que le jour viendrait de là. Tout ce qui allait arriver se rythmerait sur le blanc et le noir de ce trou qui maintenant s'assombrissait de plus en plus.

J'étais allongé à côté de Jo et de H..., le Normand qui était avec moi à la charrette dans le Harz. Dans cette moitié de wagon, il y avait aussi Lanciaux, que j'avais retrouvé après avoir quitté la colonne, C..., trois Espagnols, des Vosgiens, un Vendéen, etc.

Le train ne roulait pas très vite. On s'abandonnait à ce roulement qui, pour nous, n'avait aucun sens. On ne savait pas où on allait. On nous transportait. La cargaison précieuse des objecteurs de conscience avait été *sauvée.*

Nous sommes restés assis tant qu'il faisait jour, peut-être parce que tant qu'il faisait jour quelque chose pouvait arriver, nous pouvions par quelque signe savoir le lieu où nous nous trouvions, le temps que nous resterions encore dans le wagon, l'endroit où nous allions ; la porte s'ouvrirait peut être brutalement et on nous crierait : *Los, alle heraus !* peut-être pour toucher un morceau de pain, peut-être pour rien, pour rester sur le ballast.

Insensiblement, le wagon est devenu complètement noir. On n'a presque plus distingué les figures. Il ne pouvait plus rien arriver d'attendu dans le noir. Le train allait rouler dans la nuit, s'arrêter peut-être, mais on ne verrait plus rien dans la lucarne, on n'entendrait même pas les SS. On a commencé par enlever les souliers, on les a mis sous la tête, puis on s'est allongés. Celui qui était en face de moi était très grand, et ses pieds écrasaient mon sexe ; j'ai pris le pied, et j'ai essayé de lui faire plier la jambe, mais il la raidissait ; je l'ai soulevée et l'ai posée à côté. Il a râlé :

— Tu peux pas rester tranquille ?

J'ai laissé retomber sa jambe, qui a écrasé ma cuisse. Alors, à mon tour, j'ai allongé mon pied, et j'ai senti sa figure sous mon pied.

— Dégueulasse !

— T'as qu'à retirer ton pied !

Il a pris mon pied, il l'a soulevé et il a écarté ma jambe qui est retombée sur la cuisse de son voisin.

— Tu nous fais chier ! a gueulé le voisin qui s'est mis à pédaler de toutes ses forces. H..., qui était à côté de moi, a reçu les jambes sur les siennes, et il s'est mis lui aussi à foutre des coups de pied.

Il n'y avait pas de place pour caser les jambes. Ceux qui les premiers se lassaient de lutter étaient écrasés. Dans l'autre moitié du wagon, c'était la même chose. Le wagon hurlait. Dans le noir, les jambes emmêlées faisaient des nœuds qui se défaisaient violemment : aucune ne voulait être écrasée. Ce n'était qu'une lutte de jambes. Les yeux fermés, on s'abandonnait à ce grouillement comme si le corps avait été absent au-dessus du ventre. À la fin, les jambes retombaient, épuisées, elles consentaient à être écrasées par d'autres plus fortes. Mais les plus forts voulaient toujours être les plus forts, s'étaler sur un lit de jambes. Alors les plus faibles se révoltaient et, dans le noir, le grouillement reprenait, les jambes repartaient de tous les côtés. La lucarne n'indiquait plus rien, elle était noire. Ça se passait au milieu du wagon. On sentait la figure sous le pied ou le pied sur la figure. Ça gueulait dans le noir.

Mais cette lutte était épuisante, et les jambes à la longue retombaient. Écrasées ou non, ennemies et collées ensemble, elles acceptaient.

Je me suis tourné sur le côté droit. L'os de la hanche cognait contre le plancher. La tête dans le dos de H..., Jo appuyait la sienne contre mon dos. On est parvenu à s'immobiliser dans la vibration du wagon. Et les poux se sont réveillés lentement. Sur la peau immobile, ils ont commencé à rôder; ils s'arrêtaient et s'incrustaient. J'ai commencé à me gratter, d'abord en remuant les épaules, ensuite en frottant, avec la main, la chemise contre la peau; mais bientôt la brûlure était partout à la fois, dans le dos, sur la poitrine, sous les bras, entre les cuisses. H... et Jo ont commencé aussi à se gratter et à remuer. Les cercles de la captivité se multipliaient. On était dans la cage du wagon, et on était une cage à poux, on était le prisonnier du wagon et la prison du pou. On essayait de ne pas déplacer les jambes, mais la brûlure était vraiment trop vive; ça devenait impossible, il fallait remuer, il fallait se gratter; maintenant, ceux d'en face aussi remuaient. La bataille des jambes recommençait, et ça distrayait un instant de la brûlure des poux. Mais, quand les jambes s'apaisaient, la brûlure reprenait.

Il faisait noir. Mais, dans ce wagon, la nuit était vague, aussi loin que le jour et le soleil. Le jour, ce serait un carré blanc, plus tard, dans la paroi. Il allait découvrir les couvertures emmêlées et les jambes grouillantes. Les figures aussi apparaîtraient, et ceux qui s'étaient traités de cons, qui s'étaient battus avec leurs jambes et leurs cuisses pendant toute la nuit ne se haïraient pas plus qu'avant et ne se regarderaient même pas. De cette fureur qui s'élevait dans le noir lorsque les visages ne se voyaient pas et que les yeux ne pouvaient la corriger, de cette fureur du corps à se libérer des jambes, des bras, de la peau, de ce cauchemar dialogué entre inconnus à jambes, entre voisins à hanches, il ne resterait plus rien le jour venu. Il rendrait à chacun sa réserve, sa pudeur.

La lucarne s'est éclaircie. La caisse a blanchi progressivement et ce qui grouillait par terre est sorti de la nuit. Le jour s'est aussi levé sur nous. On avait encore des yeux pour le voir. Il y avait même des nuages que l'on voyait circuler à travers la lucarne. Les poux se sont endormis avec le jour. Ils étaient tous là, sous la chemise, dans les poils du sexe, partout, pleins. On les sentait, on avait l'intuition de leur poids, mais ils ne remuaient plus. Le train s'était arrêté plusieurs fois dans la nuit ; et, quand le wagon était immobile, on avait davantage senti leur présence ; la prison était devenue encore plus étroite, plus précise. Quand elle ne se perdait plus dans la vibration du wagon, leur circulation devenait d'une netteté intolérable. Maintenant, avec le jour, on sentait moins la brûlure, mais seulement la crasse de la chemise collée, l'épaisseur d'un grouillement endormi.

Le vieil Espagnol qui était couché sous la lucarne s'est assis contre la paroi du wagon. C'est un Catalan. L'un de ses fils a été fusillé en France devant lui, l'autre est étendu là, à côté. Le vieux a une tête jaunâtre, ronde et séchée, pleine de rides, on ne peut plus savoir son âge. Le fils, lui, pourrait bien avoir une vingtaine d'années.

À Gandersheim, un jour, le père s'était battu avec l'*assassin* pour une histoire de patates. Il avait saigné, il s'était fait traiter de vieux con. Le fils l'avait défendu et ensuite il était venu vers lui et lui avait dit : *Padre!* Le vieux l'avait regardé avec sa figure séchée et il avait pleuré.

Le père traité de con devant son fils. Le vieux affamé et qui volerait devant son fils pour que son fils mange. Le père et le fils couverts de poux ; tous les deux perdant leur âge et se ressemblant. Les deux ensemble affamés, s'offrant leur pain avec des yeux adorants. Et tous les deux maintenant ici, sur le plancher du wagon. S'ils mouraient tous les deux, qui ne porterait que le poids de ces deux morts ?

Dans la nuit, le vieux a été bousculé par son voisin, et ils se sont engueulés. On l'a entendu menacer, d'une voix aiguë et chevrotante : *Maricón !* Son fils aussi l'a entendu et l'a calmé doucement : *Calla, calla.*

Maintenant, il est réveillé lui aussi et il appelle :

— *Padre ! que tal ?*

Le vieux, qui est assis, fait la grimace sans répondre.

Tous les secrets du vieux sont étalés sur sa figure. Le mystère de l'irréductible étranger que reste un père s'est apparemment dissous dans la faim et les poux. Il est transparent maintenant.

Les SS croient que, dans la partie de l'humanité qu'ils ont choisie, l'amour doit pourrir, parce qu'il n'est qu'une singerie de l'amour des vrais hommes, parce qu'il ne peut pas exister réellement. Mais, là, sur le plancher de ce wagon, l'extraordinaire connerie de ce mythe éclate. Le vieil Espagnol est peut-être devenu transparent pour nous, mais pas pour le gosse ; pour lui, il y a encore sur le plancher la petite figure jaunâtre et ridée du père et, sur elle, celle de la mère s'est imprégnée et, à travers elle, encore tout le mystère possible de la filiation. Pour le fils, le langage et la transparence du père restent aussi insondables que lorsque celui-ci était encore pleinement souverain.

Quelques jours ont passé. Je ne peux plus les compter ni dire exactement ce qui s'est passé pendant ces jours-là. Notre espace ne s'était pas modifié : le wagon. Quant au temps, c'était toujours le trou tantôt blanc tantôt noir de la lucarne. Nous n'avons jamais songé à connaître l'heure, ni à savoir si nous étions lundi ou mardi.

Je me souviens d'être descendu du wagon à un arrêt, je tenais mal debout. Je me souviens aussi d'avoir touché une tranche de pain deux jours après notre départ de Bitterfeld. D'avoir bu de l'eau de la machine qu'un copain était allé chercher. À part cela, des cris, des coups de pied dans le noir, les poux qui brûlaient le dos et la poitrine. Des figures de camarades que je vois dans le wagon au départ et que soudain je ne vois plus. Ils ont disparu je ne sais quand ni comment. Un épuisement qui paralyse insensiblement. On s'aperçoit qu'on peut à peine se lever et se tenir sur les jambes. Des camarades qui ont gardé un peu de vigueur s'efforcent de dire calmement :

« On s'en sortira ! Il faut tenir ! » D'autres meurent à côté d'eux.

C'est à Dachau, en apprenant la date de notre arrivée, que nous avons su combien de *jours* nous avions passés dans le wagon, car nous connaissions la date du départ.

De ce qui s'est passé entre ces deux dates, un petit nombre de moments demeurent détachés. Mais entre ce dont je me souviens et le reste, je peux croire qu'il n'y a pas de différence parce que je sais qu'il y a, dans ce qui est perdu, des moments que j'ai voulu retenir. Il reste une sorte de souvenir de conscience sourd, aveugle.

Je ne sais donc pas mieux ce que je vois encore que ce que j'ai cessé de voir. Mais c'est sûrement la pression de ce qui n'apparaît plus qui fait surgir, éclatants et possédés de vie, ces quelques morceaux de jour et de noir.

*

Le train est arrêté. Il fait jour. Lanciaux s'épouille. C... est assis, la tête penchée sur son épaule.

— Épouille-toi, dit Lanciaux de sa voix étouffée.

C... ne bouge pas. Il répond vaguement.

— Oui, tout à l'heure.

Lanciaux reprend sourdement :

— Épouille-toi, tu es dégueulasse, c'est à cause de types comme toi qu'on ne peut plus dormir !

C... ne répond pas.

— Épouille-toi, C... ! reprend un copain.

C... est prostré.

— Vous m'emmerdez, je sais ce que j'ai à faire ! répond-il.

On l'abandonne.

J'ai enlevé ma veste et ma chemise. Il fait froid. Je regarde mes bras, ils sont très maigres, il y a du sang dessus. La chemise aussi est parsemée de taches de sang noir. Je la tourne à l'envers ; de longues traînées noires de poux strient le tissu. J'écrase des grappes de poux à la fois. Je n'ai pas à chercher. La chemise est pleine. J'écrase. Les bras s'épuisent à rester pliés ainsi pour écraser ; les ongles sont rouges. De temps en temps je m'arrête et je regarde la chemise : ils marchent doucement, tranquilles. Des grappes grasses de lentes ourlent les coutures. Un bruit mou entre les ongles. Acharnement des mains qui essayent d'aller vite. Je ne lève pas les yeux. Presque tout le monde écrase. On engueule un type qui est devant la porte et qui cache le jour. J'ai envie de jeter la chemise. Mais il faudrait tout jeter, les couvertures aussi, rester nu. Je suis dépassé. Des poux marchent encore sur la chemise. Il faut reprendre de l'élan. La patience ne suffit plus. Il faut avoir de la force pour tenir les bras repliés et pour écraser. Je repars à l'attaque. Ils sont bruns, gris, blancs, gorgés de sang. Ils m'ont pompé. On peut être vaincu par les poux. Les bras n'ont plus la force d'écraser. Ce simple petit mouvement répété les use. J'abandonnerais bien la chemise et je me laisserais tomber en arrière. Des cadavres de poux restent collés à l'étoffe. C'est ça que je vais remettre sur le dos. Ma poitrine est toute piquée. Les côtes saillent. Sur la tête aussi, j'ai des poux. En ce moment, ils se promènent sur mon cou. Le calot en est plein. J'ai remis la chemise. J'enlève maintenant le pantalon et le caleçon ; à l'entrejambe, le caleçon est noir. Impossible de tout tuer. Je le roule, et je le jette par la porte du wagon. Je reste près de la porte, les cuisses à l'air ; elles sont violettes, grenues, elles n'ont plus de forme ; les genoux sont énormes comme ceux des chevaux. Autour du sexe, j'en suis plein. Ils sont suspendus sur les poils. Je les arrache. Je suis leur nid, leur douceur, je suis à eux.

Le pantalon aussi en est plein. Le col de la veste aussi. La couverture aussi. Les bouts de couverture que j'ai coupés et qui me servent de chaussettes aussi. Jo et H… écrasent également, les cuisses à l'air.

Il y a des hommes dont les cuisses glissent entre celles des femmes, et la main de ces femmes passe là où sont nos poux. « Si ma femme me voyait… » disent les copains. Mais là-bas, on ne sait rien. D'un moment à l'autre, tant de choses ici peuvent venir. Là-bas, on ne sait rien.

Les femmes ne savent pas que nous sommes intouchables maintenant. Au kommando, j'appelais M… Je crois que je n'ose plus maintenant. Une brume m'enveloppe. J'use ma force à tenir debout et à écraser les poux.

*

Le train arrive à Dresde. La porte du wagon s'ouvre. Nous voyons la gare qui fourmille de gens qui courent avec des valises et des paquets. Des civils montent. Nous sommes couchés, et nous regardons ces gens qui en sont au point de venir avec nous. Une sentinelle les suit. Elle nous force à nous coller les uns aux autres pour leur laisser la place au milieu du wagon. Ils sont bien habillés, ils ont des joues, ils remuent seulement les yeux vers nous, mais sans trop se risquer à tourner la tête. Ils restent groupés entre eux au milieu du wagon. Ils ont leur femme, leurs paquets, ils s'enfuient librement. Tout à l'heure, il y a à peine une heure, ils étaient encore chez eux. La sentinelle est plus près de nous que d'eux. Des civils ici, des gens à nuit dans les lits, à baisers et à enterrements. Figures paisibles, bien en place, correctement posées sur le col de la chemise. La nation allemande va être battue, ses hommes restent gras. Ils ne peuvent pas nous regarder. C'est bien assez de fuir, de monter dans le wagon à bestiaux ; les ennemis, les bombes, c'est cruel, mais on sait ce que c'est, ça fait couler du sang rouge, on en parle dans les journaux ; la guerre, c'est une institution, *Krieg*, en allemand. Mais ceux qui sont couchés là, il n'aurait pas fallu les voir, d'ailleurs le wagon était fermé. Ils sont cachés en général, mais évidemment dans ces moments-ci on peut tomber sur eux.

Le train repart. À la gare suivante, les civils descendent.

Les soubresauts du train bercent. Aussi lentement qu'il marche, le train va quelque part. Quand il s'arrête, les parois du wagon pèsent davantage, la montée des poux est plus sensible sur la peau qui ne vibre plus, les corps réapparaissent figés, condamnés, dans le silence du wagon arrêté.

Je me suis levé pour aller à la lucarne et j'ai écrasé quelques jambes ; les copains m'ont engueulé. À la lucarne, l'air était frais, c'était l'air. Toujours les mêmes talus, les mêmes cailloux des bords de voie. En haut d'un champ, il y a une maison, on pourrait la regarder longtemps, regarder longtemps n'importe quoi, un morceau d'espace quelconque pourvu qu'il soit hors de la caisse. En retournant à ma place, j'ai encore écrasé des pieds ; les copains m'ont engueulé. Ils ont crié aussitôt, peut-être avant même que j'aie touché le pied. Je n'ai qu'à ne pas bouger, je n'ai pas à avoir envie d'aller regarder par la lucarne.

*

La nuit vient, le train roule. Le Vendéen qui a un placard noir sur l'œil droit a perdu sa place. Il n'a plus qu'un moignon de figure. Son œil gauche erre, à demi éteint. Il a la diarrhée. Il veut se coucher au milieu de nos jambes. Il s'assied. On l'engueule. Il reçoit des coups de pied dans les côtes. Il geint. Il n'a plus la force de pleurer.

— Laissez-moi une place, une petite place ! supplie-t-il. Et il s'assied.

Nos jambes sont écrasées. Un ne peut pas y tenir. On gueule.

— Tu n'as qu'à rester à ta place !

Je retire mes jambes, il se tourne vers moi :

— Salaud !

Il s'arrête, et puis il geint encore :

— Laissez-moi me coucher !

Les jambes s'agitent dans tous les sens. Les copains crient.

— Il nous emmerde, celui-là !

Écrasé sous nos jambes, il se lève ; on voit sa longue silhouette qui tourne sur place dans le noir, tête baissée.

— Je m'en fous ! dit-il.

Et il se couche de tout son long.

On retire encore les jambes. Tout le monde gueule. Il geint en martelant :

— Vous êtes des brutes, des salauds, vous ne voyez pas que je vais crever ?

Il supplie :

— Laissez-moi la place de crever...

Et il pleure.

— On va tous crever ici !... Tu nous emmerdes !

Mais il reste couché, et il se plaint faiblement.

Au bout du wagon, de notre côté, un type des Vosges se plaint. Il a la diarrhée lui aussi. Il cherche sa gamelle.

— Qu'est-ce que tu fais ? demande son voisin.

Il ne répond pas.

— Salaud, si on faisait tous comme ça !

— Je ne peux plus tenir ! répond le Vosgien.

— T'avais qu'à pas boire !

On ne voit pas le type, mais on entend un bruit de gamelle.

— Dégueulasse !

— J'ai la chiasse, nom de Dieu ! dit-il, en geignant.

Puis il se lève, il veut atteindre la lucarne pour vider sa gamelle ; il avance doucement, il écrase des jambes et reçoit des coups de pied ; la gamelle verse un peu.

— Sa-laud, sa-laud ! martèle un type, fou de rage.

Le Vosgien ne répond pas, il essaie de garder son équilibre la gamelle entre les mains. Ombre hésitante, il atteint la lucarne.

Moi aussi j'ai mal au ventre. C'est venu brusquement. Je ne peux plus me retenir, attendre le jour. Je déchire un morceau de ma couverture, je baisse mon pantalon. Jo et Marcel ne disent rien. La honte. Je replie mon morceau de couverture, je le tiens dans la main, je me lève et j'essaye d'enjamber les copains pour aller à la lucarne. Je tombe sur le ventre d'un type, qui gueule. J'ai toujours mon morceau de couverture. Je me relève. Je suis pris dans les jambes, je tâtonne ; où que je place le pied, c'est une figure, un ventre et des types qui gueulent. La honte. Je vise le trou bleu. Quand je suis assez près, je me laisse aller en avant, je m'appuie d'une main contre la paroi, je jette le morceau de couverture. Quand je veux revenir, je ne m'oriente plus. Le train ralentit brusquement, je tombe encore. J'avance à quatre pattes en écrasant les types qui me foutent des coups de pied dans les côtes ; je ne dis rien, je crois être à ma place. Je me couche sur Jo qui réagit mais ne crie pas. Ma place n'existe plus. Je suis perdu. Les mains appuyées sur des os, j'essaie de la retrouver, mais il faut que je la force. J'ai heurté le Vendéen, qui geint : « La brute, la brute ! » Je n'ai pas ouvert la bouche, je me suis couché. Je ne bouge plus. Le trou de la lucarne est tout près.

Le jour est venu. Parce que c'est le jour, machinalement, on s'est relevé et on s'est assis contre la paroi du wagon. Seul le Vendéen reste allongé, prostré. On le réveille. Il est beaucoup plus faible qu'hier. Il se traîne difficilement et va s'affaler contre la porte. Il a toujours le placard noir sur l'œil droit, l'autre ne regarde plus. Sa tête est tombée sur l'épaule. Un grognement étouffé sort de sa bouche.

— Je vais crever, c'est sûr, je vais crever ! dit-il.

On ne lui répond plus maintenant, on le regarde.

Une voix basse, près de moi :

— Ce soir, il sera mort.

Des mucosités se sont séchées, noircies de poussière, autour de son nez. Les copains autour de lui sont aussi maigres et gris, mais lui a le signe : la paupière qui ne se ferme plus, la mâchoire qui commence à pendre. J'essaye de dormir, mais les poux m'en empêchent. J'enlève de nouveau ma chemise, et je recommence à écraser ; parfois, je m'arrête et je regarde le Vendéen ; puis je reviens à la chemise, puis encore au Vendéen. Pendant que j'épouille, il meurt. Quand je lève la tête, je le vois mourir. Il est assis comme nous, entre deux copains qui se sont légèrement écartés et qui parfois tournent la tête et cherchent à voir son œil.

— Il est mort ? demande quelqu'un.

— Non, pas encore, répond le voisin.

Il n'entend plus. Je n'ai plus la force d'épouiller. On regarde le Vendéen, sans angoisse, sans gêne. Sans doute, on commence à lui ressembler. Il est plus fatigué que nous, alors il va mourir. On ne parle pas de lui, on ne parle pas de soi non plus. Ceux qui ont mal au ventre geignent, mais ils ne parlent pas de leur mal. Il n'y a pas précisément de mal. C'est le corps qui se mange lui-même.

À l'autre bout du wagon, deux types encore un peu solides décrivent une bouillabaisse, puis une tarte à la crème, puis un civet. Si l'on suit des yeux la rangée des copains d'un bout à l'autre du wagon, ils se ressemblent à peu près tous. Mais la tête au placard noir fait un trou.

— Il est mort, dit son voisin.

Ceux qui décrivaient la bouillabaisse se sont tus.

Ce matin, le Vendéen n'était pas différent de ce qu'il est maintenant. C'est cette nuit que la mort est venue. Son visage n'est pas terrible, c'est le placard noir qui le dramatise. Il est toujours assis.

— On a été vaches, cette nuit, dit un copain.

On se tait. Ce n'est pas le remords, ce n'est même pas la rage. C'est le dégoût. Ce mort assis qui ne fait pas peur et qui a reçu cette nuit nos coups de pied quand il commençait d'agoniser se dresse devant toutes les vies.

Deux copains l'ont allongé et recouvert d'une couverture.

Plus tard, quand le train s'est arrêté, on a frappé a coups de poings dans la porte du wagon. Une sentinelle est arrivée et a ouvert.

— *Ein Kamerad tod !* a dit quelqu'un, en lui montrant la couverture. Le SS a fait signe de le sortir. Les deux qui l'avaient recouvert l'ont descendu du wagon et l'ont posé dans un fossé.

On vient d'entrer en Tchécoslovaquie. Le train descend vers Prague.

Depuis que nous sommes partis de Bitterfeld, nous avons touché une tranche de pain et un bol de soupe dans une gare, il y a de cela quelques jours, peut-être cinq.

Dans leur wagon, les Polonais ont des sacs de pommes de terre. Aux arrêts, on les a vus faire cuire des soupes épaisses. On regardait épaissir leur soupe, puis on pissait et on remontait dans le wagon. Les kapos ne toléraient pas que les Français restent au pied du wagon.

Pendant une halte, H... a réussi à ramasser quelques pissenlits sur le bord de la voie. Il m'en a passé quelques feuilles ainsi qu'à Jo. On a essuyé les feuilles, puis on les a mangées lentement. Maintenant, il n'y a plus rien. Il faudrait dormir, mais avec ce vide à l'intérieur ce n'est pas possible. La faim est vigilante comme une flamme qui veillerait dans le corps nuit et jour. Elle épie le silence, guette le moindre signe possible. Quelque chose à mâcher viendra peut-être.

Dans le wagon, quelques types ont encore un peu de fécule, certains, des graines de soja qu'ils ont trouvées au cours de la marche. Ils échangent entre eux du soja contre de la fécule : une demi-poignée de graines contre une poignée de fécule, parce que la graine est plus grasse, plus nourrissante. Un type en a passé quelques-unes à Jo. Jo est couché, et il me tourne le dos. Comme tous, il est affamé. Ma tête est appuyée contre son dos. Son bras droit se lève, se tourne vers moi, le poing fermé. J'ai suivi le mouvement du bras ; il ouvre la main à plat devant moi. Il y a des graines dans sa main. Il ne dit rien. J'ai pris les graines. J'en mâche une. Elle est petite mais huileuse, et elle épaissit dans la bouche. On peut la mâcher longtemps. Il en reste une saveur qui peut faire croire que la graine existe encore alors qu'elle est avalée, et après on peut encore mâcher la salive qui en a l'odeur.

C'est la dernière graine. Celui qui est en face de moi en a un petit sac. Il ne cesse pas d'en mâcher. Je suis ses mains qui les prennent par pincées et sa mâchoire qui remue. Son copain à côté de lui en mange de temps en temps, qu'il lui donne. Celui à qui appartiennent les graines tient son petit sac devant lui entre ses jambes. Il a devant lui un grenier. Il l'ouvre et le ferme précieusement, et, quand il s'allonge, il le met sous sa tête. Je n'ai plus de graines. Lui, n'a aucune raison de m'en donner.

Prague, pays occupé. Par la lucarne, on voit les clochers pointus, patinés. Les Allemands sont ici comme ils étaient à la gare de l'Est. Les cheminots tchèques comme les cheminots français. La langue tchèque roule dans les haut-parleurs. Complicité ambiante à ne pas être allemands. Cette langue est grasse et douce, et beaucoup d'Allemands ne la comprennent pas ; il leur a fallu compter avec cette langue comme avec la nôtre. Le soldat qui se promène sur le quai doit prendre garde.

Le wagon est sur une voie de garage. On apprend que Fritz, avec l'autorisation des SS, bien entendu, vient de quitter le convoi.

La nuit vient. Tous les bruits habituels de la gare : le roulement des trains qui passent, celui des chariots, les jets de vapeur, les sifflets entrent dans le wagon. Le wagon reste immobile. Du quai, on doit voir un wagon de marchandises, un numéro, une lucarne ; un wagon pareil à ceux qui restent pendant des jours immobiles sous la pluie et le soleil. À l'intérieur de celui-ci, il y a des hommes.

On a quitté Prague dans la nuit.

Première halte de jour dans une petite gare tchèque. Un copain s'est mis à la lucarne. Des cheminots se promènent sur le quai. Il n'y a pas de sentinelles dans le coin. Le copain appelle un cheminot :

— *Hier, Franzose ! Brot, bitte...*

Et il fait signe en portant plusieurs fois sa main à sa bouche : à manger !...

On se réveille dans le wagon, et les types parlent fort.

— Taisez-vous ! dit le copain de la lucarne. On va peut-être avoir à bouffer...

Le cheminot est parti. Une femme, accoudée à une balustrade, en dehors de la gare, nous a repérés. Le copain lui fait le même signe qu'au cheminot; elle a acquiescé de la tête. On ne quitte plus des yeux le type qui est à la lucarne. Il n'y a plus un bruit dans le wagon. Tout à coup, la figure du type à la lucarne se crispe. Il passe son bras et ramène un paquet, qu'il passe à Ben, qui est assis à ses pieds sous la lucarne.

— Dépêche-toi... dit-il, il y en a encore !

Il replonge le bras et ramène un autre paquet. Il rigole en remerciant. Il reste en faction. Ben a posé les deux paquets entre ses jambes; on les regarde. Il ouvre le premier paquet : des tranches de pain ; dans le second aussi. On va partager en quarante-neuf.

La femme est revenue près de la balustrade ; elle a passé un paquet à un autre cheminot. Il surveille. — « Il arrive ! » annonce le copain. Il plonge encore le bras. Du pain et quelques cigarettes.

On est sorti de la torpeur. On ne cesse de fixer le copain à la lucarne que pour surveiller le pain que Ben a étalé sur une couverture.

Ceux de l'autre extrémité du wagon s'inquiètent :

— On partage tout, hein ?

— Ne gueulez pas, vous en aurez ! répond Ben. Je partage, et Jo fait la distribution... D'accord ?

— D'accord.

Mais ils tendent les yeux et surveillent le partage. Les tranches de pain s'amoncellent, grandes comme la moitié de la main et épaisses de deux doigts. Elles font un beau tas. Jo commence la distribution. Les tranches passent de main en main ; ça fait le tour du wagon. Je mords dans le morceau. Je ne le regarde pas. Jamais je n'ai mâché aussi lentement. Ce morceau m'endort : je ne le vois même pas diminuer. Quand je n'ai plus rien dans la bouche, je m'arrête un instant, puis lentement j'arrache une autre parcelle. La bouche s'engorge de pain. Il me semble que le corps épaissit.

Il y a une cigarette pour sept : trois touches par type environ. La première cigarette part du coin près de la lucarne. Une bouche tire dessus, et déjà la main du suivant s'est levée et s'approche de cette bouche. Le premier tient toujours la cigarette, les yeux fixes, puis brutalement il l'enlève de sa bouche, et, en la tenant toujours, il se tourne vers le suivant, furieux :

— Tu l'auras... tu l'auras ! dit-il.

La main du voisin retombe. Ses yeux ne quittent pas la bouche qui tire une autre touche. La main se lève de nouveau, s'approche de la cigarette et la retire de la bouche, qui cette fois ne la retient pas. Celui qui fumait baisse la tête et se vide lentement de la fumée comme de la plus profonde réflexion.

Une autre main s'est approchée maintenant de la bouche qui tire sur la cigarette ; elle reste suspendue et, à la troisième touche, arrache le mégot.

— Tu l'auras... tu l'auras ! dit le type.

Mais le suivant l'a déjà dans la bouche : il n'entend plus.

À un arrêt, une sentinelle a ouvert la porte du wagon. Je suis descendu pisser sur le ballast. Dérision de ce sexe. On reste dans le genre masculin. Je n'ai plus de caleçon, et mon pantalon est déchiré : le vent entre dedans et fait se hérisser la peau des cuisses. Le moindre souffle d'air fait trembler.

J'ai rencontré un camarade de l'autre wagon. Il est barbu et terreux, il a des trous dans la figure, des lèvres blêmes ; il flotte sur le bord de la voie ; l'air pourrait le renverser. Les épaules rentrées, la tête dans les épaules, lui aussi a froid. Sa mâchoire tremble. Ces raies sales que rien ne peut effacer, le long du corps, ces barres qu'on ne peut pas scier, il les a toujours. Je ne l'avais pas vu depuis Bitterfeld. Nous nous sommes examinés. Nous savons maintenant où nous en sommes. Il m'a dit que D... était mort : il était devenu fou de faim, et avant de mourir il a crié longtemps. On l'a mis dans un fossé.

Il est certain maintenant que nous allons à Dachau. Un copain, qui était à la lucarne, a entendu une sentinelle le dire à un kapo. Les Alliés ne sont pas loin, disent les cheminots tchèques. Mais la guerre ne finit toujours pas. L'Allemagne est un abîme. La panique vient. Quelquefois, je pense que la guerre ne finira pas pour nous vivants. Elle a fini avec le Vendéen, avec D... et avec les autres, avant, à Gandersheim. L'État-major allié doit estimer que *la situation évolue très favorablement.* Les nôtres, là-bas, nos *otages,* tournent le bouton de la radio et regardent les cartes. Ils suivent la course ; ils croient être dedans, mais désespérément ils ne peuvent que la suivre à une distance de cauchemar.

« Il faut tenir ! » disent des copains. Nous sommes immobiles mais engagés dans la course. Allongés dans le wagon arrêté, c'est même sans doute avec nous que la guerre a le lien le plus étroit. Elle finira, ou bien nous... Nous ne pouvons plus longtemps coexister.

*

Le vieux Corse qui, à Gandersheim, avait échangé sa dent en or contre de la soupe est étendu près de H... Il râle sourdement. Il réclame de l'eau.

— Il n'en a plus pour longtemps... on pourrait lui en donner un peu, dit Ben à voix basse.

Le Corse a les yeux vitreux. Quelqu'un verse de l'eau dans sa bouche sèche qui reste ouverte.

Je suis allongé, je ne bouge pas ; le râle m'arrive, étouffé ; c'est une des rumeurs du wagon.

Pendant que le Corse agonisait, j'ai dormi un peu. Quand je me suis réveillé, il était mort.

On a mis une couverture sur lui, et on l'a étendu près de la porte. Hier, il embêtait des types à propos de sa place ; on le traitait de vieux con, et, comme il était sourd, on le lui criait très fort. Quand un type est près de mourir, il devient difficile et geignant, et on l'engueule. Quand il a reçu sa bordée d'injures, il meurt.

Le coiffeur espagnol du kommando cherche une place pour s'asseoir. Il reçoit des coups de pied, lui aussi ; il tourne sur place, il jure, il s'apprête à s'asseoir sur le mort.

— T'assieds pas là-dessus, quand même ! lui dit Ben.

À l'autre bout du wagon, un type chie à sa propre place. Son voisin l'engueule :

— Tu parles d'un salaud ! crie-t-il.

Des camarades le secouent. Il marmonne faiblement :

— Je vais crever... foutez-moi la paix !

D'autres protestent :

— Ne faites pas les cons comme avec l'autre !

— Vous ne voyez pas ?... Il est couché dans sa merde : on va tous crever empoisonnés ici.

Le type pleure. Il se laisse aller contre la paroi. Sa tête pend. Le train roule toujours. On abandonne le copain qui fait son agonie. Torpeur dans le wagon. Cela dure des heures sans doute. Il est mort. Une couverture dessus.

Lorsque le train s'arrête, on descend les deux dans un fossé.

Il paraît qu'on va toucher des patates crues. Il faut sortir du wagon. Je me lève, je m'appuie à la paroi, et je descends. On se met en file. Le calot à la main, on passe un à un devant un kapo. Quelques patates crues dans le calot. Je suis avec Jo et deux autres. On peut aller chercher de l'eau pour faire cuire. Je dois aller la chercher, pendant que les autres allument le feu. Nous sommes très en contrebas de la voie. Pour atteindre l'eau, il faut grimper. Je pars avec une gamelle. Le terrain est bosselé. Je zigzague ; j'essaie de grimper, et je tombe. Je me relève, mais je ne peux pas avancer.

Un copain va la chercher à ma place, et je souffle sur le feu. Autour de nous, des tas de petits feux s'allument. Les types ramassent des orties, des herbes pour les faire bouillir et les manger en plus des patates ou bien pour économiser quelques patates. L'eau arrive. On coupe des patates, et on les fait cuire. Avec Jo, on partage une gamelle de soupe ; on mange très lentement. C'est chaud, épais ; je ne lève pas la tête de dessus ma gamelle ; j'introduis tout le creux de la cuiller dans ma bouche, et je la lèche. Aux dernières cuillerées, je ralentis. Je ne quitte pas la gamelle des yeux. La gamelle est vide. Quelque chose tombe, la main, la tête, la cuiller ; la paroi de la gamelle est froide... mes yeux sont dedans.

Le SS siffle. *Los ! Los !* On se souvient de ces cris, mais ça semble très vieux. Il y a des jours qu'ils n'ont pas eu l'occasion de crier ainsi. On nous parle encore la même langue. Les copains gravissent déjà le talus pour atteindre le train. La rampe est très raide. Je marche très lentement, je suis parmi les derniers. Arrivé au pied de la pente, je fais un pas, encore un pas, et je tombe. Je m'accroche aux herbes, j'avance à genoux ; je regarde en haut, c'est encore loin. Encore un pas à genoux. Les herbes cèdent. À côté de moi, pourtant, des types grimpent assez facilement. Je me reprends, mes jambes tremblent, je suis presque au sommet. Le SS est là, devant moi. *Los !* gueule-t-il. De ma main accrochée qui me hisse, je sens déjà le sable du sentier sur le bord de la voie, mais tout mon corps pend encore sur la pente. Je m'effondre, la tête contre l'herbe. Le SS est là, au-dessus de moi. Je ne peux plus tirer sur les bras. *Los*! Je suis le dernier, le SS n'a plus à regarder que moi. Il me regarde faire. *Los!* Ma main s'agrippe au sable. Je ne peux pas, je ne peux plus rejoindre le wagon. Je suis suspendu, les jambes dans la pente, devant le SS.

Un Polonais, qui n'est pas loin, vient tirer sur mon bras. Le SS s'en va.

Arrivé au wagon, j'ai tendu les mains; les copains m'ont hissé, et j'ai rampé sur le plancher jusqu'à ma place. Je pleure.

*

Quand on s'est réveillé, le train était arrêté. Il faisait plein jour. La porte du wagon s'est ouverte sur une immense prairie. Des vaches broutaient; il y avait quelques petites maisons à l'extrémité de la prairie.

Une sentinelle qui se promène sur le ballast dit que c'est Dachau.

Le train s'est considérablement allongé; à la queue, des types comme nous, en zébré, pissent près de la voie. Dans la prairie, loin, des formes courbées cueillent de l'herbe, formes mauves sur le vert; ce sont des femmes.

Le temps est gris. On dit: « C'est Dachau », et on voit la prairie. On ne voit pas le camp. On cherche en vain des barbelés, des murs, des baraques, un endroit qui ne nous trompe pas, mais on ne voit rien.

On ne sait pas encore combien de jours on est resté dans le wagon. Tout est collé. On sépare seulement le noir et la lumière Le temps, c'était la faim, l'espace, c'était la fureur. Et maintenant, cette prairie est douce à regarder. Elle rafraîchit les yeux.

Le train est reparti. La cargaison est paisible. Le vieil Espagnol regarde son fils. Il y a un vague sourire dans le wagon. Le wagon lui-même sort de nous, il redevient *wagon de chemin de fer.*

On entre dans la gare du camp. Voilà les premières casernes SS. Il y a un embouteillage de camions, de bagages. Ils déménagent. On a retrouvé leur défaite.

Le soleil apparaît. Quand on sort du wagon, la lumière nous aveugle et nous brûle. Notre colonne s'est amincie de moitié depuis le départ de Gandersheim. On reste cent cinquante peut-être. Jo m'aide à marcher. Fraternité de Jo, silencieuse. La tête dans son dos dans le wagon, les graines dans la main, maintenant son bras sur lequel je m'appuie.

— *Zu fünf!*[1]

Encore. On passe sous la voûte de l'entrée. « Le travail, c'est la liberté », dit l'inscription. Un SS nous compte au passage ; il est seul, sombre. Il fait un soleil blanc. Le ciel est lourd. La grande place du camp est éblouissante de lumière. Tout autour, il y a des baraques. Des SS courent dans tous les sens. On nous parque dans un coin de la place. On se couche par terre. La terre, à notre place, va être infestée de poux. On ressemble à des épaves que l'on a retirées des eaux et qui sèchent au soleil.

Des Français du camp viennent nous voir. Ils vont s'occuper de nous. Mais ils ne s'approchent pas trop : nous sommes intouchables. Ils rôdent autour des petits tas couchés, des nids à poux. Nous ne sommes pas libres d'être fraternels et accessibles. Nous recelons quelque chose, nos poux, et on le sait ; nos visages sont morts ; nos corps immobiles ; notre tas est une caverne aux parois grouillantes qui pourrait s'effriter, disparaître en poudre sous le soleil.

27 avril, aujourd'hui. Nous sommes partis de Bitterfeld le 14. Nous sommes restés 13 jours dans le wagon.

On vient de toucher une tranche de pain. Chacun mange pour soi, bête malade et dolente.

Les Français du camp nous rassurent. Les Alliés ne sont pas loin. La guerre s'achève. On écoute, bouche ouverte, la voix qui parle, égale à la nôtre, le langage de l'homme qui sait, qui donne le pain et qui n'insulte pas. Les visages se laissent caresser par la voix ; on est prêt à tout croire.

On s'en va, on traverse la place, et on débouche dans une avenue qui contourne le camp, le long des barbelés électrifiés. Les sentinelles sont toujours aux miradors. Nous ne sommes séparés des barbelés que par un large fossé. Un peu partout, dans l'avenue, il y a des tas d'ordures, des morts, les jambes repliées, des types allongés pas encore morts, qui leur ressemblent, des Russes affamés qui nous regardent.

1. Par cinq

Les Français du camp ne nous quittent pas. Ils nous ont dit qu'on allait toucher des colis de la Croix-Rouge : un colis pour trois. Les Russes flairent le colis qu'on va nous donner, et ils nous suivent. Eux ne touchent pas de colis de la Croix-Rouge. Il faut se tasser les uns contre les autres, se tenir, faire même un *service d'ordre* si l'on veut garder la nourriture. Les camarades du camp nous encadrent ; ils ont des bâtons. Les Russes forment un cercle un peu au-delà du leur. Nous sommes assis au centre.

Les colis arrivent. Un pour trois. Je suis avec Lanciaux et un autre. Les Russes s'approchent. Les copains de Dachau lèvent le bâton ; les Russes reculent. On partage le colis : sucre, viande, Phoscao, cigarettes. Dans les mains grises, entre les jambes, les richesses s'amoncellent. Tout est pour nous. Les Russes reviennent, leurs mains se tendent et se crispent dans le vide. Les copains lèvent encore le bâton. Les Polonais bouffaient des soupes épaisses aux arrêts du train ; nous, on les regardait, puis on pissait. Maintenant on mange. C'est notre moment, l'heure de notre nourriture. On mange tout à la fois : viande, chocolat, viande, biscuits, sucre, pâtes de fruits ; on a la bouche pleine de viande et de poussière de Phoscao. On n'y arrive pas : il y a encore beaucoup de choses à manger, il y en a encore entre les jambes. Les Russes restent, immobiles sous le bâton des copains. Les Français mangent. Il faut laisser manger les Français, les Français *alle Scheisse.* Les Français qui bouffaient les épluchures, les Français aux coups sur le cul quand ils volaient les patates au silo, les Français jamais appelés autrement que « encore les Français ». Les Français, déchaînés, mangent aussi au nom de ceux qui sont morts de faim dans le wagon. Ils mangent avec la rage, en se marrant. Le colis est plein de choses à savourer, à se marrer, à se souvenir qu'il y avait de la viande sur la table. On se regarde, les lèvres gluantes de sucre et de graisse ; on hoche la tête, et on se marre en se montrant les boîtes de conserves déjà à demi vides.

Les yeux des Russes fixent les colis et suivent aussi les mouvements des mains qui puisent dedans et celui des bouches qui mâchent. Les copains les contiennent toujours en levant de temps en temps le bâton. Les Français, eux, mangent. Un Russe se baisse et rampe vers nous, en s'accrochant au sol. Ses yeux ont été plus forts; il avance vers nous comme un aveugle, sous les bâtons levés. On lui lance une boîte vide. Il l'attrape, et il la lèche.

La torture des Russes autour de nous nous effleure à peine. Nous sommes enfoncés dans la nourriture. Eux en sont au point où l'on attaque pour manger, et seuls les copains, le bâton levé, ont pu nous protéger. Et nous, nous sommes au point où il est inimaginable que l'on puisse partager de la nourriture avec un autre qu'avec un copain du wagon.

Des nuages noirs passent devant le soleil. Nous restons couchés dans l'avenue au milieu des ordures, en dehors de l'enceinte des baraques que nous contaminerions avec nos poux. On a bâfré si vite qu'une torpeur vient. Mais il ne faut pas dormir, et il ne faut pas non plus s'aventurer seul dans l'avenue, si l'on veut garder ce qu'il reste des colis. Les figures affamées des Russes rôdent toujours autour de nous. Nous restons soudés les uns aux autres.

Le ciel est très lourd, vert sombre et jaune à l'horizon. Un orage se prépare.

On entend les roulements du canon. Il est proche.

J'ai mis un peu de Phoscao dans une gamelle, j'ai versé de l'eau dessus. La pluie commence à tomber. On se met la couverture sur la tête. Voilà les premières grosses gouttes : elles deviennent de plus en plus denses. Je me lève, et je vais chercher un abri sous le rebord d'un toit de baraque. Sous le bras gauche, je porte la boîte en carton avec les restes du tiers de colis; dans la main droite, je tiens la gamelle pleine de Phoscao. La pluie maintenant tombe en rafales. Ma couverture se trempe et tombe sur mes yeux. Les autres copains aussi cherchent un abri. Je suis empêtré avec mon carton, ma gamelle, ma couverture déjà trempée de pluie. Le ciel est de plus en plus noir. Bousculé, je vais à la dérive. Les endroits abrités sont déjà occupés. Je cherche encore. Vlan! une violente poussée. Quelque chose s'arrache de mon bras gauche, la gamelle verse et tombe. Pétrifié, je vois des types à mes pieds qui raclent la terre avec leurs ongles pour essayer de ramasser la poudre de cacao. Les morceaux de sucre sont éparpillés tout autour de moi; les Russes se ruent dessus et se battent. L'attaque a été si violente que la boîte de carton a éclaté. En quelques secondes, il n'y a plus rien à récupérer. J'avale vite les quelques gorgées de Phoscao qui restent dans la gamelle.

Je reste là, assommé. De nouveau, je n'ai plus rien à manger. Comme avant. C'est venu très vite. En une heure, j'ai pu recevoir plus que nous n'attendions depuis près d'un an, manger et me retrouver comme avant, mais cette fois, seul, par ma faute. Les copains, eux, tiennent fortement leur boîte sous le bras. Mon bras gauche est encore recourbé ; je tiens devant moi la gamelle vide comme si elle était encore pleine. La pluie me dégouline sur le nez. Il n'y a nulle part où aller ; je reste sous la pluie. Il vient de m'arriver une catastrophe. Ma gamelle est vide, et moi aussi je suis vidé. Je reste là, la couverture sur le nez, abruti.

*

Il est question de passer la nuit dehors. Dès la tombée du jour, on s'est agglutinés les uns aux autres par terre, en une masse compacte, et on a étalé les couvertures sur les têtes, les unes à côté des autres, de façon qu'elles forment un toit. Je suis assis entre les cuisses d'un copain, un autre entre les miennes. Torpeur sous les couvertures. La pluie n'a pas cessé depuis cet après-midi. En poussant du dos, on cherche le centre du tas. Acharnement de petits efforts avortés. Fureurs aussitôt étouffées par la fatigue. Chacun ses jambes, ses bras, son dos. Chacun encombre, voulant mettre tout son corps à l'abri.

Mais finalement on vient nous annoncer que nous ne resterons pas dehors. Un block a été évacué pour y loger les transports. Il est à l'extrémité du camp. On se met en colonne. Il fait presque nuit. On ne voit pas de kapos allemands, ce sont toujours des Français qui s'occupent de nous. Un autre transport qui arrive de Buchenwald s'est joint au nôtre. Nous sommes très nombreux maintenant.

On est resté longtemps debout, à attendre, puis la colonne s'est mise en marche et elle a pénétré dans l'allée extérieure d'un block. Il pleut. Là, devant le block, on attend encore longtemps, peut-être une heure. Jo me parle, je ne peux plus répondre. La tête vers le sol, je m'appuie de la main contre la paroi de la baraque, je glisse sans cesse ; pour me relever, je tends la main, on me hisse ; mais de nouveau je glisse. Ma tête pend, la bouche ouverte, j'essaye de rester debout, immobile, accroché au bras de Jo; mes jambes tremblent. Le sol est trempé, il ne faut pas se coucher par terre. On appelle les malades. Qu'est-ce que ça veut dire, les *malades*? Il y en a qui quittent la colonne; je les suis. Dans le block, la lumière électrique est aveuglante. Des Français et des Belges du camp sont là, propres, en zébré bleu et blanc, éclatants. On passe devant eux, ils nous poussent doucement vers la chambrée. Là, il y a des séries de trois étages de planches séparés par des allées. Il y a une place libre à un troisième étage. Je m'arrête, et je tends la main. Une figure barbue me sourit, une main me tire. En remontant les jambes, je bouscule le voisin, mais personne n'a plus la force d'engueuler. Je suis couché contre celui qui a souri et qui m'a hissé. Celui-là aussi vient d'arriver d'un transport. On est tous les deux noirs de crasse, on a les mêmes yeux, on peut se frôler. Il a souri comme s'il était heureux, comme s'il avait déjà conquis sur la planche une paix qu'il voulait aussi me faire atteindre en me tirant par la main. Il aurait pu râler, mais sans doute lui aussi venait de trop loin pour pouvoir râler encore.

Non seulement sur chaque étage de planches nous sommes écrasés les uns contre les autres, mais sur la même planche deux rangées de types se font face, et les jambes sont encastrées les unes dans les autres. En face de moi, est allongé un homme d'une cinquantaine d'années. Il a une barbe grise, un manteau noir sale, un grand bandeau sur la tête, sur lequel s'étale une large tache de sang séché noir. Il vient de Buchenwald; il a été assommé par un SS dans le wagon. Il ne dort pas, il ne se plaint pas. Ses paupières tombent parfois d'un coup, et aussitôt, lentement, il les relève.

On s'écrase dans ce block et on suffoque. Les jambes qui se frottent les unes contre les autres s'écorchent leurs plaies. La crasse du corps et des vêtements fond peu à peu et empoisonne le corps. Les poux se réveillent avec la chaleur. La fièvre vient, on étouffe, on crie, on appelle :

— De l'eau! De l'eau!

Des copains pleurent. Des bras se tendent, des mains se crispent vers l'allée où passe un Français de Dachau avec un quart. Il grimpe vers nous, il tend le quart. Une gorgée, encore une. On agrippe le quart. On suce l'eau.

La chambre est comme une gorge de cris, de plaintes.

Ceux qui n'ont pas de place se sont couchés par terre. Personne ne dort. Ce premier soir, le sommeil ne mord plus. Nous sommes tous portés par une vague qui ne peut se briser ni s'apaiser dans le sommeil. Toujours un cri relaie l'autre ; une plainte, une autre plainte. Ça ne cessera pas.

*

28 avril. – Il faut sortir pour toucher du jus. Il bruine, et il y a du vent. On tremble. La pluie a refroidi le temps. En colonne encore devant le block. Quand le soleil apparaît, si léger soit-il, il nous accable, et quand il disparaît on est transis. On attend longtemps ce jus, les épaules rentrées, la mâchoire grelottante. Il arrive, mais il faut encore se battre pour en avoir pendant qu'il est encore chaud.

Après l'avoir bu, je suis allé avec Jo au lavabo du block. On a enlevé la veste et la chemise. J'ai essayé de me frotter les mains, mais je n'ai pas pu maintenir assez longtemps les avant-bras repliés ; ils retombaient. Alors je me suis passé un peu d'eau sur la figure, mais elle est restée noire. Jo m'a frotté le dos. On tremblait de froid. On s'est essuyé avec la chemise épaisse de crasse et de cadavres de poux.

Maintenant, on erre dans l'allée extérieure ; on n'a pas le droit de rentrer dans la chambrée. Je voudrais pouvoir me coucher, n'importe où, mais être allongé au chaud. Le médecin du block est débordé. Il conseille de ne pas aller au revier en ce moment ; c'est imprudent.

Le canon est de plus en plus proche ; au loin, on entend les crépitements des premières mitrailleuses. Demain, sans doute, ils seront là. C'est inouï. Mais ai-je encore la force de le sentir ? Il faut payer encore. D'ici demain, et même après, il y aura encore des morts.

Deux types viennent d'en sortir un du block et l'ont allongé à une extrémité de l'allée, la tête dans le caniveau, près des barbelés, à côté d'un autre qui a été posé là, tôt ce matin. Quand on marche vers eux dans l'allée, on voit deux formes sombres, les jambes repliées, qui pourraient s'être allongées, épuisées. Quand on avance vers elles, elles grossissent, et lorsqu'on est près de voir, on s'arrête, et on retourne sur ses pas On ne les atteint jamais tout à fait.

Ils se sont plaints comme les autres cette nuit dans la baraque, et on les a trouvés morts ce matin. Ceux qui les ont sortis les tenaient, l'un par les pieds, l'autre par la tête, et ils ont dit simplement : « Attention ! » pour se frayer le passage. Les cinq cents types qui attendent maintenant la soupe ont un regard, en marchant, vers les deux têtes qui traînent dans le caniveau à la place des rats morts. La charrette va venir ; les deux types costauds à gros gants – qui ne mourront pas parce qu'ils mangent, qui mangent parce qu'il ne faut pas qu'ils meurent pour pouvoir ramasser les morts – vont les prendre par les pieds et par la tête et les jeter dans la charrette ; des jambes raidies dépasseront.

*

La sirène. Alerte aux chars. Les sentinelles sont toujours aux miradors. On rentre dans le block. Il est grouillant. On entend les mitrailleuses qui se rapprochent. Ça sera peut-être pour aujourd'hui.

L'homme à la tête bandée s'affaiblit. Personne ne peut le soigner : il n'y a plus rien à faire. Sa plaie suppure, et il souffre. Quand il dort, de temps en temps, j'appuie mon pied sur le sien pour m'assurer qu'il n'est pas encore mort. Alors il se relève légèrement, regarde vers son pied et retombe.

Il habitait autrefois Paris, m'a-t-il dit hier ; il avait été journaliste. Je lui ai demandé s'il pouvait me dire son nom.

— Cela n'a plus d'importance, m'a-t-il répondu.

*

Des colis ont été volés dans le block. Une sorte de police a été organisée. C'est un gros type à barbe qui en est l'animateur.

— Il faut casser la gueule au type qui vole ! Si j'en trouve un… dit-il.

Et il montre le poing.

Il semble qu'un jeune Russe – qui, lui, n'a pas touché de colis – ait effectivement volé quelque chose. Le type a barbe l'a entrepris. Le Russe nie. La voix du gros monte, forte. L'autre, maigre, a peur. Cette bonne morale s'indigne et s'épanouit dans la graisse. L'homme est sûrement très fort. C'est un type qui a mangé. Sa voix, son animation sont d'un homme qui a toujours mangé. Un soupçon pèse toujours ici sur l'homme qui est encore fort. Sans doute, chacun, s'il avait eu la chance qu'il a eue, pourrait être aussi gros que lui. Mais ici, au milieu des autres, on ne peut pas ne pas avoir honte de ses cuisses, de ses bras, de ses joues, quand ils sont pleins. Certes, ce type qui engueule le Russe, le menace, le secoue, fait cela pour nous. Mais cette violence devant l'autre si maigre est scandaleuse. Il ne nous défend pas avec nos moyens, mais avec de la force de muscles dont personne ici ne dispose. Et cet homme sans doute utile, efficace, ne nous apparaît pas comme un des nôtres.

La chambrée est pleine à craquer. La plainte de la cargaison en cale s'élève, innocente. Tous sont immobiles. La modulation continue des cris fait un bruit de mer. Ceux qui sont arrivés dans le transport de Buchenwald sont les plus faibles. Certains que l'on a conduits aux douches ne tenaient pas debout sous le jet et se couchaient sur le ciment. D'autres étaient encore, si possible, plus faibles que ceux-là, et des infirmiers les soulevaient et les trempaient dans des baquets d'eau comme on le fait avec les enfants.

Fin d'alerte. Ce n'est pas encore cette fois-ci. On n'est même plus déçu. Je vais aux chiottes. Pour cela, je traverse l'antichambre où se tiennent les fonctionnaires du block. Chef de block sarrois, stubendienst hollandais, belge, français, propres, rasés, des joues.

Les chiottes sont pleines. Tout le monde a la diarrhée. Les cinq cuvettes sont occupées. Des types trépignent devant, secouent celui qui, assis sur la cuvette, la tête baissée, semble s'endormir. Un de ceux qui attendent n'y tient plus : il chie dans la rigole. Comme il ne peut pas se tenir accroupi, il tend sa main, et un type le retient.

Un policier l'a vu.

— Dégueulasse ! Lève-toi, tu nettoieras !

L'homme accroupi ne bouge pas. Il gémit. Le copain le tient toujours. Il se relève difficilement. C'est toujours les mêmes petites cuisses violettes et les tibias en bâtons sur lesquels la chemise pend. Son pantalon est resté par terre, il traîne dans la merde. De la tête, le type fait « non » plusieurs fois, lentement. Il a des yeux sans larmes, mais sa figure pleure. Le policier à joues avec le bâton se tient devant le « dégueulasse » sans joues, le « dégueulasse » qui se tient le ventre et qui va s'accroupir encore et qui tend la main ; mais il n'y a plus de main : il retombe dans la merde. Moi je me tords le ventre, assis sur la cuvette, et un type tape sur mon épaule, déjà à demi déculotté. Le policier sort le type de la merde.

— Va te laver, dégueulasse !

Le « dégueulasse » s'appuie contre le mur, sa tête tombe sur son épaule. L'autre tape encore sur la mienne et m'appelle, suppliant : « Camarade, camarade ! » Je reste sourd, scellé à la cuvette ; alors, la main ne quitte plus mon épaule. Je me lève ; il se glisse aussitôt sur la cuvette. Je reste devant lui, pour reprendre la place après.

Pour rentrer dans la chambrée, je traverse de nouveau l'antichambre des fonctionnaires. Ils sont attablés et mangent de la viande de conserve dans des assiettes en fer, avec une fourchette. Ça ressemble à un dîner qu'ils feraient. C'est calme ici. La deuxième gamelle de soupe est sur la table, déjà mise de côté pour le lendemain. On ne se précipite pas sur la viande ici, on absorbe les bouchées les unes après les autres, tranquillement mais sans lenteur excessive. On ne surveille pas des yeux la soupe mise de côté, on peut même la prendre à côté de soi sans se torturer. Ici, on est raisonnable.

Je passe. Si je m'attardais, je les gênerais peut-être ; ils me diraient : « Rentre dans ta chambre ! » C'est un type à joues qui me le dirait ; pourtant, il sait bien comment c'est, dans la chambre, et que l'on peut désirer rester au calme pendant un moment. Mais, si tout le monde en faisait autant, voilà. Et il est responsable, et il faut qu'il ait la paix. C'est ainsi, c'est logique. Il faut qu'il y ait un chef de block, un stubendienst. Ils sont apparus à une époque terriblement ancienne maintenant et que nous n'avons pas connue. Ils ont été un bien, une chance à utiliser. Si elle n'avait pas été utilisée, il est probable que nous ne serions plus là ni les uns ni les autres. Ils sont maintenant une nécessité et aussi une fatalité : toujours le seul moyen de résoudre une situation, mais aussi un produit de cette situation. Elle a créé entre les détenus des différences qui sont maintenant encore plus visibles, cruelles. Et parce qu'elles le sont davantage, nous sommes tentés de croire qu'ils abusent encore plus de la situation. L'inégalité est éclatante. Cependant, si l'on râle, si l'on gueule contre eux, au moment même où le cri de révolte peut paraître le plus justifié en raison même de leur aspect et du nôtre, on conserve une chance sur deux de se tromper, d'être injuste. Mais eux courent le risque de l'être davantage encore. *Il faut qu'ils soient bien plus « humains » que nous.*

Cette antichambre est tranquille ; il y a un grand poêle sur lequel on fait griller du pain. Le bruit de la mer y arrive, étouffé. Un type est assis sur son lit. Il enlève son pantalon : ses cuisses sont grasses et blanches. Il a un air de grosse nourrice entretenue dans le talc. J'observe la chair : tout y est, les plis entre la cuisse et la fesse, la rondeur de la fesse. Un corps confit. Confort de la chair conservée dans le bocal à graisse. Cet homme a duré pendant la famine. On sort la cuisse du pantalon comme la cuisse d'oie. La figure, elle, ressemble à une fesse soignée, rose ; d'un rose naturel, pas celui du froid ou de l'essoufflement, le rose en fleur. On pourrait sans doute manger un homme tel que celui-ci. Je suis allé lui demander du feu. Je ne veux pas encore rentrer dans la chambrée. Je m'apprête à m'asseoir un instant sur son lit. Il m'en empêche, sans rudesse ; j'avais oublié.

Les autres dînent. Il n'y a plus qu'à s'en aller. Je m'approche de la porte de la chambre, j'hésite encore. Je l'ouvre. Je suis dans ma matrice : puanteur, plaintes, figures allongées, yeux tournés vers le plafond. À mesure que j'avance dans l'allée, le silence de l'antichambre s'éloigne. Je grimpe à ma place. Elle n'existe plus. Il faut la refaire, pousser celui qui s'est allongé sur le dos, reconquérir l'espace de ma hanche sur le plancher.

L'homme à la tête bandée est toujours à demi éteint. Son voisin, qui de temps en temps se soulève et observe sa figure pour savoir s'il n'est pas mort, est toujours à côté de lui ; celui qui m'a tendu la main hier soir est près de moi. Société de pieds et de hanches. Aucun de nous quatre n'a la force de pénétrer dans aucune des vies qui le côtoient. J'ai demandé son nom au vieux parce que j'aurais pu l'avoir connu. Il ne me l'a pas dit. Je ne suppose rien. Pendant un instant, j'ai éprouvé à son égard quelque chose qui pouvait ressembler à de la curiosité, mais cela n'a pas tenu. Quand quatre hommes restent ainsi des heures ensemble à se regarder sans se dire un mot, à se pousser, cogner leurs pieds, leurs jambes, leurs hanches, ils forment quand même une société. Chacun y a un droit, celui de sa place, et il ne doit pas être choquant que j'aie poussé le dos de mon voisin pour m'allonger. Il a râlé parce que je n'avais qu'à ne pas descendre ; c'était pour chier, évidemment, mais je l'ai bousculé en remontant, et, pendant que j'étais aux chiottes, il s'était habitué à ma place, ça lui en faisait deux, il pouvait se mettre sur le dos. Celui qui a râlé, c'est celui qui hier m'a tendu la main pour m'aider à monter. Sans doute il faut faire un effort terrible ou être mourant pour ne pas râler. Cependant, hier, il a souri, et aujourd'hui il m'engueule. Nous avons passé une nuit l'un à côté de l'autre, et déjà nous nous repoussons. Un ventre contre son dos, des jambes contre les siennes, la place à côté de la sienne. Maintenant, peut-être qu'il ne tendrait plus la main. Nous ne nous serons aperçus que pendant une seconde. Hier soir, en arrivant, je rêvais sans doute, et lui aussi. C'était trop d'avoir quitté le wagon, d'avoir mangé, d'être si près de la fin et de s'allonger. Quelque chose comme trop de bonheur a fait qu'il a tendu une main et qu'il a souri. J'en ai gardé le souvenir ; allongé contre lui, ce dos était fraternel, j'en étais presque intimidé. Maintenant, il râle. C'est déjà fait, nous nous sommes usés.

Abandon des mentons contre le dos. Chacun ses poux. Chacun ses jambes, ses cuisses, ses vieilles cuisses à cuisses de femmes et bouche à embrasser.

Les morts se détachent et tombent, feuilles sèches, de cet arbre énorme.

*

29 avril. – Le jour se lève, pâle. L'épave sort peu à peu du noir. Dans l'allée du block, les pas étouffés des premiers qui vont aux chiottes. Il n'y a plus d'appel. Ne pas bouger. On ne veut rien d'autre. Ceux qui ne se lèveront pas n'auront pas de jus. Tant pis. Rester couché, ne pas bouger. J'ai mis le nez dehors tout à l'heure en allant pisser ; je grelottais, je suis remonté. Je ne bougerai plus. Qu'on ne me demande rien, qu'on me laisse ici. Les poux m'ont sucé longtemps cette nuit, puis ils se sont calmés. Le jour est d'une couleur affreuse sur les visages. Lentement, les jambes se délacent, les zébrés remuent. Une vie exténuée dès l'éveil tente de se dégager. Naissance d'une vague, épaisse, lente.

On entend la mitrailleuse, très proche. Ce sera sans doute pour aujourd'hui.

Nous sommes arrivés avant-hier à Dachau. Les silhouettes des SS étaient encore aux miradors. Maintenant, je ne sais pas. Il n'y a pas de travail. Pas d'appel. Le temps est mort. Pas d'ordres. Pas de prévisions. Pas libres.

Pour la première fois depuis que Dachau existe, l'horloge nazie est arrêtée. Des baraques sont pleines d'hommes, le barbelé les entoure encore. Encore enfermés dans l'enceinte, les corps pourrissent sans leurs maîtres. Mûrs, mûrs pour mourir, mûrs pour être libres. Mûr celui qui va crever et mûr celui qui sortira. Mûrs pour finir.

Allongé, immobile, on a maintenant la sensation que des choses avancent vers soi à une vitesse terrible. Le moindre signe, une tête qui se dresse brusquement, le moindre cri peut être celui de la fin.

On attend encore, des heures. Puis c'est encore la soupe dehors. J'ai faim. Je me force à descendre de la planche. De nouveaux morts dans le caniveau. Le ciel est gris, bas. Des avions américains tournent au-dessus du camp. Les rafales de mitraillettes maintenant se rapprochent.

Encore des avions à étoiles. Crépitement des mitraillettes autour du camp.

Le drapeau blanc flotte sur le camp. Les avions, très bas, tournent.

Les miradors sont vides. Les avions, très bas, tournent. Toutes les têtes sont tournées vers le ciel. Les morts du caniveau abandonnés. Les yeux restent collés aux avions qui descendent de plus en plus bas.

Encore les mitraillettes. Tout le ciel chante.

On y est presque. On ne peut pas en être plus près.

De nouveau on nous fait rentrer dans le block.

Allongés de nouveau les uns contre les autres. Le plafond de la chambrée nous écrase. Il y en a qui ne sont pas sortis pour toucher leur soupe, le vieux à la tête bandée notamment. J'ai eu du mal à remonter à ma place. Mes jambes me lâchent, et mes pieds et mes chevilles commencent à enfler.

Dehors, je grelottais. Et maintenant j'étouffe. La fièvre va et vient. Les poux se réveillent. On n'entend plus les avions ici. Encore les jambes emmêlées, les coups de talon dans les plaies. Le vieillard a les yeux à demi fermés. Avec mon pied, j'appuie sur le sien :

— On va être libres !

Il faut qu'il s'en aperçoive, qu'il soit vivant. Même de si loin, de là où il en est, il faut qu'il sache.

Il soulève les paupières. Elles retombent aussitôt. De la tête, il fait « non ».

*

— Ils sont là !

Je me relève.

Un casque rond passe dans l'allée, devant les fenêtres.

La chambrée est haletante. Je me soulève sur mes coudes.

Maintenant, ça gueule. Une espèce de *Marseillaise* de voix folles gonfle dans le block. Un type crie dans l'allée du block. Il se tient la tête dans les mains. Il a l'air fou.

— Mais vous ne vous rendez pas compte ! On est libres, libres...

Il répète, il répète. Il tape des pieds. Il hurle

Tendu sur mon bras, je suis des yeux les casques qui passent dans l'allée. J'appuie de toutes mes forces, je tape sur les pieds du vieillard.

— On est libres, regardez ! Regardez !

Je frappe de toutes mes forces sur son pied. Il faut, il faut qu'il voie. Il essaye de se soulever. Il se retourne vers l'allée, il tend la tête. Les casques sont passés. C'est trop tard. Il retombe.

Je retombe aussi. Je n'ai pas pu chanter. Je n'ai pas pu sauter en bas aussitôt pour aller vers les soldats. Nous sommes presque seuls, le vieillard et moi, sur la travée. Les casques ronds ont glissé sur mes yeux. Lui n'a même rien vu.

La Libération est passée.

*

30 avril. – Dachau a duré douze ans. Quand j'étais au collège, ce block où nous sommes existait, le barbelé électrifié aussi. Pour la première fois depuis 1933, des soldats sont entrés ici, qui ne veulent pas le mal. Ils donnent des cigarettes et du chocolat.

On peut parler aux soldats. Ils vous répondent. On n'a pas à se découvrir devant eux. Ils tendent le paquet, on prend et on fume la cigarette. Ils ne posent pas de questions. On remercie pour la cigarette et le chocolat. Ils ont vu le crématoire et les morts dans les wagons. Des types qui étaient les frères de ceux qui sont maintenant au crématoire ou dans les caniveaux s'approchent d'eux et leur demandent, non par gestes mais avec une voix, une cigarette. Parfois, ces hommes n'osent même pas la demander tout de suite. Ils commencent par demander au soldat s'il est de New York ou de Boston. Ils essayent de dire en anglais que New York est beau, et ils le disent en allemand. Lorsque le soldat demande s'ils connaissent Paris, croyant répondre *yes*, ils disent *ja*. Alors les types rigolent un peu, et le soldat aussi.

Les soldats gardent la mitraillette ou le fusil. Ils sont postés aux coins du camp, dans les allées, un peu partout. La guerre continue et, quand même, c'est un camp. Il y a des milliers de types là-dedans, et il faut des soldats pour les garder.

Les types sortent des blocks, ils vont renifler un peu la Libération. Ceux de notre block ne peuvent pas aller sur la grande place du camp, parce qu'ils ont encore leurs poux ; alors, ceux qui peuvent encore marcher vont sur l'avenue qui longe le barbelé. Là, il y a des tas d'ordures qui brûlent, et, comme il fait froid, ils se chauffent aux foyers. Les quelques soldats qui sont de ce côté ont déjà donné leurs cigarettes. Il n'y a rien à dire ni à faire ; on regarde les soldats avec leurs mitraillettes, et on se chauffe près des ordures.

Les hommes ont déjà repris contact avec la gentillesse. Ils croisent de très près les soldats américains, ils regardent leur uniforme. Les avions qui passent très bas leur font plaisir à voir. Ils peuvent faire le tour du camp s'ils le désirent, mais s'ils voulaient sortir on leur dirait – pour l'instant – simplement : « C'est interdit, *veuillez* rentrer. »

On est gentil avec eux, et eux aussi sont gentils. Quand on leur dit : « Vous allez manger », ils le croient. Depuis hier, ils ne se méfient plus de rien. Cependant, ils ne peuvent pas dire que ces soldats-là les aiment particulièrement. Ce sont des soldats. Ils viennent de loin, du Texas, par exemple, ils ont vu beaucoup de choses. Cependant, ils ne s'attendaient pas à cela. Ils viennent de soulever le couvercle d'une drôle de marmite. C'est une drôle de ville. Il y a des morts par terre, au milieu des ordures, et des types qui se promènent autour. Il y en a qui regardent lourdement les soldats. Il y en a aussi, couchés par terre, les yeux ouverts, qui ne regardent plus rien. Il y a aussi des types qui parlent correctement et qui savent des choses sur la guerre. Il y a aussi des types qui s'assoient à côté des ordures et qui gardent la tête basse indéfiniment.

Il n'y a pas grand-chose à leur dire, pensent peut-être les soldats. On les a libérés. On est leurs muscles et leurs fusils. Mais on n'a rien à dire. C'est effroyable, oui, vraiment, ces Allemands sont plus que des barbares ! *Frightful, yes, frightful !* Oui, vraiment, effroyable.

Quand le soldat dit cela à haute voix, il y en a qui essayent de lui raconter des choses. Le soldat, d'abord écoute, puis les types ne s'arrêtent plus : ils racontent, ils racontent, et bientôt le soldat n'écoute plus.

Certains hochent la tête et sourient à peine en regardant le soldat, de sorte que le soldat pourrait croire qu'ils le méprisent un peu. C'est que l'ignorance du soldat apparaît, immense. Et au détenu sa propre expérience se révèle pour la première fois, comme détachée de lui, en bloc. Devant le soldat, il sent déjà surgir en lui sous cette réserve, le sentiment qu'il est en proie désormais à une sorte de connaissance infinie, intransmissible.

D'autres encore disent avec le soldat et sur le même ton que lui : « Oui, c'est effroyable ! » Ceux-ci sont bien plus humbles que ceux qui ne parlent pas. En reprenant l'expression du soldat, ils lui laissent penser qu'il n'y a pas place pour un autre jugement que celui qu'il porte ; ils lui laissent croire que lui, soldat qui vient d'arriver, qui est propre et fort, a bien saisi toute cette réalité, puisque eux-mêmes, détenus, disent en même temps que lui, la même chose, sur le même ton ; qu'ils l'approuvent en quelque sorte.

Enfin, certains semblent avoir tout oublié. Ils regardent le soldat sans le voir.

Les histoires que les types racontent sont toutes vraies. Mais il faut beaucoup d'artifice pour faire passer une parcelle de vérité, et, dans ces histoires, il n'y a pas cet artifice qui a raison de la nécessaire incrédulité. Ici, il faudrait tout croire, mais la vérité peut être plus lassante à entendre qu'une fabulation. Un bout de vérité suffirait, un exemple, une notion. Mais chacun ici n'a pas qu'un exemple à proposer, et il y a des milliers d'hommes. Les soldats se baladent dans une ville où il faudrait ajouter bout à bout toutes les histoires, où rien n'est négligeable. Mais personne n'a ce vice. La plupart des consciences sont vite satisfaites et, avec quelques mots, se font de l'inconnaissable une opinion définitive. Alors, ils finissent par nous croiser à l'aise, se faire au spectacle de ces milliers de morts et de mourants. (Plus tard même, lorsque Dachau sera en quarantaine à cause du typhus, il arrivera que l'on mette en prison des détenus qui veulent à tout prix sortir du camp.)

Inimaginable, c'est un mot qui ne divise pas, qui ne restreint pas. C'est le mot le plus commode. Se promener avec ce mot en bouclier, le mot du vide, et le pas s'assure, se raffermit, la conscience se reprend.

*

Il faut sortir pour toucher la soupe. Nous sommes 500 environ à servir. Ce sera très long, nous ne sommes pas couverts, et le vent est froid. On va grelotter. Tout le monde ne sort pas de la chambrée, il en reste beaucoup sur les planches. On a le choix : bouffer et crever de froid, ou ne pas bouffer et rester au chaud. Il faut bouffer.

On traverse lentement l'antichambre des fonctionnaires. Le soir tombe. Personne ne veut aller dehors. On attend dans le couloir, contre les chiottes, collés les uns aux autres. Le stubendienst flamand, les policiers ne parviennent pas à nous en faire sortir. Alors, un par un, ils prennent les types par le bras et les jettent dehors. Mais les types reviennent par l'autre porte.

On gueule :

— Ne nous touchez pas... on est libres !

On s'acharne à répéter : « On est libres ! nom de Dieu ! ne nous touchez pas ! »

— Sortez ! Sortez ! répondent les autres.

On ne peut pas rester dehors. Tout, mais pas ça. On se cache dans les chiottes. Les fonctionnaires gueulent. Il n'y a pas que des Français parmi nous, alors ils bousculent les types en jurant en allemand.

— Salauds ! on est libres... parlez français ! gueulent les copains.

Un type qui ne peut pas tenir debout se vautre par terre contre le mur.

— Les malades, dedans ! dit un fonctionnaire.

Tous se précipitent. Celui qui était par terre s'est levé péniblement.

— Tu es malade, toi ? Qu'est-ce que tu as ?

— Je ne peux pas rester dehors, je ne tiens pas debout, dit-il

— Sors d'ici !

Le type reste contre la porte de l'antichambre. Le stubendienst flamand le pousse.

— Ne me touche pas, nom de Dieu !

— Je ne te touche pas : je te fais sortir.

— Je ne peux pas rester dehors.

— Alors, tu ne boufferas pas...

La tête du type pend sur son épaule. Il s'accroche à la porte. Un policier le pousse. Il pleure.

— Mais vous ne comprenez pas que je n'en peux plus ! crie-t-il.

Il est tombé. D'autres font semblant de chier et restent assis sur les cuvettes pour ne pas sortir. On tremble tous, agglutinés. Panique des épaves devant le froid. On ne veut plus savoir si on peut ou si on ne peut pas sortir. Il n'y aura pas de soupe. Tant pis. On reste là contre les chiottes, comme des buses. On a peur du froid.

Dans l'antichambre, c'est calme, le chef de block, assis à sa table, mange tranquillement.

On s'époumone à crier – comme des enfants furieux que l'on ne voudrait pas reconnaître – qu'on est libres, libres de rester au chaud, de manger dedans... On ne comprend pas, mais eux non plus ne comprennent pas. Nous ne pouvons plus supporter qu'on nous touche, nous nous sentons sacrés. Libres, c'est-à-dire avoir reconquis tous nos droits, pouvoir dire « non » à tout ou « oui » à tout, mais comme on le veut. C'est-à-dire avoir reconquis d'un coup un pouvoir que personne n'a le droit de limiter.

Mais j'ai des poux encore, je suis hideux, et les copains aussi ;

la vision que l'on a de nous est la même que celle que l'on pouvait avoir avant-hier. Et c'est contre ça que l'on gueule : on ne veut pas être traités comme avant-hier ; il n'y a plus de loque, maintenant, *sous* cette loque... Mais alors... Alors, nous sommes cinq cents dans ce block. Il faut un compromis. Il faudrait que nous consentions à un minimum de discipline, mais il faudrait que les fonctionnaires fassent maintenant plus d'efforts que jamais pour éviter à *chacun* – car maintenant il s'agit bien de ne songer qu'à chacun – de souffrir inutilement. Mais certains conservent le style d'avant-hier, et c'est ça qui nous rend fous. S'il est possible de servir la soupe dedans, on doit nous épargner de sortir, puisque nous tremblons de froid dehors.

C'était possible. L'ordre qu'il pouvait être devenu si tentant de lancer à une masse de cinq cents types, *alle heraus !* a été retenu. Nous avons mangé la soupe dedans.

Je n'ai pas récupéré ma place pour dormir. D'autres en effet sont arrivés, et la chambrée est surchargée. Il y a cinq personnes par espace de lit, mais ces espaces, en fait, ne sont pas séparés les uns des autres. Les trois étages de planchers sont combles. J'ai essayé de m'allonger en travers, entre les deux rangées qui se font face. J'écrasais des jambes, et je recevais des coups de pied. Ou bien des jambes s'allongeaient sur mon ventre, et je ne pouvais pas les supporter longtemps. J'ai tout tenté pour me coucher. Les types ne réagissaient pas. Ils ne m'engueulaient pas. Ils gardaient leur place. Si j'écrasais un pied, il se retirait et automatiquement se posait sur mon ventre. Si j'essayais de me coucher entre deux corps, des bras me poussaient et m'expulsaient automatiquement. Un moment, je suis resté assis entre les deux rangées, comme un imbécile. Ils ne disaient rien. Ils attendaient que je parte. Jo aussi me regardait, il n'y pouvait rien, il n'avait que sa place. Je ne pouvais pas rester assis. Je suis descendu dans l'allée de la chambrée. Le plancher était trempé, je n'ai pas pu me coucher par terre. Je me suis assis sur un banc.

La lumière maintenant est éteinte. Sur ce banc non plus, je ne peux pas m'allonger, parce que d'autres y sont assis.

À côté de moi, il y a une ombre et un bout de cigarette rouge. De temps en temps, une bouffée éclaire une bouche et un nez comme un phare lointain.

Le tison s'est écarté de la bouche qui rentre alors dans le noir. Il s'approche de moi. Je ne fais pas attention. Un coup de coude dans mon bras. Le tison se rapproche. Je prends la cigarette. Je tire deux touches. La main la reprend.

— Merci.

C'est le premier mot. J'étais seul. Je ne savais même pas qu'il existait. Pourquoi cette cigarette vers moi ?

Je ne sais pas qui il est. Le tison rougit de nouveau à sa bouche, puis il s'en écarte et s'approche de nouveau de moi. Une touche. Nous sommes ensemble maintenant, lui et moi : on tire sur la même cigarette. Il demande :

— *Franzose ?*

Et je réponds :

— *Ja.*

Il tire sur sa cigarette. Il est tard. Il n'y a plus aucun bruit dans la chambrée. Ceux qui sont sur le banc ne dorment pas mais se taisent. Moi aussi je demande :

— *Rusky ?*

— *Ja.*

Il parle doucement. Sa voix semble jeune. Je ne le vois pas.

— *Wie alt ?* (Quel âge ?)

— *Achtzehn.* (Dix-huit.)

Il roule un peu les r. Il y a un silence pendant qu'il tire sa bouffée. Puis il me tend la cigarette et disparaît de nouveau dans le noir. Je lui demande d'où il est.

— Sébastopol.

Il répond chaque fois docilement, et dans le noir, ici, c'est comme s'il racontait sa vie.

La cigarette est éteinte. Je ne l'ai pas vu. Demain je ne le reconnaîtrai pas. L'ombre de son corps s'est penchée. Un moment passe. Quelques ronflements s'élèvent du coin. Je me suis penché moi aussi. Rien n'existe plus que l'homme que je ne vois pas. Ma main s'est mise sur son épaule.

À voix basse :

— *Wir sind frei.* (Nous sommes libres.)

Il se relève. Il essaye de me voir. Il me serre la main.

— *Ja.*

Paris, 1946-1947.

Composition Interligne.
Impression Société Nouvelle Firmin-Didot
à Mesnil-sur-l'Estrée, le 20 mai 2007.
Dépôt légal : mai 2007.
1er dépôt légal : mars 1978.
Numéro d'imprimeur : 85407.

ISBN 978-2-07-029779-5/Imprimé en France.

151814